EKSPLOZJE

TOMASZ JASTRUN
DANIEL ODIJA
A.J. GABRYEL
ALEK ROGOZIŃSKI
IGOR BREJDYGANT
JACEK MELCHIOR
PAWEŁ PALIŃSKI
AHSAN RIDHA HASSAN
JANUSZ L.
WIŚNIEWSKI

EKSPLOZJE

Projekt graficzny okładki
Krzysztof Rychter

Zdjęcie na okładce
© Monica Quintana/Arcangel Images

Redakcja
Małgorzata Holender
Maryna Wirchanowska
Krystian Gaik

Korekta
Bogusława Jędrasik
Jadwiga Piller

Wielka Litera Sp. z o.o.
ul. Kosiarzy 37/53
02-953 Warszawa

Skład i łamanie
Piotr Trzebiecki

Druk i oprawa
Drukarnia POZKAL

ISBN 978-83-8032-140-3

1

JANUSZ L. WIŚNIEWSKI
Arytmia

DANIEL ODIJA
Metronom

Arytmia

Cewnik katedy ma długość około 110 cm i średnicę 0,42 milimetra i jest wykonany z poliuretanu. Do końcówki cewnika przymocowana jest elektrodą w postaci 4-milimetrowej igły. Każda elektroda jest znaczona unikatowym numerem. Jego elektroda miała numer 18085402350. Lekarze na ogół nie znają tego numeru, ale księgowi w klinikach muszą go znać, aby zaksięgować ją w rubryce „amortyzacja aparatury". Elektroda katedy amortyzuje się po trzech zabiegach. W Ministerstwie Zdrowia ustalono, że można wepchnąć elektrodę do trzech serc i potem można ją „zdjąć ze stanu". Gdy operacja zakończy się zgonem pacjenta, elektrodę zdejmuje się ze stanu przed upływem okresu amortyzacji ustalonym na trzy zabiegi. Zdjęcie przed upływem okresu amortyzacji należy „udokumentować aktem zgonu pacjenta". Katedę wprowadza się w tętnicę udową w okolicy prawej pachwiny.

On miał wypchniętą tętnicę udową prawej pachwiny. Całowałam to miejsce wiele razy, więc wiem. Zawsze gdy dotykałam go tam wargami lub językiem, kładł dłonie na mojej głowie, powtarzał szeptem moje imię i drżał. Czasami delikatnie, a czasami mocno uciskał różne miejsca na mojej głowie. Ale tylko lewą dłonią. Prawą przesuwał w tym czasie wzdłuż moich włosów. Nigdy go nie zapytałam, jaki koncert grał lub słyszał w swojej wyobraźni, gdy to robił. Wiem, że aby mnie nie zranić, zaprzeczyłby. Wiem także, że byłoby to kłamstwo. Zawsze przecież przegrywałam z jego muzyką. W łóżku także.

On nawet mnie rozbierał tak, jak gdyby wyciągał swoje skrzypce z futerału. Z namaszczeniem, uroczyście. Dokładnie tak, jak to robi skrzypek, który gładzi swój instrument, muska palcami po smagłym drewnie, strzepując jakieś zupełnie niewidoczne pyłki, tylko jemu znane. Potem patrzy na skrzypce. To spojrzenie jest chyba najpiękniejsze. On także na mnie nagą tak patrzył. Jak na swoje skrzypce przed wielkim, najważniejszym koncertem. I chociaż wiedziałam, że mnie tym koncertem zachwyci, odurzy i spełni, czułam, że nawet gdy będzie ejakulował we mnie, to usłyszy przy tym nie mój krzyk i nie mój płacz, ale jakiś cholerny kontrapunkt. Bo dla niego także łóżko było salą koncertową.

Słyszałam jego oddech, szum smyczka równo prowadzonego po strunie. Tak jakby wkradł się do mojej duszy i delikatnie dmuchnął u nasady włosów. Od tej pory wszystko było wspólne: oddechy, czas, powietrze, ciało. I wcale nie chodziło o powolne, altowe, wibrujące dźwięki. Gdzieś spoza szybkich, dokładnych, mocnych dźwięków słychać było tęsknotę i namiętność. Najpierw solista, *piano*, eksponował temat. Nasze spojrzenia spotykały się gdzieś w środku sali, przekazując sobie tempo, ekspresję, kolor. Rozbrzmiewało *tutti* orkiestry, las smyczków w idealnie równym tempie zmieniał kierunek, podniecenie wzrastało tym szybciej, im głośniej i bardziej żywiołowo łączyły się wszystkie brzmienia. Na koniec tylko on, skrzypek, i ja, w doskonałym konsonansie, jednakowo zdyszani. Przeżywamy coś tak bardzo potrzebnego, niezapomnianego dla wysuszonego, oczekującego pragnienia siebie. Tyle że ja u końca drogi stapiałam się w jedność tylko z nim, podczas gdy on z ostatnim finałowym taktem…

Kateda wepchnięta poprzez elastyczną plastikową koszulkę umieszczoną w punkcie nakłucia tętnicy udowej wędruje powoli do serca. Najpierw do prawej komory, potem do prawego przedsionka. Stamtąd musi przebić się do lewego przedsionka. W lewym przedsionku zbliża się ją do ujścia żyły płucnej i prądem o częstotliwości radiowej rozgrzewa się jej końcówkę do około 60–70 stopni Celsjusza. Uzyskana w ten sposób temperatura jest wystarczająca do tego, aby oparzyć ścianki żyły płucnej i skoagulować – jak oni to nazywają – jej tkankę, czyli po prostu utworzyć blizny, które mają zatrzymać zaburzone przewodnictwo elektryczne powodujące arytmię.

Blizny.

Jego blizna pękała, gdy zobaczyłam go pierwszy raz. Dwa lata temu.

Wyszłam z akademika około czwartej nad ranem. Ktoś wrócił akurat z Amsterdamu i przywiózł „rośliny". Albo wypiłam zbyt dużo wina i inhalowałam zbyt głęboko, albo ten cannabis był nasączony jakąś twardą syntetyczną chemią. Miałam katastroficzny „trip". Głucha ciemna bezgraniczna przestrzeń przecięta w poprzek białą szeroką strugą parującego gorącego mleka wpływającego do moich ust. Parzyła mi wargi i podniebienie, przepływała przeze mnie, zatrzymywała się w przełyku, przedostawała się do piersi, podnosiła je do góry, rozrywając mój stanik, i wracała, aby wytrysnąć fontanną pomiędzy moimi udami. Nie była już biała. Zmieszana z krwią nabrała różowego koloru. Gdy zaczęłam się krztusić i dusić, nie nadążając połykać tego mleka, wybiegłam tak jak stałam z pokoju. Czułam przeszywający ból w podbrzuszu. Dostałam okres. Przez lasek otaczający akademik, potykając się o zaspy zmarzniętego śniegu, dotarłam do ulicy. Gdy nadjechał tramwaj, po prostu wsiadłam.

Siedział z zamkniętymi oczami w pierwszym porannym niedzielnym tramwaju. Lewą stronę twarzy oparł o zaszronioną brudną szybę, zostawiając na niej zaparowany nieregularny ślad po swoim ciepłym oddechu. Rękami obejmował futerał skrzypiec. Tak jak gdyby trzymał dziecko w ramionach. Na prawym policzku miał szeroką bliznę. Tramwaj ruszył. Stanęłam naprzeciwko niego i wpatrywałam się w tę bliznę. Narkotyczny omam nie mijał. Widziałam, jak blizna powoli pęka, rozsuwa się niczym czyjeś nienaturalnie wąskie sine wargi i wypełnia powoli krwią. Wyjęłam chusteczkę z kieszeni spodni, uklękłam przed nim i przyłożyłam chusteczkę do tej blizny, aby zatrzymać wypływ krwi. Otworzył oczy. Dotknął mojej dłoni przyciśniętej do jego policzka. Przez chwilę nie puszczał jej, gładząc delikatnie moje palce.

– Przepraszam…

– Zasnąłem. Proszę, niech pani usiądzie.

Wstał i ustąpił mi miejsca. W pustym tramwaju.

Tramwaj pędził jak oszalały. Na kolejnym zakręcie upadłam na zabłoconą podłogę. Nie mogłam podnieść się z kolan. Zauważył to. Wsunął ostrożnie skrzypce pod siedzenie, przy którym klęczałam, po czym, obejmując w pasie, posadził mnie ostrożnie na tramwajowej ławce. Zdjął swoją czarną skórzaną kurtkę i okrył mnie nią.

– Dokąd pani jedzie? – zapytał cicho.

– Do domu – odpowiedziałam, próbując przekrzyczeć pisk kół hamującego tramwaju. – Masz bliznę na policzku – uśmiechnęłam się – ale już nie krwawi...

Wysiedliśmy na następnym przystanku. Zatrzymał taksówkę. Odprowadził mnie pod drzwi mojej stancji. Następnego dnia pojechałam oddać mu kurtkę. Wpuściła mnie do mieszkania jego macocha. Nie zauważył mnie, gdy wsunęłam się cicho do jego pokoju. Stał pod oknem odwrócony plecami do drzwi. Grał na skrzypcach. Szaleńczo. Całym sobą. Słuchałam, nie mogąc oderwać wzroku od jego prawej ręki prowadzącej smyczek. Nie potrafię dzisiaj nazwać tego, co czułam w tamtym momencie. Oczarowanie? Bliskość? Intymność? Muzykę? Wiem tylko, że tuliłam z całych sił do siebie jego kurtkę i wpatrywałam się w jego prawą rękę.

Skończył grać. Odwrócił się. Wcale nie zdziwił się, że jestem w jego pokoju. Jak gdyby wiedział, że tam stoję. Podszedł do mnie tak blisko, że dostrzegłam kropelki potu na jego twarzy. Był jak w jakimś transie. Płakał.

– Tylko moja matka dotykała tak mojej blizny jak pani tam w tramwaju – powiedział, patrząc mi w oczy.

Dwa tygodnie później przestał mówić do mnie per pani. Miesiąc później nie mogłam przypomnieć sobie życia „przed nim". Po pół roku byłam jak obłąkana, gdy wyjeżdżał ze swoją orkiestrą i przez kilka godzin nie odbierał komórki.

Dwudziestego ósmego czerwca, w sobotę rozebrał mnie po raz pierwszy. I patrzył na mnie. Przeglądałam się w jego oczach. Jak księżniczka w zwierciadle. Wtedy jeszcze było mi zupełnie obojętne, że on widział mnie poprzecinaną pięciolinią...

Nie miałam orgazmu tamtej nocy. Ale i tak doskonale wiedziałam, jak się to czuje mieć go z nim. Pamiętałam to, tak jak pamięta się swój pierwszy wielki wstyd z dzieciństwa...

O północy trzydziestego kwietnia stał zdyszany pod drzwiami mojej stancji. Zaczynał się dzień moich urodzin. Nawet nie zapytał, czy chcę z nim jechać. Taksówka czekała na dole. Kazał kierowcy zatrzymać się przed małym kościołem na Mokotowie. Miał ze sobą skrzypce. Weszliśmy boczną nawą do zupełnie ciemnego kościoła. Bałam się, gdy zostawił mnie samą w ławce naprzeciw ołtarza. Zapalił świece stojące na marmurowym blacie. Nuty oparł o jeden ze świeczników. Wyciągnął skrzypce i stanął po krzyżem. Zaczął grać. To było coś więcej niż dotyk. O wiele bardziej przenikające. Czułam fizyczne podniecenie. Z każdym taktem bardziej wyraźne. Gdy zamykałam oczy, dotykał mnie zamkniętej za nagością, słowami, światłem. Wilgotniałam, czując ciepło pomiędzy moimi udami. W ciemnej sali zimnego opustoszałego kościoła.

Zanim skończył, stało się to trzy razy.

Podczas zabiegu ablacji żyły płucnej igła przebywa w sercu kilka godzin i jej ruch w naczyniach krwionośnych, jak i w sercu, obserwowany jest na monitorze rentgenowskim. Aby uniknąć powikłań zakrzepowo-zatorowych, już na kilka dni przed zabiegiem podaje się pacjentowi środki zmniejszające krzepliwość krwi. Przy ukierunkowanej na żyłę płucną ablacji rzadko poszukuje się w sercu innych ośrodków arytmii i koaguluje przeważnie jedynie tkankę żyły płucnej. Podczas zabiegu pacjent znajduje się w pozycji leżącej i jest cały czas przytomny. Ponieważ możliwe jest wystąpienie przejściowego bloku przedsionkowo-komorowego, przez cały czas trwania zabiegu zabezpiecza się stymulację serca czasową elektrodą endokawitarną. Ewentualne zaburzenia oddechu reguluje się na bieżąco aparatem tlenowym.

Często, gdy leżeliśmy przytuleni do siebie, kładłam głowę na jego piersiach. Gładził delikatnie moje włosy, a ja słuchałam jego bijącego serca. Nigdy nie wysłuchałam żadnej arytmii. Gdy zasypiał, patrzyłam godzinami na niego, jak oddychał miękko i spokojnie. Czasami na moment jego oddech przyśpieszał i wargi rozchylały się lekko. I wtedy chciałam być w jego głowie. Wtedy najbardziej…

Ablacja jest zabiegiem leczniczym o bardzo wysokiej skuteczności, lecz mogą po niej ponownie wystąpić zaburzenia rytmu. Jeżeli leczenie farmakologiczne zaburzeń rytmu jest nieefektywne, zabieg ablacji może być powtórzony. Wyłączona jest z tego jednakże ablacja żyły płucnej!

Miał chore serce. Ukrywał to przed światem. Ukrył to przede mną. Wstydził się tego tak samo, jak dojrzewający chłopcy wstydzą się swojej mutacji lub tego, że mają pryszcze na twarzy. Dowiedziałam się, że jest chory, przypadkiem. Wyjechał na kilka dni z orkiestrą do Hanoweru. Tuż przed Wigilią. Naszą pierwszą wspólną Wigilią. Jego ojciec z macochą i jego przyrodnią siostrą spędzali święta w Szwajcarii.

Kupiłam choinkę. Mieliśmy spędzić we dwoje Wigilię u niego w mieszkaniu i następnego dnia pojechać do moich rodziców do Torunia. Sprzątałam jego pokój. Zebrałam leżące na podłodze zapisane jego ręką partytury i chciałam schować je do szuflady jego biurka. Szuflada była wypchana różowymi wydrukami elektrokardiogramów.

Miał w tej szufladzie ponad trzysta sześćdziesiąt elektrokardiogramów!

Wystawionych przez szpitale z większości miast w Polsce. Ale także z Niemiec, Włoch, Czech, Francji, Hiszpanii i USA. Oprócz tego były tam wypisy z kilkunastu szpitali, rachunki za leczenie w kilku językach, dwa stetoskopy, niewykorzystane recepty, skierowania do klinik, diagnozy psychoterapeutów i psychiatrów, kopie oświadczeń o jego zgodzie na zabiegi elektrycznego wyrównywania rytmu, igły do akupunktury, napoczęte opakowania z tabletkami, wydruki stron internetowych dotyczących arytmii i tachykardii.

Od dwunastu lat miał zdiagnozowaną napadową *Arrythmia absoluta*. Tylko w czasie gdy ja go znałam, miał wykonywanych w pełnej narkozie osiem zabiegów kardiowersji, czyli wyrównywania rytmu serca szokiem prądu elektrycznego. Ostatnią kardiowersję robiono mu w Heidelbergu. Na dwa tygodnie zanim odkryłam tę wypchaną wydrukami EKG szufladę. Jego orkiestra brała tam udział w jakimś festiwalu. Przez dwanaście godzin nie odzywał się ani ja nie mogłam dodzwonić się do niego. Powiedział mi, że zostawił komórkę w hotelu. Prawda była zupełnie inna. W salach intensywnej terapii nie zezwala się pacjentom używać telefonów komórkowych, ponieważ zakłócają pracę aparatury. Z daty i godziny naniesionych na elektrokardiogramy wykonane przed i po jego ostatniej kardiowersji wynikało, że ataku arytmii musiał dostać w czasie koncertu.

W pierwszej chwili chciałam zadzwonić do niego i zapytać. Wykrzyczeć swój paniczny strach. Czułam się przeraźliwie oszukana i zdradzona. On wiedział o mnie więcej niż mój ojciec, który zmieniał mi pieluchy, a tymczasem zasrani lekarze w całej Europie wiedzieli o nim więcej niż ja! Harcerz jeden! Znam smak jego spermy, a nie wiem nic o tym, że przepuszczają mu prąd przez serce przeciętnie raz na sześć tygodni!

Milczałby. Krzyczałabym w słuchawkę, a on milczałby w tym czasie. Dopiero gdy zaczęłabym płakać, powiedziałby:

– Kochanie... To nie tak. Nie chciałem cię martwić. To przejdzie... Zobaczysz.

Nie chciałam, aby wydawało mu się, że uspokoił mnie tym swoim „to przejdzie". Dlatego nie zadzwoniłam. Postanowiłam, że zapytam go dopiero wtedy, gdy będę mogła położyć przed nim tę stertę trzystu sześćdziesięciu elektrokardiogramów. I obiecałam sobie, że nie będę przy tym płakać.

Po kolacji rozstawił w całym pokoju zapalone świece, przebrał się w swój koncertowy frak i grał dla mnie na skrzypcach kolędy. Tylko we wspomnieniach Wigilii z dzieciństwa czułam się taka bezpieczna i taka szczęśliwa jak z nim tamtego wieczoru.

W nocy wstał z łóżka i poszedł do kuchni. Ze szklanką wody w dłoni podszedł do biurka i wysunął szufladę. Nie spałam. Zapaliłam światło dokładnie w tym momencie, gdy połykał tabletkę.

– Opowiesz mi o swoim sercu? – zapytałam, dotykając jego blizny na twarzy.

Pięć miesięcy później ten skurwiel kardiolog z ulizanymi żelem włosami i tytułem profesora, który mu to robił, zabił go po drodze katedy z prawego przedsionka do lewego, przebijając mu serce i powodując krwotok do jamy osierdziowej. Zabił mi go i wyjechał jak gdyby nigdy nic na urlop. Do Grecji. W dwa dni po zabiegu. Zakończył jedną igłą dwa życia i spokojnie poleciał się opalać.

Daniel Odija

Metronom

Odwiedziny w szpitalu przygnębiały mnie. W mężczyźnie, siedzącym obok, nie rozpoznawałam tej miłości, która pokolorowała ostatnie miesiące naszego życia. Nie wyglądał najgorzej, choć miał twarz obrzmiałą od leków. Był spocony i rosła mu broda. Ale przecież nie dla wyglądu go pokochałam. To nigdy nie było ważne. Choć każda dziewczyna mogłaby o nim powiedzieć, że był przystojnym blondynem z oczami koloru morza, w którym przegląda się poranne słońce. Podobał się kobietom. W ciągu kilku tygodni postarzał się o parę lat. Byłam przy nim, próbując nie przyznać się przed sobą do lęku, jaki mnie ogarniał. Bo on zniknął! Odszedł!

Przygnębiała mnie nieobecność jego osoby, mimo że siedzieliśmy przy stoliku w świetlicy, która tutaj była najlepszym miejscem do rozmowy. Sztywno wyprostowany na krześle. Całkowicie pogrążony w myślach, których treść była bolesną tajemnicą. Ile bym dała, by je poznać!

Wyglądał, jakby nie docierały do niego bódźce zewnętrzne. Telewizor, zawieszony na ścianie, głośno wdzierał się w nasz świat. Ale on nie reagował na obrazy z ekranu, które hipnotyzowały kilku widzów – zawsze ktoś tu był. Jeśli nasłuchiwał, to wyłącznie tego, co kotłowało się w nim. Impulsy z zewnątrz rozbijały się o klosz, jaki go otaczał.

Świetlica szpitalna. Najlepsze miejsce do rozmowy... Nie rozmawialiśmy. Nie potrafiłam przebić się przez klosz. A przecież tak dużo sobie mówiliśmy, o sobie, o nas! Czy bezpowrotnie utraciliśmy naszą przyszłość? Czy nadzieja na zbudowanie wspólnego życia utonęła w przeszłości, której żadne zaklęcia nie są w stanie wskrzesić?

Dziś mój ukochany siedział wpatrzony w niewidzialny rekwizyt, który unosił się przed moją twarzą albo za moją głową. Czy TO – powód, dla którego tu byliśmy – zabrało mi go na zawsze?

Poznaliśmy się na imprezie naszych wspólnych znajomych. W akademiku wyższej szkoły muzycznej. Trochę picia, trochę zioła. Wesołe towarzystwo. Od razu go zauważyłam. On zauważył mnie. Wystarczyło przelotne spojrzenie i ten moment, gdy spotkaliśmy się w przestrzeni. Niewidzialne porozumienie stało się faktem. Przedstawił się i zniknęliśmy dla towarzystwa. Odtąd zabawa, dźwięki i kolory krążyły wokół nas, bo byliśmy tylko dla siebie.

Przyszedł z gitarą. Zawsze miał przy sobie akustycznego fendera. Na prośbę przyjaciół zaczął grać. To było coś niezwykłego! Spodziewałam się zwykłego grajka, który opanował kilka akordów, tymczasem usłyszałam wirtuoza. Potrafił zagrać fragmenty arcydzieł muzyki klasycznej, które wplatał w bluesowo-jazzowe kompozycje własnego autorstwa. Był mistrzem improwizacji. W trakcie wykonywanego utworu przestrajał struny, by zmienić skalę. Do bluesa używał metalowej rurki, zakładanej na palec, której fachowa nazwa brzmiała slide. Zagrał kilka ragtime'ów. Potrafiłam docenić jego wyjątkowe umiejętności i to nie dlatego, że sama byłam skrzypaczką. Po prostu taki talent zdarza się bardzo rzadko. Ja byłam rzemieślnikiem po studiach muzycznych. Właśnie dostałam angaż w miejscowej filharmonii. Nie potrafiłam jednak wykroczyć poza schemat partytury, rytm wyznaczony przez dyrygenta, poza rolę trybiku w orkiestrze.

On był samoukiem. Nauczył się nut i dzięki długotrwałym, mozolnym ćwiczeniom osiągnął poziom dostępny wyłącznie dla wybrańców. Ale nawet najsurowszy reżim pracy i dyscyplina nie sprawią, że staniesz się artystą. Z tym trzeba się urodzić.

Byłam wyczulona na piękno muzyki. A dźwięki, jakie on wydobywał ze strun, były wręcz hipnotyzujące! Grał, jak on to mówił, na dwunastkach, czyli strunach najgrubszych z możliwych. Wielogodzinne ćwiczenia sprawiły, że opuszki stwardniały mu w zrogowaciałe młoteczki. Dzięki temu, gdy uderzał palcami w metalowe struny, nie pękała mu skóra. Wydobywał z instrumentu naturalnie głośne i czyste brzmienie. Pływałam w jego muzyce, wsłuchana nie tylko w melodię, ale i w oddech. Jego oddech. Pragnęłam oddychać z nim, być jak najbliżej niego.

Z imprezy wróciliśmy razem. I zaprosiłam go do siebie. Uśmiechnął się tylko. Nigdy wcześniej nie zaprosiłam mężczyzny do siebie po pierwszym spotkaniu. Kochaliśmy się do rana, pisząc naszymi ciałami własną partyturę. Byłam taka szczęśliwa.

To były najpiękniejsze miesiące mojego życia. Noce niewysłowionej rozkoszy, dnie romantycznych uniesień. Nie było chwili, w której bym o nim nie myślała. Mówił, że czuje to samo. Przeprowadził się do mnie. Pragnęliśmy spędzać ze sobą każdą minutę, która bezpowrotnie umykała, a jednak na zawsze zostawała w mojej pamięci. Szczegóły naszej miłości utrwaliła we mnie jakaś podświadoma obawa, że przecież takie szczeście nie może trwać długo.

Chodził na moje koncerty, choć przecież w filharmonii grałam trzecie skrzypce, zawsze odtwórczo, zasklepiona w schemacie zapisu nutowego, który miałam przed nosem. Ja z kolei chodziłam na jego koncerty w klubach, gdzie występował solo albo z zespołami, zawsze będąc tym najważniejszym – jego improwizacje wyróżniały się nieskrępowaną wyobraźnią i nadzwyczajną techniką. Gdy go słuchałam, dostawałam dreszczy.

– Muzyka była ze mną od zawsze. Ale pojawiłaś się ty i zawróciłaś mi w głowie! – śmiał się.

Całowałam jego śmiech. Tak słodko całował…

Oczywiście to musiało kiedyś nastąpić. Zaczęliśmy grać w duecie. Najpierw ćwiczyliśmy w domu. Nigdy wcześniej gra na skrzpcach nie sprawiała mi takiej radości! Ośmielił mnie. Tak jak odkrywaliśmy siebie podczas seksu, całkowicie oddając się sobie, tak poznawaliśmy się poprzez wspólne granie.

Jego zdolności kompozytorskie uwolniły we mnie potencjał, którego w sobie nie podejrzewałam. Pod jego opieką stawałam się artystką. Odkryłam w sobie zdolności do improwizacji. Zaczęliśmy grać wspólne koncerty. Planowaliśmy nagrać naszą płytę. Spełniał moje marzenia. Nie tylko o wspólnej miłości, ale też o tworzeniu muzyki z ukochaną osobą. Czy można czegoś pragnąć więcej? Można. To wyznanie wynikło tak naturalnie. Z miłości mojej do niego.

– Chciałabym mieć z tobą dziecko.

Zaśmiał się.

– Chyba jestem w stanie podołać temu zadaniu – powiedział jakoś tak lekko. – Jestem zdrowy jak koń! Serce mam jak dzwon.

Specyficzne poczucie humoru. Tak wtedy pomyślałam. Nie zawsze go rozumiałam. Jakby decyzja o dziecku zależała od jego zdrowia. Ale byłam szczęśliwa, że będzie ze mną, będzie ze mną na zawsze!

„Serce silne jak dzwon" – ta fraza śniła mi się w serii niepokojących snów, które zaczęły mnie prześladować od dnia, gdy nastąpiła zmiana.

Mieliśmy wspólny koncert. Wyjątkowo nam nie szło. Jego gitara często milkła i zostawałam sama. Z początku myślałam, że specjalnie wypuszcza mnie na solówki, bym mogła się wykazać, ale po jakimś czasie zrozumiałam, że po prostu nie może grać. Zastygał z gitarą w bezruchu i patrzył bezmyślnie przed siebie. Aż w końcu przerwał występ i zszedł ze sceny. Wydawało się, że bez większego powodu. Szybko się okazało, że zaczyna się koszmar, który miał zniszczyć naszą miłość.

Wahadło metronomu podawało tempo. Metaliczny dźwięk sprężyny wbijał się w głowę. Byłam do tego przyzywyczajona. Przez lata sama grałam z metronomem, a tym razem nie towarzyszyły mu dźwięki wydawane przez struny. Mój ukochany siedział godzinami, wsłuchany w głośne stukanie wahadła, i nie grał. Gitara leżała obok – połamana. Kilka dni wcześniej rozbił ją o ścianę, krzycząc, że ktoś zabrał mu siłę w palcach i już nie potrafi grać. Był zrozpaczony. Przytuliłam go, trochę się uspokoił. Jeszcze się uspokajał, gdy go przytulałam. Jeszcze...

Tamtego dnia był bardzo nerwowy. Zresztą jak przez ostatnie tygodnie. Często wychodził rano z domu i wracał dopiero wieczorem. Na pytanie, co robił, odpowiadał krótko: „Podróżowałem", albo: „Szukałem". Co się z nim działo. Miał romans? Intuicja podpowiadała mi, że nic z tych rzeczy. Coraz bardziej się zaniedbywał. Przestał się golić. Musiałam mu przypominać, by zmieniał podkoszulki, skarpetki, co było krępujące dla nas obojga. Gdyby miał kochankę, dbałby o swój wygląd.

Tamtego dnia powiedział, żebym z nim poszła.

– Gdzie?

– Zobaczysz.

Chwycił mnie za rękę, aż syknęłam z bólu.

– Delikatnie! – jęknęłam.

– Przepraszam – burknął i puścił.

Ledwo za nim nadążałam. To nie był spacer. To był bieg!

– Poczekaj, gdzie się tak spieszysz?!

Zwalniał na chwilę, a później znowu przyspieszał. Jakby go coś goniło. Wreszcie stanęliśmy przed kościołem, a ja uczepiłam się absurdalnej myśli, która była próbą schwytania złudzenia, że jego zachowanie wynika z tremy. Może podjął decyzję, której tak oczekiwałam? „Chce się oświadczyć?" – życzyłam sobie w duchu.

Potrafił przecież zaskakiwać. Te romantyczne wyjścia na miasto, których ostatnio mi nie proponował... Jego zachowanie jednak nie wskazywało, by pragnął spełnić moje ukryte marzenie. Ale miałam nadzieję...

Złapał moją rękę. Miał zimną i spoconą dłoń. Poczułam niepokój. Nasze kroki rozlegały się w ciszy pustej świątyni jak... klekotanie metronomu. Zaciągnął mnie przed ołtarz.

– Ciekawie. – Byłam podniecona.

Puścił moją rękę i sięgnął do kieszeni swojej kurtki. Ale zamiast pierścionka wyciągnął modlitewnik, który przycisnął do piersi.

– Widzisz moje serce? – zapytał.

– Ty jesteś moim sercem! – Roześmiałam się, przekonana, że gramy w romantyczne skojarzenia.

– Ono płonie i cierpi za grzechy całego świata – powiedział jak najpoważniej. – Płonie jak serce Jezusa Chrystusa, Pana Naszego!

Jego oczy niezdrowo błyszczały. Ukląkł i zaczął się modlić. Zaśmiałam się nerwowo. Ale zamiast śmiechu usłyszałam płaczliwy skrzek. To był mój głos.

– Proszę cię... To żart jakiś, tak? Nie żartuj! – krzyknęłam.

Głos rozniósł się po pustym kościele. Nie chciałam uwierzyć w przemianę człowieka, którego tak dobrze znałam. Przynajmniej do tego momentu. Przez ostatnie tygodnie zachowywał się dziwnie. Wielogodzinne czytanie Biblii w rytm metronomu, który wybijał dziury w mojej głowie. A teraz?

– To wcale nie jest śmieszne!

Położył dłonie na mojej głowie, jakby chciał mnie pobłogosławić.

– Córko moja, nie lękaj się! Oczyszczę świat z grzechu. Jestem Królem Królów!

To było takie straszne. Spojrzałam w jego oczy, ale go tam nie było. Patrzył na mnie obcy człowiek! Uciekłam. Nie wołał za mną.

Po zdarzeniu w kościele nie wrócił do domu. Nie odbierał telefonu. Gdy minęły dwie doby, postanowiłam zgłosić zaginięcie.

Gdyby tylko potrafił o tym opowiadać. Powiedziałby o koszmarze, który stał się jego rzeczywistością. Ludzie mijani na chodniku patrzyli na niego przekrwionymi oczami, które życzyły mu śmierci. W numery na tablicach rejestracyjnych zawsze wplecione były trzy szóstki. Ożywały bilbordy – zwracały się do niego, nachalnie nagabując na duchową przemianę. Zaczął słyszeć głosy w głowie. Zagłuszały mu wszelkie dźwięki, które powinny docierać z zewnątrz. Przeklinały, obrażały, mówiły, że jest beznadziejny, że jego serce wysycha, bo kocha tylko jedną osobę, a przecież powinno miłować cały świat. Pewnego razu przejrzał całe miasto na wylot. Wszystkie ściany i ludzie stali się przezroczyści. Zaczął spadać. Ale ktoś chwycił go za ramiona. To musiał być wróg! Zaczął się szarpać. Policjanci z patrolu obezwładnili go i zawieźli do szpitala psychiatrycznego.

– Proszę pani, proszę się nie denerwować. Dziesięć procent schizofreników popełnia samobójstwo – usłyszałam w telefonie.

To miało być pocieszenie? Po tym, jak mój ukochany powiesił się w naszej łazience? I znalazłam go martwego po powrocie z koncertu?

– Nie chcę, żeby mnie pan pocieszał. I nie mam zamiaru o nic pana oskarżać. Po prostu uważam, że jest pan dupkiem, skoro to pan mówi. I kiepskim psychiatrą, skoro nie udało się panu zapobiec najgorszemu!

– Ale… – Głos w słuchawce miał zamiar coś dodać i… wtedy się budziłam.

Ten sen prześladował mnie przynajmniej raz w tygodniu. Mój ukochany był w szpitalu już po raz czwarty. Przesiadywał w zamknięciu całe tygodnie. Nic nie wskazywało na to, że jego stan ulegnie poprawie. Oddalał się ode mnie coraz bardziej. Właściwie nie było go już dla tego świata. Dla mnie. Jego połamaną gitarę wyniosłam do piwnicy. Metronom schowałam głęboko na dnie kartonu. Minął rok od tamtego dnia w kościele. Już nie mogłam wytrzymać tej samotności. Zamiast bijącego serca, czułam w piersi pustkę.

2

JANUSZ L. WIŚNIEWSKI

Syndrom przekleństwa Undine

IGOR BREJDYGANT

Pilzner solipsysty

Syndrom przekleństwa Undine

Przestała wierzyć w Boga dopiero, gdy dowiedziała się od matki, że Go nie ma.

Pamięta dokładnie ten wieczór, gdy jej odpowiedziała trochę rozdrażnionym, zniecierpliwionym głosem:

– My przecież nie wierzymy w takie zabobony jak Bóg. I nawet nie wspominaj o tym ojcu.

Miała wtedy sześć lat. Anita, koleżanka z ławki, opowiadała jej o pogrzebie dziadka, który umarł w Polsce, i wspomniała, że ksiądz zrobił znak krzyża nad ciałem w trumnie. Zapytała wieczorem matkę, kto to jest ksiądz i dlaczego to robił. I wtedy matka pierwszy raz powiedziała jej o tych zabobonach. Dotąd wydawało się jej, że istnieje ktoś taki bezgranicznie dobry, komu można o wszystkim opowiedzieć po cichu wieczorem pod kołdrą – tak aby na pewno nikt nie słyszał – choćby o tym, co zdarzyło się w domu i na podwórku. Taki Bóg właśnie.

Ale mama ma rację. Zawsze przecież ma. Jeszcze nigdy jej nie okłamała.

Dlatego później nie opowiadała Mu już pod kołdrą żadnych rzeczy. Nie wiedziała wtedy dokładnie, co to są „zabobony", ale czuła, że to coś bardzo złego, skoro nie można o tym wspominać ojcu.

Dzisiaj myślała o tym, że najbardziej Go brakuje, gdy ojciec wieczorem wraca pijany do domu. Zaczynało się zawsze tak samo. Przywozili go koledzy tym policyjnym czarnym autem, które znało już całe osiedle, czasami wysiadał sam, czasami prowadzili go we dwójkę pod ramię. Walił pięściami lub kopał w drzwi, budząc wszystkich na piętrze, a potem wtaczał się do kuchni, gdzie czekała wystraszona mama, i krzyczał. Po prostu krzyczał. Mama siedziała skulona na tym drewnianym koślawym krzesełku przy lodówce, patrzyła, milcząc, w podłogę, ściskała z całej siły dłonie, a on stał nad nią i krzyczał. Ona kiedyś chowała się pod kołdrę, szczelnie owijała się nią, aby nic nie słyszeć. Zagłuszała wrzask ojca swoją rozmową z Nim, prosiła, aby ojciec przestał. Im głośniej ojciec krzyczał na matkę, tym głośniej ona, drżąc i dusząc się pod tą kołdrą, Jego prosiła o pomoc.

Ale nigdy nie wysłuchał jej prośby.

Nigdy.

Dlatego pewnie mama ma rację, że Go wcale nie ma i to tylko ten zabobon.

Potem nie wchodziła już do łóżka i nie rozmawiała z Nim. Sama nauczyła się, jak przetrwać tę furię ojca w kuchni. Najpierw włączała swoje pozytywki, które przynosił jej zawsze na urodziny dziadek, potem przenośne radio, które brała z biurka i siadała z nim za szafą, z uchem przy samym głośniku. Czasami i to nie pomagało. Bo jej ojciec miał bardzo mocny, jazgotliwy głos. Poza tym on krzyczał przecież całymi dniami w pracy. Krzyczał na ludzi. Nauczył się krzyczeć.

Pamięta, że kiedyś, nie mogąc już tego wytrzymać, włączyła odkurzacz, który mama przechowywała w szafie w jej pokoju. Pomogło. W kuchni zrobiło się nagle cicho. Ojciec z butelką wódki w ręku wpadł do jej pokoju i w tej swojej furii wyrwał kabel od odkurzacza razem z kontaktem i kawałkiem tynku ze ściany. Stalowy zaczep kontaktu wbił się w głowę mamy, która wbiegła za ojcem.

Wtedy, tego wieczoru, matka pierwszy raz uciekła z nią z domu. Błąkały się po ulicach Rostocku bez celu, a potem, gdy zrobiło się bardzo zimno, jeździły tramwajami całą noc. Ona we flanelowej piżamie przykrytej fioletową ortalionową kurtką i w filcowych kapciach z kożuszkiem, a mama w skórzanym za dużym płaszczu i wełnianej oliwkowej czapce przesiąkniętej krwią. Mama nie poszła opatrzyć rany na głowie. Żony policjantów w Rostocku, szczególnie żony oficerów STASI, nie opatrują ran.

Tej nocy wiedziała już na pewno, że On to zabobon.

Potem często uciekały z matką do tych tramawajów i nocnych ulic. Miały swoje trasy, swoje ulubione linie i plan na całą noc, do świtu. Gdy dzień szarością zaczynał przepędzać ciemność, wracały do domu. Cicho otwierały drzwi, na palcach przechodziły przez przedpokój, pośpiesznie kładły się razem do łóżka w jej pokoju i mocno tuliły się do siebie. Matka płakała. Ojciec już dawno wtedy spał, najczęściej z głową na blacie kuchennego stołu lub w ubraniu i w butach na łóżku w sypialni.

Pewnej nocy tramwajem pojechały na koniec miasta, przeszły aleją nad morze i oglądały wschód słońca. Siedziały na resztkach betonowego falochronu tuż przy gruzowisku otaczającym halę starej sieciarni, która od lat straszyła kikutami niszczejących murów. Kiedyś, zanim powstał kombinat przy stoczni, był tam port rybacki. Powiedział im o tym miejscu motorniczy, który znał je dobrze, bo często jeździł z nimi po Rostocku. Zatrzymał tramwaj, mimo że nie było tam przystanku, tuż przy początku nadmorskiej asfaltowej alei i obiecał, że zaczeka na nie. Tej nocy wróciły do domu później niż zwykle. Gdy zasnęła, jak zawsze wtulona w matkę, zdarzyło się to po raz pierwszy. Właśnie tej nocy, zupełnie pierwszy raz, umarła na krótko we śnie. Miała wtedy osiem lat.

Matylda wie, że nigdy nie spędzi nocy sama z żadnym mężczyzną. Nigdy.

To słowo wcale na nią już nie działa. Wie przecież od dawna, że prawie każde „nigdy" można jakoś obejść. Gdyby tak nie było, umarłaby już jako dziecko, a przecież wczoraj skończyła dwadzieścia cztery lata.

Poza tym, dlaczego dni z mężczyzną nie mogą być piękniejsze niż noce?!

Ona nienawidzi nocy. Nie znosi zachodów słońca, ciemności i Wielkiego Wozu przed upalnym dniem. Dni zawsze są piękniejsze niż noce. Noce nigdy takie nie będą.

Nigdy.

Gdy ma się kilkadziesiąt „nigdy", to następne jedno nie robi żadnego wrażenia.

Tylko jedno robi.

Jedyne NIGDY, jakiego sobie nie może wyobrazić.

Tego, że Jakob mógłby już nigdy więcej nie przyjść do niej wieczorem.

Jakob jest najważniejszy. Jakob zasypia z nią i jest, gdy ona się budzi.

Jakob mówi jej, że ma odwrócić się na drugi bok. Przypomina, aby położyła dłonie wzdłuż swojego ciała. Jakob zamyka oczy, gdy ona zdejmuje stanik i majtki i wkłada koszulę nocną lub piżamę.

Jakob otwiera i zamyka okna w jej sypialni. Jakob dba, aby lampka była zawsze włączona na jej nocnym stoliku. I zawsze ma zapasową żarówkę.

Ale najważniejsze jest to, że Jakob NIGDY nie zasypia.

NIGDY.

Tak naprawdę nigdy.

To znaczy, nie zasnął nigdy dotąd. A jest przy niej, gdy ona zasypia i się budzi, od szesnastu lat.

Każdej nocy.

Miała osiem lat, gdy przyszedł do nich po raz pierwszy.

I został.

Teraz ma dwadzieścia cztery lata. Jakob był i jest przy wszystkim, co ważne. Gdy szła pierwszy raz do gimnazjum i nie mogła zasnąć z podniecenia. Gdy wyprowadził się ojciec i zostawił je same. Gdy matka spędzała w pokoju za ścianą jej sypialni pierwszą noc z ojczymem, którego ona nienawidzi, mimo że jest taki dobry i tak dba o jej matkę. Był także tej nocy, gdy padł mur w Berlinie i tej nocy, gdy urodziła się jej przyrodnia siostra, a także tej nocy, gdy pojechała za Madonną do Dachau.

Tej nocy, gdy przyszło pierwsze krwawienie, także był. Przyszło we śnie. Jakob to zauważył, bo on nigdy nie śpi, gdy ona śpi. Nigdy. Obudziła się od wilgoci, czując dziwne pulsowanie podbrzusza. Gdy zdała sobie sprawę z tego, co się stało, zaczęła płakać. Ze wstydu. Jakob wziął ją wtedy tak delikatnie na ręce, pocałował w policzek, otarł jej łzy i szeptał jej imię.

Ojciec też kiedyś niósł ją na rękach i szeptał jej imię. Dawno temu. Była jeszcze małą dziewczynką. Zabrał ją któregoś dnia na osiedlowe podwórko, posadził na bagażniku starego roweru matki i woził osiedlowymi alejkami pełnymi dziur i wybojów. Siedziała na tym bagażniku, z całych sił obejmując ojca w pasie. Na którymś z wybojów jej noga dostała się w szprychy tylnego koła. Mięso tuż nad piętą odeszło od kości, biała skarpeta zrobiła się czerwona i mokra od krwi aż ponad kostkę. Prawie zemdlała z bólu. Ojciec, gdy zauważył, co się stało, zatrzymał natychmiast rower, wziął ją na ręce, szeptał do ucha jej imię i biegł do tego budynku przy poczcie, gdzie zawsze stały taksówki. W szpitalu założyli jej kilka szwów. Siną bliznę, zmieniającą latem kolor na czerwony, ma do dzisiaj. Jednak tak naprawdę to, co pozostało z tamtej historii, to pamięć drżącego głosu ojca, który niosąc ją na rękach do taksówki, szeptał jej imię.

I tamtej nocy, gdy dostała pierwszego krwawienia, Jakob także wziął ją na ręce i także powtarzał szeptem: „Matyldo". A potem przyniósł z szafy w sypialni czyste prześcieradło. Było jej tak wstyd. Tak strasznie wstyd. Potem z tego wstydu płakała pod kołdrą. Widział, że płakała. Bo on rejestruje wszystko. Szczególnie skurcze jej serca. Gdy się płacze, serce kurczy się i rozszerza inaczej. Jakob dba o jej serce najbardziej. Wie o nim wszystko. Nosi przy sobie w portfelu jej elektrokardiogramy. Obok jej fotografii. Zawsze najnowsze. Owinięte przezroczystą folią, zgrzaną na krawędziach. Aby się nie zniszczyły.

Tamta noc była szczególna. Pamięta, że do rana nie spała. Gdy wstyd minął, przyszły podniecenie i niecierpliwość. Nie mogła doczekać się poranka. Jakob oczywiście rejestrował to, że ona nie śpi, ale nie okazywał żadnych emocji. Rano pobiegła do szkoły wcześniej niż zwykle. Stanęła przy szatni i czekała na Anitę. Chciała jej to jak najprędzej powiedzieć. Pamięta, że była jakaś taka dumna i chciała to dzielić ze swoją najlepszą przyjaciółką. Czuła, że to, co stało się tej nocy, było trochę jak przekroczenie jakiejś granicznej linii.

Takiej granicy między dorosłością i dzieciństwem. Mimo że była na to przygotowana – przedyskutowali to w szkole w najdrobniejszych szczegółach już w trzeciej klasie podstawówki – wcale nie miała uczucia, że to coś czysto fizjologicznego, wynikającego z naturalnej kolei rzeczy. Dla niej było to w dużym stopniu emocjonalne, a nawet trochę mistyczne, i myślała wtedy – chociaż teraz, gdy sobie to przypomina, musi się śmiać z siebie – że to nie żadna fizjologia, tylko akt woli, dzięki któremu zaistniała na nowo i inaczej. Oczywiście wtedy, mając trzynaście lat, wcale nie była taka mądra, aby opisywać to jako „akt woli", ale teraz wie, że właśnie ten opis oddaje najdokładniej to, co wtedy czuła.

Poza tym, chociaż to może dziwaczne, dzisiaj dokładniej pamięta uczucia, jakie towarzyszyły jej przy pierwszej miesiączce niż przy pierwszym pocałunku. Być może przez ten wstyd, że Jakob był przy tym. Pamięta także, że pierwsze miesiące z niecierpliwym oczekiwaniem na „te dni", nadchodzące oszałamiająco regularnie, dawały jej poczucie dorosłości i kobiecości i utwierdzały ją w nim. Wtedy, przez te pierwsze trzy lub może cztery miesiące, podobało się jej wszystko w tym comiesięcznym ceremoniale. Nawet bóle podbrzusza znosiła z poczuciem pewnego wyróżnienia, że „ona już, a niektóre koleżanki w klasie jeszcze nie". Niedawno czytała po raz kolejny dziennik Anny Frank. Wcale nie zdziwiła się, że opisywała z dumą swoje pierwsze miesiączki. Potem zafascynowanie tym aspektem kobiecości oczywiście jej minęło i przyszła dokuczliwość i uciążliwość PMS-u z bólem głowy, płaczliwością, wypryskami na twarzy i bólem piersi.

Jakob też czuł, że tamtej nocy przekroczyła granicę. Następnego dnia przyszedł z wizytą, oficjalnie, już rano, a nie jak zwykle pod wieczór. Przyniósł kwiaty. Włożył garnitur.

Miał taki niemodny, wąski skórzany krawat. I był tak śmiesznie uroczysty. Pachniał tak inaczej. Przyniósł ogromny bukiet błękitnych niezapominajek. Bo to było wiosną. Nic nie powiedział, tylko wstawił je do wazonu w jej pokoju i postawił na parapecie. I pocałował ją w rękę. Była najnormalniej w świecie wzruszona.

I od tej nocy i tego następnego dnia z kwiatami na parapecie okna czekała wieczorem na Jakoba inaczej. Nie umie tego nawet teraz wytłumaczyć, ale wie, że już wtedy chciała zasypiać przy nim pachnąca, z ułożonymi włosami i w ładnej bieliźnie.

Nie tylko o jej sercu Jakob wie wszystko. Także o jej krwi. Wie, ile w niej tlenu lub dwutlenku węgla. Ile hemoglobiny i ile kreatyniny. Wie także, ile ciepła. Dlatego gdy ona się zakocha, Jakob będzie mógł to zauważyć, zarejestrować, a nawet zmierzyć.

Bo ona chyba jeszcze nie była tak naprawdę zakochana. To z Krystianem, osiem lat temu, to nie było żadne zakochanie. Mimo że właśnie wtedy, z Krystianem, całowała się po raz pierwszy w życiu. Dokładnie dwudziestego ósmego czerwca, w sobotę. Krystian już w marcu był w niej zakochany. To było jasne dla wszystkich jej koleżanek. Tylko dla niej nie. Taki czuły, delikatny i wrażliwy. Chociaż chodził do zawodówki, a ona do najlepszego w Rostocku gimnazjum. I miał taki pomysł, żeby w dowód miłości zgasić sobie papierosa na ręce. I podarować jej swoją legitymację szkolną. Kiedyś zobaczyła go pijanego i nie chciała więcej widzieć. On się z tym nie pogodził. Przyjeżdżał. Wystawał godzinami pod jej blokiem. I pisał. Raz przysłał list, w którym narysowane było serce, a w tym sercu na środku wypisane czerwoną kredką „Matylda". W jednym rogu serca wydzielił mały fragment i napisał:

„Rodzice", a w drugim nazwę drużyny piłkarskiej z Rostocku. Pisał do niej przez ponad dwa lata. Nigdy nie odpisała.

A tak bardzo chciałaby się zakochać. I być z nim zawsze i nie mieć od niego żadnych listów. Bo listów się nie ma wtedy, gdy ludzie się nigdy nie rozstają.

I żeby on był trochę taki jak Jakob.

Jakob jeszcze tylko jeden jedyny raz, odkąd go zna, włożył garnitur i krawat. Gdy pojechali za Madonną do Dachau. To była sobota. Miała urodziny. Te najważniejsze, osiemnaste. Niby normalnie, jak każdego roku. Śniadanie, kwiaty, życzenia od matki i ojczyma. Kilka porannych telefonów z gratulacjami. Tylko od ojca nie. I wtedy podjechał ten samochód. Dokładnie w południe. Wysiadł Jakob. W garniturze i tym swoim wąskim skórzanym krawacie. Podszedł do niej, złożył życzenia i powiedział, że zabiera ją na koncert Madonny. Do Berlina. Tak po prostu. Jak gdyby Berlin był zaraz za parkiem w Rostocku.

Ona bardzo chciała być kiedyś na koncercie. I bardzo lubiła Madonnę. Nie mogła uwierzyć, gdy Jakob tak po prostu stał przed nią w przedpokoju i uśmiechnięty pytał:

– No to co? Jedziemy?

Matka i ojczym wiedzieli o wszystkim od dawna, tylko trzymali to w tajemnicy. Nie mogła powstrzymać łez.

Jakob wiedział, że będą musieli po koncercie nocować w Berlinie. Całe trzy miesiące organizował z kasą chorych i kliniką w Berlinie wypożyczenie urządzeń. Na dwa dni przed jej urodzinami pojechał wczesnym rankiem do Berlina i zainstalował wszystko w hotelu. Wieczorem wrócił i spał z nią jak każdej nocy.

Na koncert przyszło czterdzieści tysięcy ludzi. Jakob stał obok w tym swoim garniturze i śmiesznym krawacie i skakał tak samo jak ona, razem z całym tym tłumem. Przez chwilę trzymali się za ręce. A gdy Madonna wyszła na czwarty bis, to odwróciła się do niego i pocałowała go w policzek. Nigdy przedtem nie była tak szczęśliwa jak tego wieczoru.

Następnego dnia pojechali za Madonną do Dachau. Chociaż wiedziała, że gazety przesadzają, to i tak bardzo ją to poruszyło, gdy przeczytała, że „Madonna pojechała zwiedzać Dachau". Nie całkiem dokładnie pojechali za Madonną: ona poleciała swoim helikopterem, a oni po prostu pojechali tego samego dnia autem. To był pomysł Jakoba.

Wiedziała oczywiście o obozach koncentracyjnych ze szkoły. Płakała za każdym razem przy dzienniku Anny Frank, który podsunęła jej do czytania babcia, matka ojca. Odkąd padł mur, rozmawiali o tym w szkole znacznie częściej i dokładniej. Czytała o nich, co tylko się dało, ale ich abstrakcyjność pozwalała jej pogodzić się z tym jakoś i nie myśleć, że zrobili to światu Niemcy. Ale tutaj nic nie było abstrakcyjne. Baraki, podziurawione pociskami ściany z wydłubanym krzyżami i gwiazdami Dawida, kolorowe znicze na każdym kroku, kwiaty leżące na wózkach przy paleniskach, kwiaty przywiązane kolorowymi wstążkami wprost do drutów kolczastych, kominy i tysiące zdjęć na ścianach. Ogolone głowy, wychudzone twarze, za duże oczodoły, i wiek, i numer w lewym dolnym rogu. Szesnaście lat, siedemnaście lat, pięćdziesiąt cztery lata, dwanaście lat, osiemnaście lat…

Pamięta, że gdy tylko przeszli bramę w Dachau, poczuła, że nie wolno jej rozmawiać, bo te wszystkie dusze ciągle tu są. Cały czas drżała z przerażenia i poczucia winy. Ona. Osiemnaście lat. I wtedy Jakob, nie zważając na te jej za duże i przerażone oczy, stanął przed nią i opowiedział o tych dzieciach i nastolatkach zagazowanych w Dachau. Podawał jej liczby i daty. A na końcu powiedział, że dusze tych zagazowanych dziewcząt i chłopców z pewnością się nie starzeją. Tak dokładnie powiedział. Że one są ciągle młode i że spotkają się tego wieczoru gdzieś za barakami lub przy krematorium i powiedzą sobie z dumą: „Słuchajcie, Madonna była dzisiaj u nas. Madonna...".

Mam na imię Matylda.

Jakob zna się na wszystkim. Na gwiazdach, na sensorach, chemii, bezpiecznikach i psychologii dojrzewania dziewcząt. Ale najlepiej zna się na śnie. Chociaż on śpi od szesnastu lat w dzień, wie o śnie w nocy prawie wszystko. Także to, że Sen to rodzona siostra Śmierci. Czasami, gdy byłam młodsza, opowiadał mi o tym. Gasił światło, zapalał świece i czytał mi wiersze Ovida o Śnie odbitym w lustrze, za którym stoi Śmierć. Sama go o to wtedy poprosiłam. Jakob sam z siebie nigdy, przenigdy by tego nie zrobił. Ale moja psychoterapeutka, która przeniosła się do Rostocku z Zachodu, uważała, że mam się „poddać paradoksalnej konfrontacji". Gdy powiedziałam to Jakobowi, bardzo się zdenerwował i zaczął kląć w gwarze z południa Niemiec. Jakob zaczyna mówić w tej gwarze tylko wtedy, gdy się nie kontroluje. Następnego dnia nie poszedł do pracy w domu starców, tylko pojechał do tej psychoterapeutki i czekał cztery godziny w jej poczekalni, aby jej powiedzieć, że jest „skrajnie głupia, arogancka jak prawie wszyscy zachodni szpanerzy i na dodatek bezgranicznie okrutna". Wysłuchała go i potem został u niej dwie godziny. Wrócił zmieniony i kilka nocy później zaczął mi czytać Ovida. Czasami chodził do biblioteki przy uniwersytecie i zamiast Ovida przynosił germańskie baśnie. W nich także Sen i Śmierć to siostry.

Jakob nigdy jeszcze nie przyszedł do mnie, nie mając kieszeni wypchanych bezpiecznikami. Ostatnio przynosi także dwa telefony komórkowe.

Zawsze dwa. Bo Jakob jest bardzo nieufny.

Zbudował też w piwnicy agregat. Znosił i zwoził dwa miesiące jakieś części, rozwieszał na ścianach arkusze schematów i wpatrywał się w nie z uwagą. Po nieprzespanych nocach zostawał, zamykał się w piwnicy i budował. Tak na „wszelki wypadek", gdyby dwa razy prąd wyłączyli. Raz w dzielnicy, a raz w naszym agregacie. Bo miasto po dwóch latach żebraniny Jakoba zgodziło się, żeby podłączył nam specjalny agregat. Ale Jakob i tak nie wierzy. Ani miastu, ani swojemu agregatowi.

Jakob po prostu chce mieć pewność, że obudzimy się razem.

We dwoje. I że te baśnie Ovida i Germanów, które kiedyś mi czytał, to tylko baśnie. Bo my zawsze budzimy się we dwoje.

Często wcale nie śpimy, tylko sobie opowiadamy różne historie. Czasami, gdy go poproszę, Jakob opowiada mi o swoim dniu i o tych swoich babciach, dziadkach i pradziadkach z domów starców lub blokowisk. Ci z blokowisk – mówi Jakob – mają o wiele gorzej, nawet jeśli mają trzy pokoje, telewizor kolorowy, sprzątaczkę, panią od zakupów, podnoszone i opuszczane elektrycznie łóżka i łazienkę z poręczami. Samotni są. Samotni bez granic. Opuszczeni przez zapracowane, zajęte karierami dzieci, niemające nawet czasu na rodzenie i wychowywanie wnuków, które mogłyby czasami wpadać do babci lub dziadka i rozganiać im tę samotność. W domu starców też nie ma wnuków, ale zawsze można się pokłócić, chociażby z tym staruchem spod trzynastki, i nie jest się wtedy takim samotnym.

Jakob czasami mówi takie niesamowite rzeczy o swoich babciach i dziadkach. Kiedyś powiedział mi, że Bóg się chyba pomylił i ustawił wszystko w przeciwnym kierunku wobec upływu czasu. Że według niego ludzie powinni rodzić się tuż przed śmiercią i żyć do poczęcia. W drugą stronę. Bo według Jakoba proces umierania biologicznie jest równie aktywny jak życie. Dlatego śmierć nie różni się od narodzin. I dlatego ludzie, teoretycznie, mogliby rodzić się na milisekundy przed zgonem. Mieliby już na początku życia tę swoją życiową mądrość, doświadczenia i cały ten przychodzący z wiekiem spokój i rozsądek. Popełniliby już te wszystkie swoje błędy, zdrady i życiowe pomyłki. Mieliby już te wszystkie blizny i zmarszczki, i wszystkie wspomnienia, i żyliby w drugą stronę. Ich skóra stawałaby się coraz gładsza, każdego dnia budziłaby się w nich większa ciekawość, włosy byłyby coraz mniej siwe, oczy coraz bardziej błyszczące i serce coraz silniejsze i coraz bardziej otwarte na przyjmowanie nowych ciosów i nowych miłości. I potem, na samym końcu, który byłby początkiem, znikaliby z tego świata nie w smutku, nie w bólu, nie w rozpaczy, ale w ekstazie poczęcia. Czyli w miłości.

Takie fantastyczne rzeczy czasami opowiada mi mój Jakob, gdy nie chce mi się spać.

Jakobowi mogę powiedzieć wszystko. Rozmawiamy też o wszystkim. Kiedyś miałam jakiś taki nastrój i rozmawialiśmy o moim ojcu i mojej matce. To było tego wieczoru, kiedy matka mi powiedziała, że będę miała przyrodnią siostrę. Powiedziałam mu, że nie mogę sobie wyobrazić, że moja matka strasznie szalała kiedyś z miłości do tego mężczyzny, który był moim ojcem. Że może nawet kochała się z nim na dywanie. I może na łące. I że mu przyrzekła, że będzie z nim zawsze. I że będą się zawsze trzymać za ręce na spacerach. I że on potem, po tym wszystkim, mógł tak strasznie krzyczeć na nią, gdy ona skulona siedziała na tym małym drewnianym krzesełku przy lodówce w kuchni.

I tej nocy Jakob powiedział mi, dlaczego jest kulawy.

Jakob jest astrofizykiem. Wie dokładnie, jak rodzą się gwiazdy, jak ekspandują, jak eksplodują, jak przekształcają się w supernową lub stają pulsarami. I wie także, jak umierają, kurcząc się do tych małych, okropnych i niebezpiecznych dla galaktyk czarnych dziur. Jakob to wszystko wie. Potrafi zamknąć oczy i wymieniać mgławice, nazwy i kody ważnych gwiazd i podawać odległości w latach świetlnych do najpiękniejszych lub najważniejszych gwiazd. I opowiada o tym, tak że mi dech zapiera. I jak się przy tym zapomni, to jest przy tych opowieściach tak podekscytowany, że mówi, sam nie wiedząc o tym, w tej swojej śmiesznej gwarze. Supernowa i pulsary w gwarze z dolnej Saksonii!

Jakob badał swoje gwiazdy na uniwersytecie w Rostocku. Jeździł do obserwatorium na skarpę nad Bałtykiem i dniami i nocami oglądał przez teleskop i radioteleskop niebo, i potem robił z tego publikacje i swój doktorat. Nie mógt pogodzić się z tym, że nie może pojechać do Arecibo i obejrzeć tego najważniejszego radioteleskopu świata, pojechać na kongres do USA lub nawet tylko do Francji. Nie mógł pogodzić się także z tym, że nie mają kserografu w instytucie i że na seminariach w czwartki często mówią o FDJ i ideologii, zamiast o astronomii. Dlatego zgodził się, aby wśród całej tej elektroniki w obserwatorium jego koledzy ze stowarzyszenia ewangelików zainstalowali małą stację nadawczą i czasami zakłócali programy lokalnej telewizji kilkusekundowymi spotami o „wolnej NRD". Taka śmieszna, banalna, okropnie nieszkodliwa opozycyjna dziecinada. Nikt nie powinien wpaść na to, że nadajniki znajdują się w obserwatorium. Bo przecież oni nadają tak silne sygnały, że ci od radionamiarów w STASI nigdy nie oddzielą ich sygnału od sygnału badawczego.

Oddzielili. A jakże. Dokładnie dwudziestego pierwszego listopada. W Dzień Pokutny, jedno z najważniejszych ewangelickich świąt. Wpadli do obserwatorium tuż po dziewiętnastej. Pobili siedemdziesięcioletnią portierkę. Skuli wszystkich kajdankami. Zdjęli gaśnicę i zniszczyli wszystko, co miało ekran. Monitory, uderzane dnem czerwonej gaśnicy, eksplodowały jeden po drugim. Z czytników taśm magnetycznych z zapisami pomiarów wyrywali kasety i wyciągali taśmy z danymi, tak jak wyciąga się sylwestrową serpentynę. Doktoraty, plany, seminaria, publikacje, lata pracy i całą przyszłość wielu ludzi wyciągali z tych czytników jak kolorowe serpentyny i rwali na kawałki.

Potem zawieźli wszystkich skutych kajdankami do podziemnego aresztu obok ratusza w centrum Rostocku. Portierkę wypuścili po czterdziestu ośmiu godzinach, gdy zasłabła i trzeba byłoby ją i tak odwieźć do szpitala. Dyrektora obserwatorium, cukrzyka, wypuścili po trzech dniach, gdy skończyła się insulina. Resztę trzymali dwa tygodnie. Bez nakazu aresztowania, bez prawa kontaktu z adwokatem, bez prawa telefonu do żony lub matki. Cale dwa tygodnie.

Jakoba przesłuchiwał naczelnik wydziału. Pijany od rana, ale pedantyczny do granic. Traktował swoją pracę jak każdy. Tyle że ten „każdy" był księgowym albo kopał węgiel pod ziemią. A on kopał więźniów. Najpierw krzyczał. Zrzucał z krzesła na poplamione i popalone niedopałkami papierosów szare linoleum i kopał. Po nerkach. Po plecach i po głowie. Także po biodrach. To był bardzo zimny listopad. Naczelnik miał tego dnia zimowe ciężkie buty i Jakob dostał w staw biodrowy i nerki. Krwotok wewnętrzny opanowali, ale ze stawem nie dało się nic zrobić, jak mówili mu potem na chirurgii. Dlatego kuleje i boli go, jak mówi, „całe ciało co ma kości" na zmianę pogody. Po dwóch tygodniach ich wypuścili. Wzięli wszystkie przepustki, zwolnili z pracy i kazali iść do domu, a potem „najlepiej od razu na rentę".

Naczelnikiem wydziału od początku do upadku muru był mój ojciec. To on dwudziestego pierwszego listopada tego roku skopał Jakoba, odsunął go na zawsze od radioteleskopów i gwiazd, zniszczył nieodwracalnie staw biodrowy i biografię, a potem wrócił pijany do domu i krzyczał w kuchni na moją matkę.

I wtedy to bezrobotny i „naznaczony" Jakob zaczął wynajmować się kasie chorych i domom opieki społecznej w Rostocku do opieki nad obłożnie chorymi. Tylko tam chcieli przyjąć go do pracy i to też za specjalnym poręczeniem. Taki kulawy radioastronom z niedokończonym doktoratem do wynoszenia nocników. I tak trafił na mnie. Szesnaście lat temu. I od szesnastu lat spędzamy razem noce.

Czy powinnam być wdzięczna za to mojemu ojcu, naczelnikowi wydziału?

– Jakob, czy ja powinnam być wdzięczna mojemu ojcu, że mam ciebie? Powiedz mi, proszę – zapytałam, gdy skończył swoją opowieść. Patrzyłam mu prosto w oczy. Odwrócił głowę, udając, że patrzy na któryś z oscyloskopów, i odpowiedział zupełnie od rzeczy:

– Bo my, Matyldo, jesteśmy stworzeni do zmartwychwstań. Jak trawa. Odrośniemy nawet wtedy, gdy przejedzie po nas ciężarówka.

Bo Jakob czasami mówi od rzeczy. Mówi tak pięknie od rzeczy. Tak jak wtedy, gdy któregoś wieczoru wróciliśmy do tematu Dachau i on nagle zacisnął pięści i powiedział przez zęby:

– Wiesz, o czym ja marzę? Wiesz, o czym, Matyldo? Marzę o tym, żeby oni kiedyś sklonowali Hitlera i postawili go przed sądem. W Jerozolimie jednego klona, w Warszawie drugiego i w Dachau trzeciego. I żebym ja mógł być przy tym procesie w Dachau. O tym marzę.

Takie historie opowiada mi wieczorami Jakob. Bo my rozmawiamy o wszystkim. Tylko o mojej menstruacji nie rozmawialiśmy. Ale od tamtego czasu Jakob już nie trzyma mnie za rękę, gdy zasypiam. Bo Jakob nie jest moim kochankiem.

O tym, że Jakob spotkał się z jej ojcem, dowiedziała się dopiero kilka lat po tym spotkaniu. To zdarzyło się tej nocy, gdy padł mur i wszyscy z tego zdumienia przeszli na Zachód, chociaż tylko po to, aby się przekonać, że na pewno nie będą strzelać. Takie pół godziny udziału w historii Europy i świata i zaraz powrót dla pewności do domu. Zamienić wschodnie marki na DM, kupić trochę bananów, pomachać ręką do kamery jakiejś stacji telewizyjnej i szybko wrócić do domu na Wschodzie. Bo Zachód to tak naprawdę, nawet dzisiaj, inny kraj i tak naprawdę u siebie jest się tylko na Wschodzie.

Jej ojciec wiedział, że nie skończy się na tej półgodzinie wolności i na bananach. Dlatego bał się. Bardzo się bał. Odkąd zobaczył w telewizji trabanty przejeżdżające na drugą stronę przez Check Point Charly i Bramę Brandenburską, bał się każdą komórką. Upił się tej nocy – tym razem nie z nałogu, ale ze strachu – i w tym pijanym widzie ze starego chyba jeszcze przyzwyczajenia i ze starej chyba jeszcze tęsknoty nie wiadomo za czym chciał wrócić „pod lodówkę” w kuchni, do swojej żony. To nic, że od lat nie była to ani jego kuchnia, ani jego lodówka, ani jego żona. Zadzwonił do drzwi. Otworzył mu Jakob, który przyszedł wcześniej do jej oscyloskopów i sensorów. Kulawy, ze swoim skopanym biodrem pokuśtykał do drzwi i otworzył. I powiedział: „Proszę wejść". I ten skurwiel naczelnik wydziału wszedł i bez słowa poszedł jak zwykle do kuchni. I usiadł na tym drewnianym koślawym krzesełku przy lodówce i płakał. I wtedy Jakob zapytał go, czy nie napiłby się herbaty, „bo przecież tak zimno na dworze", i nastawił czajnik.

Mam na imię Matylda.

Jestem trochę chora.

Jakob mówi, że nie powinnam tak mówić. Uważa, że mam po prostu „przejściowe kłopoty z oddychaniem". I że to minie.

Mam je od szesnastu lat, ale Jakob mówi, że to minie. Od szesnastu lat tak mówi. On nawet w to wierzy. Bo on zawsze mówi tylko to, w co wierzy.

Gdy nie śpię, oddycham tak jak Jakob. Gdy zasnę, mój organizm „zapomina" oddychać. Taka, najprawdopodobniej genetycznie uwarunkowana przypadłość, używając terminologii Jakoba.

Nie mogę zasnąć bez urządzeń, które pobudzają moje płuca do oddychania.

Dlatego rozcięli mi delikatnie brzuch i wszyli elektroniczny rozrusznik. Taki nieduży. Można go poczuć, gdy dotknie się mojego brzucha. Wysyła impulsy elektryczne do nerwu w mojej przeponie. I dlatego podnosi się ona i opada nawet wtedy, gdy zasnę. Jeśli nie masz Undine, to nie potrzebujesz rozrusznika. Ja nie miałam tyle szczęścia przy składaniu genów i potrzebuję rozrusznika.

Rozrusznik trzeba nieustannie kontrolować. I sterować jego impulsami.

I sprawdzać, jak działa. Dlatego zakładam najróżniejsze sensory na moje ciało. Na palce, wokół nadgarstków, pod piersi, na przeponę i na podbrzusze. Jakob dba nawet o to, aby sensory nie były szare. Kupił lakiery do paznokci i pomalował moje sensory na różne kolory. Tak aby pasowały do mojej bielizny lub koszul nocnych. Moje sensory są kolorowe. Czasami, gdy są zimne, Jakob ogrzewa je w dłoniach lub chucha na nie i przynosi do łóżka. Przynosi dopiero wtedy, gdy są ciepłe i przytulne. I zamyka oczy, gdy podnoszę stanik lub obsuwam majtki i zakładam je pod sercem lub na podbrzuszu. A potem dba, aby te zielone, czarne, czerwone i oliwkowe sensory przenosiły impulsy.

Nie mogę zasnąć w pociągu, nie mogę zasnąć przy telewizji. Nie mogłabym zasnąć w niczyich ramionach. Nie mogę zasnąć bez Jakoba. Nie będę też mogła zasnąć z moim mężczyzną, jeśli Jakoba nie będzie w sąsiednim pokoju przy monitorach. Bo on obserwuje te urządzenia. Od szesnastu lat. Każdej nocy.

Pewna nimfa rzuciła kiedyś przekleństwo na swojego niewiernego kochanka. Nie mogła znieść jego zdrady. Miał nic nie zauważyć i po prostu przestać oddychać we śnie. I przestał. I umarł. I ta nimfa płacze, i będzie płakała do końca świata.

Nimfa miała na imię Undine.

Moja choroba nazywa się syndrom przekleństwa Undine.

Średnio pięć osób na rok dowiaduje się w Niemczech, że są chore na undine. Ja dowiedziałam się, gdy miałam osiem lat, w dzień po tym, jak przytulona do mojej matki prawie umarłam we śnie.

Jakob, gdy zapalimy czasami świece i słuchamy muzyki, i jest rozczulony, to żartuje i mówi, że jestem dla niego jak jego księżniczka. Ja to przecież wiem. Jestem jak zamknięta w szklanej trumnie księżniczka. Kiedyś przyjdzie mój książę, podniesie wieko i obudzi mnie pocałunkiem. I zostanie na noc. Ale nawet wtedy w sąsiednim pokoju przy monitorach będzie siedział Jakob.

Mój Jakob.

Igor Brejdygant

Pilzner solipsysty

– Bardzo chętnie napiłby się zmrożonego pilznera. Gdybym tylko mógł.

W lornetce widział, jak w oddali gęstnieje tłum gromadzący się przy murze. Jeszcze cztery godziny i dziewiąty listopada miał się skończyć, a wraz z nim świat, w którym żył, a właściwie gnił przez ostatnie czterdzieści kilka lat.

– Tłumy napierają na przejścia. Dzwonił porucznik Jäger z punktu kontrolnego na Bornholmer Strasse; nie wiedzą, co robić. Zaraz zacznie się rzeź. Szukam Mielkego, ale nigdzie nie mogę go znaleźć. – Kapitan Erich Widke stał wyprężony w drzwiach sali obserwacyjnej na trzynastym piętrze wieżowca w dzielnicy Lichtenberg.

Jurgen pokiwał głową. Nie pił od kilkunastu godzin, a ponieważ wcześniej pił non stop przez ponad miesiąc, to teraz zbliżały się do niego z prędkością śnieżnej lawiny rzeczy, które hauptmannowi Widkemu nie mogły się śnić w najgorszych nawet koszmarach.

Może trochę kiepsko się złożyło w czasie, ale tak naprawdę

to i tak nie miało najmniejszego znaczenia. Miesiąc picia, trzy dni w klinice, dwa dni w domu, psychotropy, powrót do pracy, psychotropy, miesiąc niepicia, potem znów miesiąc picia... Tak funkcjonował z grubsza od ćwierćwiecza. Może zmieniały się tylko trochę proporcje, ilości potrzebnych kroplówek, nazwy psychotropów, może coś jeszcze, ale nie bardzo zauważył. Z rozdzielnika wypadło, że dziś akurat nie mógł już nic wypić, choć przecież próbował. Zawsze próbował, ale już poprzedniego dnia seta przyjęła się dopiero przy piątym podejściu, więc wiedział, że dziś jest już koniec, szlus, *finito*, ściana. Trzeźwiał i czekał na koniec świata. Za oknami padał deszcz i mur berliński, mogły też padać meteoryty albo pociski średniego zasięgu, dla niego to wszystko tak naprawdę nie miało znaczenia.

Spojrzał na zegarek. Nie pił od piątej rano, zatem do chwili, w której pochłonie go otchłań, zostały mu góra dwie godziny. Normalna procedura była taka, że już teraz, a najpóźniej za godzinę powinien znaleźć się w klinice, w której po okazaniu legitymacji rejestracja – gdzie znali go wszyscy – przyjęłaby go na oddział. Wszystko to takie proceduralne: znali go wszyscy, ale legitymacja – to cholerne NRD, może w ogóle te cholerne Niemcy.

– Jestem alkoholikiem – powiedział Jurgen bardziej do siebie niż do kogokolwiek innego.

– Tak jest, obywatelu pułkowniku. – Widke zareagował prawidłowo, ale o sekundę później, niż zareagowałby na mniej zaskakującą informację. To znaczy właściwie nie tyle informacja była zaskakująca, bo o alkoholizmie pułkownika wiedzieli wszyscy, ile to, że sformułował ją sam przełożony.

Jurgen wyjął z kieszeni brzydkiej, szarej marynarki odznakę z idiotycznym znaczkiem z czarno-czerwono-żółtą flagą z młotem opartym na cyrklu, której drzewiec stanowił trzymany w dłoni karabin.

Nawet to im nie wyszło, pomyślał i włożył odznakę do szuflady, do której po chwili wsunął też kaburę z bronią służbową. Po chwili wstał i ruszył do wyjścia z pomieszczenia.

– Ale panie pułkowniku... Jäger... tam... – Widke nigdy jeszcze nie odważył się na taką niesubordynację.

Jurgen spojrzał na niego, a w jego spojrzeniu nie było nic, oprócz może pierwszych drobnych cieni budzącego się lęku.

– Tak jest, panie pułkowniku. – Widke wyprężył się jeszcze mocniej.

Na dole Jurgen minął salutujących mu wartowników. Nie odsalutował, bo to już i tak nie miało sensu.

Dawniej miałby bliżej, ale po rozstaniu, pomimo że dopiero co sprowadzili się do Berlina i zamieszkali w Lichtenbergu, żona z Matyldą musiały się wyprowadzić poza teren dzielnicy. Tu nie tolerowano takich sytuacji. Mógł teraz wprawdzie wsiąść do służbowej granatowej wołgi, którą mógłby poprowadzić sam albo kazać się zawieźć kierowcy, mógł zamówić taksówkę, mógł wreszcie pojechać trolejbusem, tramwajem albo autobusem. Mógł... ale nie miał siły. Jedyne, na co było go teraz stać, to marsz w mgiełce mżawki, w wietrze, w przenikliwym chłodzie. Już tylko marsz. Jakieś trzy kwadranse, może trochę krócej. Znów spojrzał na zegarek; wszystko było idealnie przećwiczone, lata praktyki, picie, ciągi, trzeźwienie, psychoza, delirium, klinika... Kliniki dziś już nie będzie: nie ma systemu, nie ma NRD, nie ma kliniki, nic już nie ma, a to wszystko dlatego, że on nie ma już siły zmieścić tego w sobie, utrzymać w ryzach swojego umysłu tego bezgranicznego absurdu. Jurgen nie udźwignie już dłużej na swoich barkach tego ciężaru, zło i bezsens przerwały tamę w jego wnętrzu.

Honecker, Mielke, Rumler, Carlsohn, Irmler, Roth... nie pociągnę was już dalej, panowie, nie dam rady, proszę przyjąć moją rezygnację ze stanowiska człowieka od przyjmowania w siebie koszmaru.

Dlaczego? Jurgen zatrzymał się na środku ulicy. Z oddali dochodziły go odgłosy syren jeżdżących we wszystkie strony radiowozów, które jak on zagubiły się definitywnie w mrokach absurdu. Dlaczego w ogóle...? Po co? Kiedy?

Ojciec – nazista, antykomunista, Rosjanie powiesili go na haku w Lipsku w 1945 roku; mama – żona nazisty, nie miała szans, rozpiła się, skurwiła. Zostałem sam. Był jeszcze dziadek – pruski junkier, który nie znosił nikogo i niczego, to od niego ojciec nabrał chęci do mordowania, dziadek się jeszcze powstrzymywał, tatuś już nie musiał, ja też nie. Socjalistyczny dom dziecka. Biłem kolegów, jednego oblałem wrzątkiem, koleżance wyrwałem kępę włosów prosto z czaszki, krew, krzyk, poparzenia, poprawczak. Też socjalistyczny. Chyba po roku przyszli. Szukali ewidentnie takich jak ja, co oblewają wrzątkiem, wyrywają włosy, takich z ojcem, co wcześniej obdzierał ludzi żywcem ze skóry, z dziadkiem nienawidzącym wszystkich i wszystkiego. Od początku chyba trochę się mnie bali, choć zawsze próbowali zrobić tak, żebym to ja bał się ich. Nie wyszło, ale i tak powstała symbioza. Szkoła oficerska Stasi w Löbau. Kat musi mieć papiery. Nie może być znikąd, coś go musi weryfikować, w NRD wszystko i wszyscy są zweryfikowani. Nie uczyłem się za bardzo, wychowanie fizyczne zawsze na najwyższym poziomie, a to miało znaczenie; nie uczyłeś się, ale ta ciecz, ten mroczny absurd każdego dnia coraz bardziej wlewał się między nienawiść, kompleksy i poczucie krzywdy, które nosił w sobie. Wlewał się i wypełniał puste miejsca. Wcześniej to wszystko nie miało sensu, było chaosem, tam powoli nabierało logicznego kształtu. Winny mojej życiowej tragedii był imperialistyczny wróg naszego narodu, wichrzyciel, szpieg, omamiony pieniędzmi kapitalistyczny burżuj; winny tego, że dziadek nienawidził, ojciec mordował, matka się kurwiła, a ja oblewałem wrzątkiem, był zachodnioniemiecki karzeł reakcji. Wszedłem jak w masło albo prawie jak w masło. „Prawie" – tak, to dobre słowo; żeby prawie zniknęło do prawie niewidocznych rozmiarów, oprócz kleistej brei ideologicznej propagandy potrzebna była jeszcze wódka. A wódka była od zawsze. Najpierw podpijał od matki, potem wykradał się z domu dziecka, potem z poprawczaka, potem handlował wódką z wychowawcami, a potem? Potem miałem piętnaście lat i byłem alkoholikiem. Tak, Jurgen, jesteś alkoholikiem. Kiedy lałem wrzątek, kiedy wyrywałem włosy, kiedy sadzałem przesłuchiwaną na nodze od krzesła, kiedy łamałem podejrzanemu palce w szufladzie, kiedy tłukłem ich nogą od stołka po piętach, kiedy wyrywałem paznokcie obcęgami, podtapiałem, raziłem prądem, kiedy… zawsze była wódka. Inni nie pili. W służbie narodu, w Niemieckiej Republice Demokratycznej picie było rzeczą absolutnie naganną, dla innych było to nieomal tak naganne, jak dla mnie byłoby przestać pić. Wódkę dowozili mi rano i wieczorem, wódkę miałem w pokoju przesłuchań, w gabinecie, w granatowej wołdze, w skrzynce na listy, w kanapie i w spłuczce.

Może chodziło o energię.

Inni byli skurwysynami w nie mniejszym stopniu ode mnie, ale żeby wyrzucić kogoś przez okno, żeby łyżeczką wyjąć gałkę oczną, zakopać na śmierć, do tego wszystkiego trzeba czegoś więcej, sama wiara, lojalność i oddanie partii, pierwszemu sekretarzowi i idei pięknych, nieskalanych imperialistyczną interesownością Niemiec nie wystarczy. Do tego potrzebne było, po pierwsze, niesione z pokolenia na pokolenie rzemiosło nienawiści, a po drugie, niemożliwa do zahamowania siła i energia. Przede wszystkim zaś nie może być nawet chwili na namysł. Oni wiedzieli, że oprócz tego, że mam psychiczną podbudowę, to mam też inteligencję, którą to wszystko musiało obrażać, cały ten propagandowy zamęt wymyślony chyba na oddziale zamkniętym przez jakiegoś schizofrenika, wszystko to waliło się z hukiem przy choćby najmniejszej próbie weryfikacji. Miliony obywateli, setki tysięcy funkcjonariuszy dawały się utrzymywać w tej farsie głównie strachem i jakimś wynaturzonym oportunizmem; ja nie bałem się raczej niczego i w dupie miałem oportunizm. No więc... Tylko wódka – tylko po co? Przecież kiedyś znalazłem ją sam; to ja wyuczyłem się do otumaniania, to ja na czterdzieści lat wyłączyłem umysł z normalnego funkcjonowania, to ja wymordowałem w sobie wrażliwość, sens, emocje i nieskończoną ilość biliardów szarych komórek.

Z lęku? Przed czym? Przed samotnością, przed sobą, przed pamięcią, przed dziadkiem, ojcem, matką, przed wódką. Piłem ze strachu przed wódką?

Obok przejechała kolumna wojskowych samochodów, pod plandekami siedzieli chłopcy w mundurach i jakby bez twarzy. Socjalizm pozbawił ich jakże kłopotliwej rzeczy. Nie mieli już problemu z nieszczerymi uśmiechami, z oczami, które nie miały gdzie się podziać, z policzkami zaróżowionymi niezręcznością sytuacji, nie mieli ust, którymi musieliby kogoś całować ani rzęs do zatrzepotania, nie mieli nic; byli enerdowcami w najczystszej postaci, byli cyborgami systemu, który nie wiadomo po co został wynaleziony. Chyba jedynie w tym celu, żeby Wielki Brat, od którego oddzielała nas tylko mało przewidywalna Polska, mógł być dumny z ich lojalności.

Chłopcy złożyli swoje twarze na ołtarzu wierności Związkowi Radzieckiemu. Ostatnia ciężarówka wpadła tylnym kołem w dziurę, której nie powinno tu w ogóle być, bo drogi w NRD nie miały dziur. Na skórzany płaszcz, na buty, na spodnie, na głowę Jurgena chlusnęła błotnista breja. Mężczyzna przystanął i dotknął twarzy, jakby się upewniając, czy w ogóle jeszcze ją ma. Miał. Była ostra, nieprzyjemna w dotyku, pełna bruzd, gulek i zgrubień; była brzydka, bo przez czterdzieści lat leżała w enerdowskiej butelce z wódką.

– Jak mam teraz iść? – Jurgen przeraził się nagle, bo pojawiły się pierwsze symptomy psychozy. Nie bał się psychozy, bał się, że nie zdąży dojść tam, dokąd szedł, że zapomni, dokąd idzie, że kolejny raz trafi do kliniki, z której potem znów wyjdzie na ulice tego koszmarnego kraju. Droga była zasadniczo prosta: z Magdalenenstrasse trzeba było wyjść na Frankfurter Allee, potem tylko skręcić w prawo w Jacques Duclos Strasse, która nie wiedzieć czemu przechodziła raptem w ulicę Ho Chi Minha, następnie, po przejściu w przybliżeniu dwóch kilometrów, w prawo w Leninallee i zaraz potem w lewo. Stamtąd widać już było dziesięciopiętrowiec, do którego Matylda trafiła z matką po rozwodzie. Jurgen był mniej więcej w połowie drogi. Czuł już, że raczej uda mu się dotrzeć do celu, o ile nie stanie się coś, co będzie musiało się stać; ale może zdąży, zanim do tego dojdzie.

Czy mogło być inaczej? Jeśli byłem bity i poniżany przez ojca, a potem przez matkę, jeśli dziadek, u którego spędzałem wakacje, był rzeźnikiem, jeśli ojciec pił, a dziadek chlał, jeśli, jeśli... Pewnie mogło być inaczej, ale było to nader mało prawdopodobne, a przecież życie, szczególnie życie w NRD, jest niczym innym jak matematyką. W każdym razie pewną szczególną odmianą matematyki, którą opracowano po to, by udowadniać założone z góry twierdzenia. Czy mogło być inaczej? Może gdybym po prostu się bał, bał się zbyt bardzo, żeby zrobić te wszystkie okropne rzeczy, gdybym zbyt bardzo się bał, żeby zacząć pić, co przecież na początku było wielce naganne. Ale się nie bałem. Nie bałem się okradać i bić kolegów, poniżać koleżanek, wyrywać włosów i lać wrzątku. To znaczy może i się bałem, ale stan nietrzeźwości kompletnie mnie z tego lęku wybawiał. Wódka wybawiła mnie od piekła. Za parę godzin, za kilka dni, za miesiąc, może za pół roku ta największa paranoja w dziejach ludzkości, jaką jest NRD, się skończy. Skończy się, ale pod jednym wszelako warunkiem, który musi zostać bezwzględnie spełniony. NRD się skończy, jeśli ja skończę z nim w sobie. Typowy egotyzm alkoholika. Świat jest moim snem, wszystko, co dzieje się wokół, zależy wyłącznie od mojego widzimisię? Solipsysta. Chyba nie o to chodzi, ale może. Podobno jeśli w trakcie sekcji zwłok alkoholika, który umarł pijany, dokona się trepanacji czaszki, to z jej wnętrza uderza odór alkoholu. Przerażające. Ale dla tych, co wiedzą, jest oczywiste, że gdy w mózgu takiego alkoholika zabraknie odoru alkoholu, wtedy może zdarzyć się wszystko, na przykład cała rzeczywistość może się przewrócić i co więcej, może już nigdy się nie podnieść. Alkohol jest wszak jedyną substancją psychoaktywną, której odstawienie w skrajnych acz wcale nie tak rzadkich przypadkach prowadzi do śmierci. Amen.

Czy mogło być inaczej? Tak, w każdym dowolnym momencie wszystko mogło potoczyć się inaczej, przecież już dawno mogłem zastrzelić Mielkego albo nawet Honeckera, mogłem też zostać pastorem, choć to byłoby zapewne dość trudne. Czy teraz może być inaczej? Czy zmienisz coś jeszcze, Jurgenie? Czy ten obraz, ten absurd, ta rzeczywistość już na zawsze pozostanie w twojej głowie? Jurgenie, słyszysz mnie?!

– Ja, ja, ja… – pomyślał. Przejeżdżający na pełnym gazie przez skrzyżowanie wartburg prawie przejechał mu po nogach. A może się zatrzymać, może to wszystko da się jeszcze jakoś uratować? Może jeśli teraz spróbowałbym się napić, to organizm przyjąłby w końcu choćby małą dawkę. Jak przyjąłby małą, to potem przyjąłby większą. Ostatnio piłem trzy dni dłużej niż teraz. Niemożliwe, żeby wydolność spadła tak nagle.

W oddali majaczyły już światła na skrzyżowaniu alei Lenina z ulicą Ho Chi Minha. Światła migały na żółto. Dziwne, o tej porze powinny jeszcze działać. Może chodzi o to, że nikt już nie wie, czy puścić, czy zatrzymać, czy to się ma wydarzyć, czy lepiej, żeby zostało, jak jest; cały świat zamarł, mrugając na żółto, cała rzeczywistość czekała na decyzję Jurgena. Jeśli się napije, włączą znów czerwone i wszystko wróci do normy, jeśli trafi do kliniki, za kilka dni też tak się stanie.

Jaki tam jest numer mieszkania?

Jurgen zdał sobie nagle sprawę, że choć był parokrotnie pod blokiem, to nigdy nie wszedł do środka, nigdy nie wyjechał windą, nigdy, odkąd się rozstali, nie widział się z córką. Jak ma tam trafić teraz, kiedy jest w tak koszmarnym stanie?

Miłość?

Kiedyś, dawno, może przez moment, a może zresztą i wtedy nie była to miłość, tylko zauroczenie, fascynacja bardziej sobą niż drugą osobą. Potem małżeństwo, rychło przemoc – bo jeśli przemoc w robocie i wcześniej, i zawsze, i wszędzie, to dlaczego właściwie w miłości miałoby jej nie być? Po jakimś czasie pojawiła się Matylda. Już kiedy się rodziła, więcej było w nim obawy i niechęci do tego, co mogło zakłócić rytm picia, co mogło przeszkodzić w pięciu się po szczeblach kariery. Matylda. Czy kiedykolwiek pomyślał o niej dobrze, czy kiedykolwiek o czymkolwiek pomyślał dobrze, czy zdarzyło się już w jego życiu zrobić coś dobrego? Herzbergstrasse po lewej. Ulica góry serca, a może góry sercowej. Cóż za zbieg okoliczności. Teraz imię wielkiego francuskiego kominternowca Jacques'a Duclos przeszło płynnie w imię nie mniej wielkiego Wietnamczyka Ho Chi Minha. Deszcz jeszcze się wzmógł, ale to przecież kompletnie nic nie zmieniało, w ogóle już nic nie było w stanie niczego zmienić. Musiał tam dojść.

Czy zrobiłem w życiu cokolwiek dobrego?

Po drugiej stronie Leninallee, między budynkami po prawej zobaczył już w mglistej mżawce wysoki blok. To był chyba ten blok, ale które piętro? Które mieszkanie? Gdzie jest jego córka? I po co w ogóle do niej teraz szedł? Gdzieś iść musiał. Czasem przychodzi taki moment, kiedy nie ma już planu, nie ma kolejnych etapów do pokonania, nie ma już nic przed człowiekiem. Wtedy można chyba tylko, przez mgły i mżawkę zmieniającą się chwilami w rzęsisty deszcz, iść do córki. Azymut na córkę, która nigdy azymutem nie była.

Dochodziła wpół do dziewiątej wieczorem. Ruch na Leninallee w czwartkowy wieczór nigdy nie był intensywny, ale dziś jakby w ogóle zamarł. Świat szykował się na koniec Jurgena, który nadchodził wielkimi krokami. Po przejściu kilkudziesięciu metrów musiał przystanąć, po chwili wszedł w kępę bezlistnych o tej porze roku krzaków. Jego żołądkiem szarpnęły spazmy. Nie jadł wprawdzie od kilku dni, od dzisiejszego ranka po pierwszym, kilkugodzinnym ataku wymiotów nie wypił też ani grama niczego, nie tknął nawet wody. Wiedział, że to robota głupiego. Każdy łyk wody musiał być okupiony półgodzinną walką z pustką przewodu pokarmowego, który koniecznie próbował coś z siebie wyrzucić. Co? Może wszystkie te lata mrocznej beznadziei, może ten bezsens całego jego życia. Po chwili puste spazmy ustały. Jurgen wyszedł z krzaków, wokół wciąż nie było żywej duszy. Może już umarłem, może już mi się mami? Na zegarku było za dwadzieścia dziewiąta. Ten cholerny odruch ciągłego sprawdzania godziny, tak jakby godzina miała w tej chwili jeszcze jakiekolwiek znaczenie dla kogoś, kto w otchłani czarnej dziury próbuje określić kierunek dla swoich dalszych poczynań. Po przejściu kolejnych stu metrów Jurgen skręcił w Zechliner Strasse i zupełnie bez sensu przypomniał sobie, że był kiedyś z rodziną w ośrodku położonym nad jeziorem Grosser Zechliner. To był chyba miły czas, w każdym razie tak go zapamiętał.

A oni?

No właśnie, oni. Nigdy nie przyszło mu do głowy, by się zastanowić nad tym, że byli jacyś oni, że na onych składały się jednostki, tak samo istniejące w magmie życia jak on. Zawsze wszystko przepuszczał przez siebie, myśl o jakiejkolwiek osobie była uprawomocniona jedynie wtedy, gdy była jednocześnie myślą o nim. Po prawej stały jeden za drugim dwa dziesięciopiętrowe bloki. We wszystkich oknach paliły się światła. Czyli to tu schowali się ludzie czekający na to, czy żółte światło zmieni się na zielone czy na czerwone, to tutaj wszyscy zamarli w oczekiwaniu na to, co stanie się z Jurgenem, jak dalej potoczy się jego makabreska. Ludzie siedzieli przed telewizorami, a może po prostu przy stołach nad szklankami herbaty i spokojnie czekali, a on musiał to wszystko znosić, musiał walczyć z tą zasraną mgłą, żeby świat się nie rozpadł na miliony kawałków, których nikt nigdy nie będzie już w stanie poskładać w jedną całość. Który to z tych bloków? Są identyczne, jak zresztą wszystkie dziesięciopiętrowe bloki w tym mieście: szare, zniszczone zaciekami wilgoci na ścianach, jakby nawet one bały się odstawać od reszty obrazka, wyróżniać się z tła. W tym świecie wyróżnianie się z tła było najgorszym grzechem. Jurgen całe życie się trochę wyróżniał; wybaczano mu to, bo miał wielkie zasługi w budowie tła, z którego nikt nie miał prawa się wyróżniać. Znów go zemdliło, kolejne oddechy przychodziły mu coraz trudniej, w organizmie tak bardzo brakowało magnezu i potasu, że właściwie teraz już każdy jego krok mógł być końcem wszystkiego. Jurgen szedł bardziej siłą woli niż mięśni, wiedział, że musi dojść, w innym wypadku żółte światło nie zmieni się już nigdy w nic. Chyba jednak ten blok z tyłu. Był tu raz kiedyś, zaraz po rozwodzie, przywiózł jakieś rzeczy, które Matylda zostawiła w starym mieszkaniu w Lichtenbergu. Ale to było lata temu, a poza tym był wtedy pijany, zawsze był pijany. Po wejściu na klatkę schodową, oświetloną żarówką o jakieś osiemdziesiąt watów za słabą na to, by cokolwiek oświetlała, Jurgen stanął. Po raz pierwszy tego wieczoru poczuł kompletną niemoc. Jeszcze kilka godzin wcześniej zapukałby do którychkolwiek drzwi albo od razu przywaliłby kolbą swojej służbowej tetetki i minutę później wiedziałby nie tylko, gdzie mieszka jego była żona z jego byłą córką, ale też, jak nazywają się wszyscy mieszkańcy tego bloku, którzy z nich mają rodziny na Zachodzie, którzy oglądają zachodnią telewizję i u których mówi się źle albo choćby nie dość dobrze o ustroju kraju, w którym przyszło im zlewać się z tłem. Kilka godzin temu tak właśnie by było, ale teraz, kiedy nie miał legitymacji, broni służbowej i grama alkoholu we krwi, kiedy właściwie cały czas walczył z tym, żeby nie umrzeć...

W tym momencie otworzyły się drzwi jednego z mieszkań i naprzeciw niego stanął dziwnie wyglądający, mały człowieczek o bardzo złej twarzy skrywającej małe jak guziczki oczy, w których ktoś w idealnie równych proporcjach wymieszał lęk z nienawiścią do świata.

– O co chodzi?

– Szukam Matyldy Wolfke.

Mały człowieczek przyjrzał mu się uważniej i nagle z jego spojrzenia zniknęła cała nienawiść i zastąpił ją już wyłącznie paniczny, zwierzęcy wręcz strach.

– Ósme piętro, lokal osiemdziesiąt dwa, obywatelu pułkowniku.

– Dziękuję.

Jurgen podszedł do windy.

– Jestem dozorcą w tym bloku, pan mnie nie pamięta, ale ja pana owszem, nie pozwoliłbym sobie zapomnieć, czy może potrzebuje pan jakichś informacji?

Człowieczek starał się jak mógł, a Jurgenowi wydawało się, że im bardziej się starał, tym bardziej się kurczył. A może to zaczynały się już omamy? Nie, omamy miał opanowane do perfekcji: najpierw pojawiały się urojenia zapachowe i wtedy na oddziale zamkniętym kliniki czuł na przykład zapach wody znad jeziora Grosser Zechliner, ale częściej był to wszechobecny odór kału; potem zjawiały się słuchowe: jakieś fragmenty muzyki w środku lasu albo krzyki bawiących się dzieci w znajdującej się głęboko pod ziemią sali przesłuchań aresztu przy Magdalenenstrasse. Omamy wzrokowe, niczym cesarz wszystkich omamów, pojawiały się na końcu: zaczynało się od ludzi, których nie było, a kończyło na robactwie, myszach i gadach. Zastanawiał się zawsze wtedy skąd mózg czerpał takie pokłady treści dla wyobraźni. Jurgen w życiu nie miał do czynienia ze stworzeniami, z którymi stykała go przemyślność jego pnia mózgu.

Winda dojechała, obwieszczając ten fakt nieco zbyt głośnym brzęknięciem rozstrojonego jak jego mózg gongu. Zresztą powoli wszystko stawało się zbyt głośne i zbyt natarczywe.

– Nie, panie Schmitt, nie potrzebuję żadnych informacji. I może pan już wkręcić tutaj mocniejszą żarówkę. Kończymy z ciemnością.

– Tak jest, obywatelu pułkowniku.

Dozorca Schmitt nic nie zrozumiał, ale nie śmiał pytać o szczegóły; ciekawość była jedną z pierwszych cech, których w Niemieckiej Republice Demokratycznej należało się wyzbyć.

Jurgen stał pod drzwiami i pierwszy raz w życiu bał się nacisnąć dzwonek. Po kilkunastu sekundach zapukał, bardzo delikatnie. Drzwi otworzyły się nieomal natychmiast. W tym świecie wszyscy byli tak czujni i zalęknieni, że ich zmysły nawet podczas snu były wyostrzone do maksimum. W drzwiach po drugiej stronie progu stał rosły mężczyzna o dobrej, szarej twarzy. Patrzyli chwilę na siebie, udając, że się nie znają, choć znali się doskonale. Jurgen prawie go kiedyś zakatował w czasie przesłuchania, on został kiedyś prawie zakatowany przez Jurgena w czasie przesłuchania. Mężczyzna pamiętał Jurgena, bo takich twarzy się nie zapomina, Jurgen pamiętał mężczyznę, bo nigdy nie udało mu się zapomnieć żadnej twarzy katowanego przez siebie człowieka.

– Pan do Matyldy?

Jurgen skinął głową. Mężczyzna wpuścił go do mieszkania i zamknął drzwi.

– Ona śpi, a jak śpi, nie można jej budzić.

– Wiem. Nie szkodzi, tak tylko chwilę posiedzę.

– Zrobić panu herbaty?

– Nie, dziękuję.

Jurgen wszedł do salonu, w którym na wkomponowanym w bujną domową roślinność biurku stała aparatura z gałkami i ekranikami. Po ekranikach wędrowały wesołe zielone sinusoidy, na nich zaś co rusz pojawiała się intensywniej zielona kuleczka życia. W tle cały czas coś pikało. Jurgen spojrzał w stronę biurka, potem na mężczyznę.

– Wszystko dobrze?

– Tak, tylko trzeba cały czas siedzieć.

Jurgen pokiwał głową, w której zakręciło mu się w tym momencie tak, że gdyby nie krzesło stojące przy biurku, o które się oparł, prawdopodobnie przewróciłby się na podłogę.

– Źle się pan czuje.

Mężczyzna bardziej stwierdził, niż zapytał. Jurgen pokręcił głową; nie miał czasu, siły, a przede wszystkim czelności, żeby opowiadać o swoich dolegliwościach mężczyźnie, którego kiedyś nieomal zakatował na śmierć. Jego córka była zielonym punkcikiem w tych zielonych sinusoidach, których pilnował ten mężczyzna.

– Jak to jest możliwe?

– Jak co jest możliwe, obywatelu pułkowniku?

– Jak to jest możliwe, że w tym kraju, w tym koszmarze, w tej matni… Jak to jest możliwe, że pan istnieje?

– Nie wiem, obywatelu pułkowniku, ale sądzę, że jest to tak samo możliwe jak to, że obywatel pułkownik istnieje.

– Nie jestem już pułkownikiem, ale chciałbym, żeby jeszcze przez chwilę pozostało to między nami.

– Oczywiście. Czy może pan chwilę tu posiedzieć, ja skorzystałbym z okazji i wyszedł na balkon na papierosa?

– Proszę.

– Gdyby zaczęło piszczeć tak jednostajnie, proszę mnie natychmiast zawołać.

Jurgen pokiwał głową, mężczyzna wyszedł na balkon. Cały ten świat, któremu zmarnował istnienie. Przez to, że nigdy nie zastanowił się nawet przez chwilę nad nikim oprócz siebie, przez to, że całe życie uciekał przed sobą, przez to, że dziadek, ojciec, matka, przez to, że prawie zakatował tego człowieka. Nigdy nie pomyślał o tym, że to nie może tak być, że to nie jest świat dla ludzi, że to jest świat, który w ogóle nie powinien istnieć, bo jest absurdalny, nielogiczny, bo jest, kurwa, zbyt okrutny, żeby nawet można było o nim pomyśleć.

Jurgen znów zerknął na zegarek. O ile wcześniej mógł to swoje zerkanie usprawiedliwić tym, że szedł w odwiedziny i nie wypadało przyjść zbyt późno, to teraz przecież już dotarł na miejsce, jego świat za moment miał się rozpaść na miliardy części, więc po jaką cholerę zerkał na ten idiotyczny zegarek? Było osiem po dziewiątej. Rozejrzał się po pokoju. Telefon stał na meblościance po drugiej stronie, przez moment zastanawiał się, czy da radę do niego dojść; w końcu przestał się zastanawiać, skoro doszedł aż tutaj przez całą tę krwawą, bezsensowną kloakę swojego życia, skoro doszedł tutaj i była dwudziesta pierwsza osiem.

– Halo. Mówi pułkownik Wolfke. Proszę mnie połączyć z Jägerem… Tak, to jest posterunek graniczny przy Bornholmer Strasse.

W słuchawce szumiała czarna dziura, Jurgen siedział na podłodze, nie miał już siły stać, zaczął słyszeć szepty. Nie przejął się tym przesadnie, teraz ważne było, żeby zdążyć.

– Jäger, słucham.

– Mówi Wolfke. Dzwonię z gabinetu generała Mielkego. Jaka u was sytuacja?

Jurgen spojrzał na ściany wokół siebie, na słomianej makatce zauważył pocztówkę znad jeziora Grosser Zechliner.

Czy było kiedykolwiek, cokolwiek dobrego, może chociaż przez przypadek?

– Obywatelu pułkowniku, melduję, że sytuacja jest napięta: ściągnąłem odwody, jesteśmy dobrze uzbrojeni, mamy zapasy amunicji. Tłum napiera, czekamy tylko na rozkaz.

– Czy było cokolwiek dobrego?

– Nie rozumiem, obywatelu pułkowniku, mam chyba zakłócenia na linii.

Jurgen zerknął na makatkę, na zielony punkcik na zielonej sinusoidzie, na balkon, na którym mężczyzna, którego kiedyś prawie zatłukł na śmierć, spokojnie palił papierosa.

– Poruczniku Jäger, czy pan mnie teraz dobrze słyszy?

– Tak jest.

– Proszę wycofać ludzi i otworzyć przejście.

Przez moment znów szumiała czarna dziura.

– Czy to jest rozkaz, panie pułkowniku?

– Tak, panie poruczniku, to jest rozkaz.

– W sytuacji, gdy rozkaz zostaje wydany telefonicznie, mam obowiązek...

– Tak wiem, proszę mi dać do telefonu pana zastępcę.

I znów czarna dziura, szepty, lęk, chyba już pierwsze mroczki.

– Sierżant Neuer, słucham.

– Przed chwilą przekazałem pana przełożonemu rozkaz, teraz powtórzę go panu.

– Słucham, obywatelu pułkowniku.

– Rozkazuję otworzyć przejście graniczne Bornholmer Strasse. Proszę włączyć zielone światło.

Szum, jakby chichoty i te cholerne szepty.

– Dziękuję, obywatelu pułkowniku.

Neuer przełknął ślinę, a może mu się tylko wydawało.

– Bardzo panu dziękuję.

– Drobiazg, Neuer, drobiazg. Skończmy z tym.

Samotność. Tak, chyba to jest najgorsze. Zawsze jesteś samotny, ale dopóki wszystko działa, dopóki w mózgu jest potas i magnez, dopóki nie zakatowałeś ludzi, nie zmarnowałeś całego życia, dopóty jakoś z tą samotnością da się wytrzymać. Samotność.

– Panie pułkowniku, panie Jurgenie... Jurgen!

Mężczyzna stał pochylony nad nim, chyba lekko się wystraszył. Ataki epilepsji alkoholowej nigdy nie były niczym miłym dla oka.

– Jak pan ma na imię?

– Jakob. Może wezwę pogotowie?

Jurgen pokręcił głową. Trochę krępowało go to, że zmoczył spodnie, ale nie jakoś przesadnie, nie miał już siły na wstyd. Mężczyzna pomógł mu wstać.

– Chciałbym jeszcze tylko do niej zajrzeć, potem pójdę. Pomoże mi pan, Jakobie?

Jakob podparł go i podprowadził pod drzwi pokoju Matyldy. Jurgen uchylił je odrobinę i zajrzał do środka. Dziewczyna spała spokojnym snem, jej oddech wydawał się miarowy, choć co pewien czas zawisał, może wahał się nad własnym sensem, i dopiero po chwili wracał ze zdwojoną siłą, jakby decyzja, którą wyrażał, była po stokroć bardziej dramatyczna od wahania, któremu podlegał.

– Może jednak ją obudzę?

– Nie, panie Jakobie, nie ma takiej potrzeby. Ona musi spać, proszę jej tylko pilnować.

Niebo nad Berlinem wciąż było szare, ale gdzieniegdzie przez chmury przezierały już strzępy rozgwieżdżonej, perlistej czerni. Deszcz przestał w końcu padać. Z dachu budynku widać było całą panoramę miasta. Jurgen próbował dojrzeć przejście graniczne na Bornholmer Strasse, ale było zbyt daleko, a on prawie nic już nie widział przez zaropiałe powieki. Od godziny powinien być w klinice, ale nie było już kliniki, nie było już nic z tamtego świata, jego bezsensowny kołowrót właśnie się zatrzymał i świat wahał się nad własnym sensem. Jurgen po raz ostatni spojrzał na zegarek.

Była dwudziesta pierwsza dwadzieścia jeden. Minutę wcześniej porucznik Jäger kiwnął głową i szlaban na najbardziej strzeżonej granicy świata podniósł się z taką lekkością, jakby zupełnie nie miał świadomości tego, czym był przez te kilkadziesiąt poprzednich lat. Przez przejście na Bornholmer Strasse przeszedł pierwszy mężczyzna. Po drugiej stronie czekał na niego kolorowy tłum rozentuzjazmowanych ludzi. Kropla szarej brei rozpuściła się w tęczy szybciej, niż ktokolwiek mógł się tego spodziewać. Ni stąd, ni zowąd do mężczyzny podbiegł ktoś z tacą, na której stał oszroniony kufel pilznera.

Jurgen spadał około trzech sekund. To nie jest wiele czasu, szczególnie dla kogoś, kto ma świadomość tak bardzo zmęczoną jak on. Na szczęście w takich chwilach umysł rzuca na szalę wszystko, co ma w zanadrzu, i dzięki temu Jurgen w końcu przypomniał sobie, jak szesnaście lat temu biegł przez podwórko, niosąc na rękach Matyldę, której stopa wkręciła się w szprychy roweru. Przypomniał sobie z całą jaskrawością, że kiedy tak biegł i szeptał do niej, właśnie wtedy, przez ułamek swojego życia, myślał tylko o niej i o bólu, który odczuwała, i o lęku, który musiała udźwignąć. Matylda. Matylda. Tak, wtedy myślał tylko o niej. Zderzenie z ziemią właściwie mu umknęło, tak bardzo był olśniony swoim odkryciem. Potem, kiedy już leżał, chwilę przed tym, nim zniknął, uświadomił sobie, że bardzo chciałby napić się zimnego pilznera. Z drugiej strony, człowiek przecież nie może mieć wszystkiego.

3

JANUSZ L. WIŚNIEWSKI
Anorexia nervosa

ALEK ROGOZIŃSKI
Jeden dzień w Sarajewie

Anorexia nervosa

Pierwszy raz zobaczyła go w Wigilię. Siedział na betonowej płycie przy ich osiedlowym śmietniku i płakał.

Ojciec powinien lada chwila wrócić z dyżuru w szpitalu; mieli zasiąść do Wigilii. Nie mogła się doczekać. Karp skwierczący na patelni – tak cudownie pachniało w całym mieszkaniu – kolędy, choinka przy nakrytym białym obrusem stole. Tak przytulnie, ciepło, rodzinnie i bezpiecznie. Czy może być świat lepszy niż ten wigilijny?

Dlatego tylko, dla dobra wigilijnego nastroju i dla zachowania „rodzinnej zgody i harmonii", nie zaprotestowała, gdy matka poprosiła ją, aby wyniosła śmieci. W planie Wigilii są choinka, pieczenie karpia i fryzjer rano, ale nie ma śmieci, które mogłyby poczekać do jutra!

Akurat teraz – było już ciemno! Poza tym nie znosiła osiedlowego śmietnika. Był jak śmierdząca, ohydna więzienna klatka. Ale dla jej matki Wigilia nigdy nie była powodem, aby bodaj trochę odstąpić od ustalonego harmonogramu. „Dzień musi mieć plan" – powtarzała przy każdej okazji. Wigilia różni się tylko planem i poza tym jest zaznaczona na czerwono w jej filofaksie. To nic, że Jezus, nadzieja i pasterka. Zupełnie nic. *Wigilia, 11:30, fryzjer* – przeczytała kiedyś przypadkiem w jej kalendarzu pod datą osiemnastego października. W połowie października zarezerwowany fryzjer na Wigilię! Tego nie robią nawet Niemcy w Bawarii! Ten jej cholerny filofax jest jak lista wyroków na dany dzień – myślała czasami.

Rozmawiała kiedyś z nią o Wigilii. Wtedy, kiedy jeszcze rozmawiały o czymś ważniejszym niż lista zakupów w spożywczym za rogiem. To było tuż przed maturą. Przeżywała okres totalnej fascynacji religią. Zresztą, pół żeńskiej części ich klasy to miało. Chodziły na wykłady do Akademii Teologicznej – niektóre pewnie tylko dlatego, że podkochiwały się w przystojnych chłopcach w habitach – uczyły się modlitw, uczestniczyły w akademickich mszach. Czuła, że jest lepsza, spokojniejsza i taka uduchowiona poprzez ten kontakt z religią.

To wtedy właśnie, gdy któregoś dnia przy przedświątecznym myciu okien stały tak blisko siebie, że się niemal dotykały, zapytała matkę, czy ona także odczuwała kiedyś takie „mistyczne" oczekiwanie na Boże Narodzenie. Teraz wie, że wybrała zły moment na to pytanie. Matka przy sprzątaniu była zawsze wściekła, uważała bowiem, że to bezsensowna strata cennego czasu i ona nigdy nie zrozumie, jak te wszystkie gospodynie domowe mogą nie wpaść w depresję po tygodniu takiego życia. Pamięta, że matka odłożyła ścierkę na parapet, cofnęła się o krok, aby móc patrzyć jej w oczy i powiedziała tonem, jakim zwracała się do studentów:

– Mistyczne oczekiwanie?! Nie. Nigdy. Przecież w Bożym Narodzeniu nie ma żadnego mistycyzmu, córeczko.

Pamięta, że nawet w tym „córeczko" nie było bodaj odrobiny ciepła. Zresztą, znała to. Przeważnie po „córeczko" na końcu zdania szła do pokoju, zamykała się i płakała.

– Wigilia i Boże Narodzenie to przede wszystkim elementy marketingu i promocji. Jak inaczej syn cieśli z zabitej dechami Galilei stałby się idolem porównywalnym z tymi twoimi Madonną lub Jacksonem. Cały ten jego dział promocji, tych dwunastu apostołów, łącznie z najbardziej medialnym Judaszem, to jedna z pierwszych tak dobrze zorganizowanych akcji, która wypromowała prawdziwą gwiazdę. Cuda, tabuny kobiet gotowych zdejmować majtki na każde jego zawołanie, ciągnące za idolem od miasta do miasta, masowe histerie, zmartwychwstania i wniebowstąpienia. Jezus, gdyby żył dzisiaj, miałby agenta, prawnika, adres e-mailowy i stronę www.

Podniecona swoim wywodem, ciągnęła z zapałem:

– Oni mieli strategię i Biblia to opisuje w szczegółach. Bez dobrej promocji nie wstrząsa się cesarstwem i nie instaluje się nowej religii.

– Mamo, co ty mówisz, co za strategia – przerwała jej proszącym głosem – jaki dział promocji, oni przecież widzieli w nim syna Boga, Mesjasza…

– Tak?! Niektóre z tych panienek, co spędzają noce pod hotelem Jacksona na deszczu lub mrozie, też myślą, że Jackson jest Jezusem. Jezus, córeczko, to po prostu idol popkultury. A to, co ty mówisz, to są wszystko legendy. Tak samo jak ta o dziecięcym żłobie, pasterzach ze łzami w oczach, wole i osiołku. Bo prawda historyczna jest zupełnie inna. Nie było żadnego spisu ludności, który zmusił Marię i Józefa, aby odbyli podróż do Betlejem. O tym wiedzą nawet ci, co nie są teologami.

Zapaliła papierosa, zaciągnęła się głęboko i mówiła dalej:

– A nawet gdyby był, to do spisu nie zapraszali takich biedaków jak cieśla z Nazaretu. Trzeba było mieć albo ziemię, albo niewolników. Poza tym spis miał być rzekomo w Jerozolimie. Jedyna droga do Jerozolimy z Nazaretu prowadziła wtedy przez dolinę Jordanu. W grudniu dolina Jordanu jest wypełniona błotem po szyję wysokiego mężczyzny. A Maria nie należała do olbrzymów i była w ciąży z Jezusem, jak pamiętasz – skończyła, uśmiechając się z lekką drwiną.

Nie mogła w to uwierzyć. Jeśli to nawet prawda – a najprawdopodobniej tak, jej matka słynęła z mówienia prawdy, głównie naukowej, za co dostała habilitację już w wieku trzydziestu czterech lat – to czy musiała jej mówić to dwa dni przed Wigilią, gdy ona tak bardzo to przeżywa i tak bardzo w to wierzy? I tak bardzo czeka na ten dzień?

Pamięta. To właśnie wtedy, przy tym oknie, postanowiła, że już nigdy nie wysłucha niczego, co będzie chciała powiedzieć matka po „córeczko". Gdy kiedyś po latach opowiedziała tę rozmowę najlepszej przyjaciółce, Marta skomentowała to dosadnie, jak tylko ona to potrafiła:

– Bo twoja jest jak współczesna hetera. Tak w starożytnej Grecji nazywano wykształcone i oczytane kobiety. Przeważnie były samotne, bo żaden mężczyzna ich nie chciał. A twoja matka jest na dodatek heterą walczącą i chce objaśnić świat samodzielnie i na własną rękę. Ale to nie jest wcale żadna samodzielność. Jeżeli facet często robi to sobie sam, to wcale nie znaczy, że jest samodzielny. Twoja matka jest jak ten facet.

Chociaż to było już tak dawno temu, zawsze myśli o tym w Wigilię. I o ojcu. Czasami, szczególnie ostatnio, tuli się do niego wcale nie z czułości ani pragnienia bliskości lub z tęsknoty. Tuli się, aby mu wynagrodzić lodowaty chłód jego zorganizowanej żony. Myśli, że w ten sposób przywiąże go do siebie i domu. Gdyby ona była mężem jej matki, odeszłaby wiele lat temu. Nie wytrzymałaby takiego chłodu. Bo jej matka potrafiła być zimna jak skroplony azot. A on wytrzymuje i jest tutaj. Wiedziała, że jest tylko dla niej.

Dzisiaj też to zrobi. Dzisiaj też przytuli się do niego i obejmie go. On będzie jak zwykle zaskoczony, położy głowę na jej ramieniu, mocno uściśnie, pocałuje jej szyję, powie szeptem „córeczko", a gdy się rozdzielą, będzie miał zaczerwienione oczy i będzie tak śmiesznie udawał, że coś wpadło mu do oka. I to jego „córeczko" jest takie piękne. Takie pełne czułości. Takie wigilijne właśnie.

Ale dzisiaj zrobi to tak od siebie. Bo dzisiaj jest wigilijnie rozczulona. Poza tym nie zna innego mężczyzny, który byłby chociaż w przybliżeniu podobny do jej ojca. Takich mężczyzn już nie ma.

Dlatego, i aby była zgoda, harmonia i wykonał się ten cholerny plan Wigilii z filofaxu jej matki, wyniesie te śmieci. Zaraz i natychmiast. Będzie nawet udawała, że robi to chętnie.

Zeszła z dwoma pełnymi wiadrami. Było wietrznie i zacinał deszcz ze śniegiem. Wpatrzona w okna migoczące blaskiem choinkowych lampek, otworzyła kluczem śmietnik. Popchnęła nogą drucianą bramkę i zobaczyła go. Siedział po turecku na postrzępionej tekturze przy dużym śmietniku na wprost wejścia i osłaniał dłońmi od wiatru świeczkę stojącą na gałęzi choinki. Płomień świeczki odbijał się w jego oczach i płynących z nich łzach.

Stanęła jak wryta. Puściła oba wiadra, które z hukiem upadły na beton i przewróciły się. Chciała odwrócić się i uciec.

– Przepraszam, nie chciałem cię przestraszyć – powiedział cicho zachrypniętym głosem. – Pomogę ci zebrać te śmieci.

Zaczął się podnosić.

– Nie! Nie! Nie chcę. Zostań tam, nie podchodź do mnie! – wrzasnęła.

Chwyciła wiadra, odwróciła się i wybiegła, zatrzaskując z hukiem bramkę śmietnika. Biegła na oślep przez błoto osiedlowych trawników, na których nawet wiosną nie ma trawy. Wpadła do klatki schodowej. Ojciec wyjmował listy z ich skrzynki. Wpadła na niego i przytuliła się z całych sił.

– Córeczko, co się stało?

– Nic. Przestraszyłam się. Po prostu się przestraszyłam. Ten człowiek tam w śmietniku…

– Jaki człowiek? Co ci zrobił?

– Nic nie zrobił. Po prostu tam był. Siedział i płakał.

– Co ty mówisz? Zaczekaj tutaj. Nie ruszaj się stąd. Pójdę i sprawdzę.

– Nie! Nigdzie nie idź. Chodźmy do domu.

Wysupłała się z jego objęć, poprawiła włosy i ruszyła schodami w górę. Wziął od niej wiadra i poszedł za nią. Mogli jechać windą, ale chciała się uspokoić po drodze. Tak aby matka nic po niej nie poznała, gdy wejdzie do mieszkania. Pomyślałaby, że jest histeryczką. Jej ojciec zrozumiał to natychmiast. Bez jednego słowa. Dlatego szedł za nią na ósme piętro, opowiadając o swoim dyżurze w szpitalu i delektując się zapachami wydobywających się z mieszkań, które mijali po drodze. Do mieszkania weszła uśmiechnięta. Matka nic nie zauważyła.

Dowiedziała się, jak ma na imię, gdy wjechał swoim samochodem w punto, którym Marta jechała na swój ślub.

Marta była jej najlepszą przyjaciółką. Od zawsze. Nie pamięta czasów, kiedy nie było Marty w jej życiu. Marta też będzie do końca. Cokolwiek to znaczy.

Gdyby Marta miała czas i zrobiła test na inteligencję, to ona mogłaby z dumą powiedzieć, że jest przyjaciółką najbardziej inteligentnej kobiety w tej części Europy. Ale Marta ani nie miała na to czasu, ani nie było to dla niej istotne. Marta wykorzystywała swoją inteligencję głównie po to, aby przeżywać emocje. Ta wiejska dziewczyna – przyjechała na studia do Krakowa z zapadłej Sękowej, gdzie „telefon miał tylko proboszcz i jego kochanka", jak sama mówiła – nagle odkryła świat. Po roku anglistyki zaczęła równoległe studia na filozofii. „Krztusiła się" życiem w Krakowie. Nie odbyło się nic ważnego w operze, teatrze, muzeum, filharmonii i klubie, w czym nie uczestniczyłaby Marta.

To właśnie w klubie poznała tego ślicznego quasi-artystę w skórzanych spodniach. Powtarzał trzeci rok na Akademii Sztuk Pięknych, ale zachowywał się jak Andy Warhol na stypendium ministerialnym. Nie dość, że jak Warhol, to jeszcze był z Warszawy, co przy każdej okazji podkreślał. Kraków miał zaniemówić. Oszaleć i paść na kolana, bo przyjechał geniusz.

Nie znosiła go od momentu, gdy Marta przedstawiła ich sobie w autobusie.

Siedział bezczelnie i mówił o sobie tak głośno, że cały autobus musiał to słyszeć. Marta stała, ona stała i ta kaszląca staruszka z laską obok też stała. A ten „war(c)hoł" siedział w tych swoich skórzanych przetartych spodniach i wygłaszał wykład o swojej roli we współczesnej sztuce.

Marcie wydawało się to jednak piękne. Zakochała się. Prawdopodobnie tylko „chemicznie", ale skutki były opłakane. Karmiła go ze swojego stypendium, kupowała mu hektolitry alkoholu ze swoich oszczędności, nawet dawała mu pieniądze na jego przejazdy autobusem, aby mógł imponować licealistkom swoimi wykładami w drodze na akademię. To dla niego przestała bywać. A jeśli już bywała, to stała jak szara myszka zaraz za warszawskim „war(c)hołem" i patrzyła na niego z podziwem, gdy opowiadał wszystkim, co to on zrobi w życiu, gdy tylko „to beztalencie mszczące się na prawdziwych artystach" – miał na myśli profesora, który go drugi raz oblał na egzaminie – „pozbędzie się genetycznej zawiści".

Mówiła Marcie, że ma się opamiętać. Prosiła, błagała, groziła. Ale Marta nie słuchała – była w tym czasie jak w reakcji chemicznej. Musiało coś się zdarzyć, aby tę reakcję zatrzymać.

Zdarzyło się. Za pięć dwunasta. Prawie dosłownie.

Ślub Marty był wyznaczony na dwunastą w południe w pewien październikowy piątek. Jechali punto Marty do Urzędu Stanu Cywilnego. Marta, w wypożyczonej sukni ślubnej, prowadziła. Artysta, czyli pan młody, siedział obok, bo nie miał prawa jazdy. Odebrali mu za jazdę po pijanemu. Ona jako oficjalny świadek siedziała na tylnym siedzeniu. Marta była podniecona i pijana – rano wypiły we dwie pół butelki bułgarskiego koniaku na pusty żołądek, bo nie mogła przełknąć śniadania z podniecenia.

Marta myślała, że zdąży, zanim żółte światło zmieni się w czerwone. Nie zdążyła. Usłyszały huk, Marta krzyknęła: „O kurwa!" i zrobiło się cicho. Uderzył w tył z prawej strony. Wina Marty była oczywista.

Artysta wysiadł gwałtownie, zostawiając otwarte drzwi. Podszedł do tamtego auta. Otworzył drzwi, wyciągnął kierowcę i bez słowa zaczął okładać go pięściami. Marta, z czerwonym plamami krwi na welonie i sukni ślubnej, podbiegła do artysty i wepchnęła się między niego i kierowcę tego drugiego samochodu. W pewnym momencie, po przypadkowym uderzeniu w twarz, upadła na asfalt. W tej samej chwili kierowca z całych sił uderzył w twarz artystę.

Widziała to wszystko dokładnie, siedząc w punto. Gdy Marta po przypadkowym ciosie artysty upadła na asfalt, energicznie otworzyła drzwi, wysiadła z samochodu, podbiegła do leżącej przyjaciółki i uklękła przy niej. Kierowca przykląkł także.

– Jest mi tak bardzo przykro. Nie chciałem tego. Ja miałem zielone światło. Dlatego ruszyłem. Jest mi tak bardzo przykro. Miałem zielone. Niech mi pani uwierzy. Miałem zielone – powtarzał bez przerwy, nachylony nad Martą.

Artysta podniósł się i z całych sił popchnął go, przewracając na Martę. Usłyszeli wycie policyjnej syreny i głos:

– Proszę się natychmiast uspokoić. Wszyscy z dokumentami do mojego auta. Wszyscy!

Młody policjant wskazywał na poloneza zaparkowanego na wysepce przystanku autobusowego.

– My nie mamy czasu – wykrzyknął artysta – o dwunastej w południe jest nasz ślub!

Marta podniosła się z asfaltu, podeszła do niego i powiedziała spokojnie:

– Nie ma żadnego ślubu. Przeproś tego pana i spierdalaj, ty gnojku.

Dosłownie tak! To była znowu ta stara, normalna Marta. Nareszcie!

Pamięta, że w tym momencie wpatrywała się w oczy tego mężczyzny i wiedziała, że zna to spojrzenie.

– Ja miałem zielone. Ja bardzo panią przepraszam – powiedział bezradnie.

Marta zerwała welon z głowy, wytarła nim zakrwawiony nos, zgniotła w dłoni i rzuciła na asfalt. Chwyciła mężczyznę za ramię.

– Ja wiem. Niech pan przestanie wreszcie przepraszać. Moje ubezpieczenie zapłaci za wszystko. Nawet pan nie wie, co pan dla mnie zrobił.

Podeszła do niego, wspięła się na palce i pocałowała go w policzek.

Nie rozumiał, o co chodzi. Stał jak osłupiały.

W tym momencie przypomniała sobie, skąd go zna. To przecież on siedział przy śmietniku w tamtą Wigilię.

Artysta zniknął w tłumie gapiów, którzy zdążyli zebrać się na chodniku.

– Pomogę pani ściągnąć auto z jezdni – powiedział mężczyzna.

Wepchali we trójkę punto na chodnik.

– Mam na imię Andrzej. A pani?

– Marta. A to moja przyjaciółka Ada. To znaczy Adrianna.

Spojrzał na nią uważnie. Podał jej rękę i powiedział cicho:

– Andrzej. Przepraszam, że przestraszyłem panią wtedy w Wigilię.

Tak sobie po prostu! Tak jak gdyby ta Wigilia była przed tygodniem. A przecież minęły prawie dwa lata.

Był wysoki. Miał czarne włosy, zaczesane do tyłu. Szeroką bliznę na prawym policzku i bardzo szczupłe dłonie. Nigdy nie spotkała mężczyzny, który miałby tak szerokie i pełne wargi. Jego głos był lekko zachrypnięty i niski. Pachniał czymś, co jej przypominało jaśmin.

– Mam na imię Ada. Pamiętasz to jeszcze? To było prawie dwa lata temu.

– Tak, pamiętam. Szukałem cię wtedy. Długo cię szukałem. Ale nie znalazłem. Chciałem cię przeprosić. Dopiero dzisiaj. Ten wypadek…

Uśmiechnęła się do niego.

– Nie ma za co przepraszać. Mieszkam w bloku zaraz przy śmietniku.

– Dlaczego tam wtedy siedziałeś?

Nie odpowiedział. Odwrócił głowę i zaczął rozmawiać z Martą. Po chwili poszedł do swojego samochodu, zjechał do zatoczki i wrócił do nich. Marta, w poplamionej krwią sukni ślubnej, budziła sensację. Tłum gapiów na chodniku nie przerzedzał się.

Gdy załatwili wszystkie formalności z policjantem w polonezie, zapytał:

– Gdzie mam was wywieźć z tego przedstawienia?

– Pojedźmy do mnie – odparła Marta. – Musimy to uczcić.

Po drodze wstąpili do restauracji, gdzie miało odbyć się weselne przyjęcie. Dowiedzieli się, że goście dzwonią nieustannie, ale Marta nie przejęła się tym w ogóle. Kazała zapakować cały alkohol, który zamówiła, i półmiski z jedzeniem. Przenieśli to wszystko do samochodu Andrzeja i pojechali do mieszkania Marty. Już dawno nie widziała przyjaciółki tak szczęśliwej.

Po kilku kieliszkach wina zaczęli tańczyć. Przytulona do Andrzeja poczuła, że on jest jej dziwnie bliski.

Nad ranem odwiózł ją taksówką do domu. Wysiadł z nią i odprowadził pod klatkę schodową. Gdy przechodzili obok tego śmietnika, podała mu rękę. Ścisnął ją delikatnie i już nie puścił. Przy klatce schodowej podniósł ją do ust i dotknął wargami.

Kochała go już znacznie wcześniej, ale urzekł ją tak naprawdę, gdy rzucił się na maskę jadącego wprost na niego samochodu.

Od tego wieczoru i nocy po odwołanym ślubie Marty prawie wszystko w jej życiu się zmieniło. Andrzej odszukał ją następnego dnia na uczelni; czekał przed salą wykładową. Stał pod ścianą. Nieco zawstydzony, z kwiatami nieudolnie schowanymi za plecami. Gdy podeszła do niego i uśmiechnęła się, nie potrafił ukryć ulgi i radości.

Od tego dnia byli razem. Wszystko przed Andrzejem straciło sens.

Wiedziała to już po tygodniu. Ujęły ją jego wrażliwość i czułość. Później doszedł szacunek, jakim ją otaczał. To chyba przez ten szacunek czekał z pierwszym pocałunkiem tak długo. Mimo że go prowokowała, dotykając, ocierając się o niego, nawiązując do tego w rozmowach, całując jego dłoń w ciemnym kinie. Minęło strasznie dużo czasu, zanim po raz pierwszy pocałował ją w usta.

Wracali ostatnim z tramwajem od Marty, u której zasiedzieli się po koncercie. Na zakręcie, ulegając sile bezwładu, przycisnął ją do szyby.

– Jesteś najważniejsza – wyszeptał i zaczął ją całować. Przestał, gdy motorniczy wykrzyknął, że zjeżdża do zajezdni. To tam, w tym tramwaju, tak naprawdę zaczęła go kochać.

Był zafascynowany tym, że ona studiuje fizykę. Uważał, że jest to nauka „absolutnie podstawowa, nieomal uroczysta", a przy tym wyjątkowo trudna.

Od pierwszej godziny słuchał jej uważnie. Wsłuchiwał się we wszystko, co mówiła. I wszystko pamiętał. Potrafił siedzieć na podłodze naprzeciwko niej, zapatrzony, i godzinami słuchać. Później, gdy byli już parą i sypiali ze sobą, potrafił kochać się z nią, wstać z łóżka, pójść do kuchni, wrócić z torbą jedzenia i napojów i rozmawiać z nią do rana. Czasami denerwowało ją to nawet trochę, bo zdarzało się, że nie kochali się już drugi raz, tylko cały czas rozmawiali.

Uwielbiał, gdy objaśniała mu wszechświat. Opowiadała o zakrzywieniu czasoprzestrzeni lub tłumaczyła, dlaczego czarne dziury wcale nie są czarne. Patrzył na nią wtedy z podziwem i całował jej dłonie. Nie mogła mu wytłumaczyć, że to nic szczególnego, wiedzieć i rozumieć takie rzeczy. A już na pewno nic bardziej szczególnego, niż przygotować dobry materiał do gazety.

Andrzej studiował dziennikarstwo. Kiedy zapytała go dlaczego, odpowiedział:

– Aby mieć wpływ poprzez prawdę.

Zastanawiała się kiedyś, od którego momentu była tak naprawdę nim urzeczona. Może wtedy, gdy przez miesiąc chudł i nie mył się, aby upodobnić się do kloszardów i spędzić tydzień w przytułku dla bezdomnych?

Artykuł, który napisał z przytułku, poszedł w wydaniu krajowym i był cytowany w większości ogólnopolskich tygodników.

A może wtedy, gdy po reportażu z hospicjum dla dzieci za wszystkie swoje oszczędności wyremontował trzy sale „tych na terminalu", jak mawiały pielęgniarki? „Na terminalu" leżały dzieci, które miały już tylko do przeżycia czas mierzony dniami. Zauważył, że te dzieci nie mają nawet siły odwrócić głowy, aby oglądać rysunki i komiksy na ścianach. Były tak słabe lub podłączone do takich urządzeń, że widziały tylko sufit. Powiedział to ordynatorowi. Ordynator wyśmiał go, nie miał pieniędzy na morfinę, więc komiksy na suficie były dla niego jak kwestia z farsy. Ale dla Andrzeja nie. Kupił za wszystkie swoje pieniądze farby i pędzle i kwestował na ASP tak długo, aż studenci wymalowali komiksy na sufitach w hospicjum.

A może wtedy, gdy przyłapała go na tym, że co drugi dzień jeździ do przytułku dla psów i zawozi zebraną żywność?

Andrzej miał obsesję na punkcie psów. Gdy jego koledzy latem na ulicy odwracali głowy za dziewczynami, prowokującymi tym, co miały, a raczej tym, czego nie miały na sobie, Andrzej odwracał głowę za każdym napotkanym psem. Każdy był dla niego „niesamowity", „niezwykły", „zobacz, jaki piękny" lub po prostu „kochany". Lubiła psy, ale nie podzielała jego fascynacji. Teraz kocha każdego psa. Może nawet bardziej niż on.

Podziwiała go i była strasznie o niego zazdrosna. Chciała go mieć tylko dla siebie. Chciała, żeby żadna kobieta nie poznała go bliżej i nie dowiedziała się, jaki jest. Czuła, że każda, która go pozna, także zechce mieć go tylko dla siebie.

Mieszkał w akademiku i nigdy nie wspominał swojego domu ani rodziców. To ją trochę zastanawiało i niepokoiło. Powiedział, że przyjechał do Krakowa z Iławy i że kiedyś ją „tam na pewno zabierze, chociaż to bardzo nieciekawe miejsce". Unikał rozmów na temat swojej przeszłości. To było widać niemal od pierwszej chwili.

Nigdy też nie udało jej się dowiedzieć, co robił w tym śmietniku wtedy w Wigilię. Kiedyś, w łóżku, poprosiła go szeptem, aby opowiedział jej o tym. Pamięta, że zadrżał i za chwilę poczuła wilgoć jego łez na swoich policzkach. Postanowiła wtedy, że więcej go o to nie zapyta. Jego przeszłość interesowała ją tylko z ciekawości. Bo ich przeszłość zaczęła się, gdy wjechał na nią swoim samochodem.

Czyli zaczęło od wielkiego Big Bangu. Tak jak wszechświat – myślała rozbawiona.

O początku urzeczenia nim myślała często przed zaśnięciem. Aż do tego czwartku tuż przed przedłużonym weekendem pierwszomajowym.

Znali się wtedy już ponad osiem miesięcy. Pojechali na Hel. Miał uczyć ją surfować po zatoce. Ruszyli w czwartek rano. Była prześliczna pogoda. W południe zatrzymali się na opustoszałym leśnym parkingu przy głównej drodze do Gdańska. Siedli na drewnianej ławce skleconej nieudolnie z desek. Nagle przysiadł na ławce za nią i zaczął ją całować po plecach.

Po chwili rozpiął stanik, zdjął, podał jej i objął dłońmi piersi, nie przestając całować pleców. Pamięta, że drżała. Z podniecenia, oczekiwania i lęku, że ktoś może nagle wjechać na ten parking. Ale najbardziej chyba z ciekawości, co stanie się dalej. Bo odkąd pozwoliła mu robić ze swoim ciałem wszystko, co zechce, nigdy nie wiedziała, gdy kochali się, co stanie się dalej.

Nagle wstał z ławki, podał jej rękę i pociągnął w kierunku lasu. Biegła za nim. Tak jak stała. Z sukienką opuszczoną do pasa, stanikiem w ręku i nagimi piersiami biegła za nim. Nie pobiegli daleko. Tuż za pierwszymi drzewami zatrzymał się. Zdjął koszulę, rozłożył na trawie i położył ją delikatnie na niej. Przez chwilę całował jej usta. Potem przesunął się między uda, zdjął zębami majtki i już tam został. Zapomniała, że są na parkingu, zapomniała, że widać ich od strony leśnej drogi. Zapomniała o wszystkim. Bo ona się przy nim po prostu zapominała. Szczególnie gdy ją tam całował.

Wrócił do jej ust. W tym momencie wjechał na parking jakiś samochód. Zamilkli i leżeli bez ruchu. Odwróciła głowę i widziała to dokładnie. Z samochodu wysiadł niski mężczyzna w garniturze, podszedł do bagażnika, nachylił się, usłyszeli skowyt i zobaczyli, jak wyszarpuje z bagażnika psa. Jego kark obwiązany był grubą, poplamioną smarem liną. Mężczyzna rozejrzał się po parkingu, sprawdzając, czy jest sam. Potem podszedł do najbliższego drzewa, ciągnąc skomlącego psa. Okręcił kilkakrotnie linę wokół pnia i wrócił pośpiesznie do samochodu.

Tego, co nastąpiło, nie zapomni do końca życia. Andrzej zerwał się z niej, tak jak stał. Podciągając spodnie, biegł jak szalony przez krzaki jałowca w stronę wyjazdu z parkingu. Wstała, zakryła sukienką piersi i pobiegła za nim. Andrzej w pewnym momencie schylił się, podniósł kamień. Wybiegł na szosę przed jadący samochód. Zatrzymał się i rzucił. Rozległ się huk i pisk hamulców. Andrzej rzucił się na maskę. Samochód się zatrzymał. Andrzej zszedł z maski i szarpnął drzwi, po czym wywlókł oniemiałego i zszokowanego kierowcę.

– Ty skurwielu jeden, jak mogłeś go tam zostawić?! Jak mogłeś?!

Ciągnął go za kark w stronę tamtego drzewa i powtarzał płaczliwie to swoje „jak mogłeś".

Widok był makabryczny. Krwawiący Andrzej, samochód z rozbitą szybą i śladami krwi na białym lakierze, stojący w poprzek drogi, odłamki szkła, ujadający rozpaczliwie pies, klaksony zniecierpliwionych kierowców.

Zjawiła się też karetka pogotowia. Andrzej akurat przyciągnął swoją ofiarę do drzewa. Pies ujadał i skakał z radości, widząc właściciela.

Popchnął mężczyznę w stronę psa i powiedział cicho, bardziej do siebie niż do kogokolwiek:

– Skurwielu, jak mogłeś go tu tak zostawić.

Wyczerpany usiadł na trawie przy drzewie i zaczął płakać. Miał oczy pełne łez, jak wtedy w Wigilię przy śmietniku.

Objęła go i okryła koszulą. Drżał na całym ciele.

To, co się później działo na tym leśnym parkingu, przyprawia ją o drżenie jeszcze teraz. Przyjechała policja. Kierowca uszkodzonego samochodu oskarżył Andrzeja o próbę morderstwa. Tymczasem kierowcy ze stojących w korku aut dowiedzieli się, skąd wziął się przywiązany liną do drzewa pies. Wywołało to prawdziwy wybuch nienawiści do właściciela psa. Policja spisywała protokół, a kierowcy najgorszymi wyzwiskami obrzucali właściciela psa. Andrzej milczał. W pewnym momencie do policyjnej nyski, w której siedzieli, podszedł staruszek, wsunął tekturowe pudełko wypełnione pieniędzmi i zwracając się do Andrzeja, powiedział:

– Zebraliśmy dla pana od wszystkich w kolejce. Żeby pan mógł zapłacić za naprawę auta tego... tego osobnika.

Policjanci zamilkli.

Po godzinie droga opustoszała. Siedzieli przytuleni, w milczeniu, pod drzewem na trawie zrytej przez psa, którego policjanci wzięli do przytułku. Wtedy Andrzej zaczął mówić. Monotonnym, spokojnym głosem. Prawie bez emocji.

– Moja matka, jeszcze krwawiąca z rozerwanej moją głową pochwy, z obrzmiałymi, pełnymi mleka piersiami, ta suka jedna, zapakowała mnie nagiego do torby, z którą chodziła po zakupy na róg do mięsnego, i wyniosła na śmietnik. Tak jak ty te wiadra ze śmieciami. To też było w Wigilię. Położyła mnie obok obierek, butelek po denaturacie i zakrwawionych podpasek i odeszła. Po prostu tak. Położyła mnie jak odpad i odeszła. Ale miałem szczęście. Mogła mnie włożyć na przykład do worka po ziemniakach. Takich worków nie rejestrują węchem nawet szczury. Moja torba była po mięsie, więc zarejestrował ją pies. Miałem temperaturę ciała obniżoną do trzydziestu trzech stopni. Ale przeżyłem. Już wiesz, ile zawdzięczam psom. Tak naprawdę nigdy im się nie odwdzięczę.

Pamięta, że siedziała obok niego sparaliżowana tym, co usłyszała, i zastanawiała się, dlaczego akurat teraz nie czuje ani współczucia, ani złości, ani nienawiści. Ani nawet miłości. Czuła jedynie strach. Zwykły biologiczny strach. Bała się, że ten człowiek mógłby kiedyś zniknąć z jej życia.

Przedostał się przez „Aleję Snajperów" do hotelu Holiday Inn. Oddał zaprzyjaźnionemu dziennikarzowi z CNN list do niej. Wracając, postanowił pójść na targowisko i kupić truskawki, które tak lubił. Bomba rozerwała go w południowej części targowiska, gdy wracał, wyjadając truskawki z szarej torebki.

W kwietniu 1992 roku Serbowie otoczyli Sarajewo. Gdy odstąpili od oblężenia we wrześniu 1995 roku, zostawili ponad dziesięć tysięcy zmarłych, w tym tysiąc sześćset dzieci. Wśród zabitych byli także Polacy.

Powiedział jej, że chce tam pojechać, którejś lipcowej nocy w 1993 roku. Siedzieli na kamieniach nad brzegiem morza w Ustce, pili wino z butelki i wpatrywali się w gwiazdy. Wziął jej dłonie, przycisnął do ust i powiedział:

– Pozwól mi… Proszę.

Poprosił dziekana o urlop. Nic nikomu nie mówił. Po telefonie od przyjaciela pojechał do Berlina i stamtąd przedostał się do Sarajewa z transportem pomocy humanitarnej. Po trzech tygodniach PAP cytował jego reportaże w większości swoich relacji z Sarajewa. Dla Marty był bohaterem, a ona nawet nie potrafiła być dumna. Bała się. Cały czas panicznie się bała. Oglądając wiadomości i zdjęcia z Sarajewa, czuła się jak przy ogłaszaniu wyroku na Andrzeja.

Pisał do niej. Codziennie. Listy przychodziły czasami z Berlina, czasami z Wiednia, czasami z Brukseli. Ale najczęściej z Londynu. W Sarajewie zaprzyjaźnił się z dziennikarzami CNN, mieszkającymi w Holiday Inn, i oni właśnie zabierali jego listy i wysyłali ze wszystkich tych miejsc.

Hotel Holiday Inn był tak naprawdę jedynym świętym miejscem, oszczędzanym przez Serbów. Tam mieszkali dziennikarze największych stacji radiowych i telewizyjnych z Zachodu i to powodowało, że artyleria oszczędzała ten budynek. Ale okolicy już nie. Wręcz przeciwnie. Tam można było zabijać. Aleja, przy której stał Holiday Inn, zyskała złowieszcze miano „Alei Snajperów”. Serbowie strzelali tam nawet do wałęsających się psów. Ale tylko do zimy 1993/1994. Potem psów już nie było. Wszystkie zostały zjedzone.

Andrzej napisał jej o tym mężczyźnie, który po wybuchu granatu stracił żonę i trzy córki i zwariował. Zrobił sobie hełm z gazety i poszedł spacerować po „Alei Snajperów", wierząc, że w hełmie z gazety jest bezpieczny. *Stałem w pobliżu i widziałem, jak przedziurawili go na wylot w kilku miejscach już po piętnastu sekundach* – pisał.

Pisał także o innych miejscach i o innych śmierciach. Jak na przykład o tej policjantce, kierującej ruchem na ulicach Sarajewa. Zawsze w doskonałym makijażu, zawsze w nienagannie wyprasowanym mundurze i wyjątkowo obcisłej spódnicy. Stawała na skrzyżowaniu i kierowała ruchem. Także gdy nie było już żadnego ruchu. Do kierowania. Taka walka udawaną normalnością przeciwko obłędowi. Umarła któregoś dnia na ulicy.

Albo o tym kwartecie smyczkowym, który grał w oszczędzonej przez artylerię katedrze. Przy siedemnastu stopniach mrozu i świetle świec. Beethoven, Mozart, Grieg. I wtedy obok wybuchł granat.

Ale oni grali dalej. Do końca – pisał.

To po tym koncercie dostała najpiękniejszy miłosny list, jaki mogła sobie wyobrazić. W schronie słuchał z innymi Natalie Cole i pisał:

Adusiu,

są ludzie, którzy piszą takie rzeczy, gdy mają 18 lat, są ludzie, którzy nigdy nie napiszą takich tekstów, są ludzie, którzy uważają takie teksty za nieprawdopodobne, są też ludzie, którzy muszą napisać taki tekst, gdy chcą przekazać jakąś wiadomość.

Bo kochają i są egoistami. Ja jestem takim egoistą. I dlatego piszę takie teksty.

I zawsze będę.

*

Pamiętam, albo sobie przypominam, często tak niezwykle szczegóły z naszego życia.

Niezapomniane, „Unforgettable"...

Puszystość Twoich włosów na moim policzku, spojrzenia, dotknięcia, Twoje westchnienia, wilgotność Twoich warg, gdy spotkały moje w tym nocnym tramwaju, i ich niecierpliwość.

Pamiętam smak Twojej skóry na plecach, pamiętam Twój niespokojny język w moich ustach, ciepło Twojego brzucha pod moją dłonią przyciskaną Twoją, westchnienia, wyznania, oddanie, bezwstyd, pragnienie, spełnienie...

Niezapomniane „Unforgettable, that's what you are...".

I te krótkie momenty, kiedy czułem, że Ty czujesz tak samo...

Gdy czułaś tę dumę z tego, co ja osiągnąłem, kiedy zazdrościłaś mnie kobietom, które nawet mnie nie widziały, kiedy zadzwoniłaś tak po prostu, bez powodu, w poniedziałek lub w piątek, powiedziałaś: uwielbiam cię i odłożyłaś słuchawkę zawstydzona.

„You feel the same way too"...

Wydaje mi się, że jesteśmy nierozłączni...

Że to po prostu już się stało i że tak będzie zawsze.

Że jeśli nawet zostanę zapisem w Twojej pamięci, jakąś datą, jakimś wspomnieniem, to i tak będzie to jak powrót do czegoś, co się tak naprawdę nie odłączyło. Po prostu się przesunęło na koniec kolejki osób istotnych.

I przyjdzie taki dzień, być może po wielu latach, kiedy mnie wyciągniesz – na kilka chwil – na początek kolejki i pomyślisz... „Tak, to ten Andrzej...".

Niezależnie od tego, co się zdarzy, co zdecydujesz, i tak będzie mi się wydawać, że jesteśmy nierozłączni.

„Inseparable"...

*

To przychodzi tak cicho i niespodziewanie.

Czytam książkę, myję zęby lub piszę kolejny reportaż. Po prostu przychodzi.

Nagle zaczynam myśleć o Twojej wardze albo o tym, co napisałaś ostatnio, albo o Twoich oczach, które są takie śliczne, albo o spódnicy, którą podeptałem Ci, wstając w ciemności z naszego łóżka, albo o sutkach Twoich piersi, albo o bieli Twojego brzucha, albo o wierszu, którego jeszcze Ci nie wyszeptałem do ucha, albo o muzyce, której chciałbym słuchać z Tobą, albo po prostu o deszczu, który by na nas padał, gdy siedzimy gdzieś pod drzewem i mogę Cię przed nim osłaniać…

I gdy tak myślę, to tak rozpaczliwie tęsknię za Tobą, że chce mi się płakać. I nie jestem pewien, czy z tego smutku, że tak tęsknię, czy z tej radości, że mogę tęsknić.

Andrzej
Sarajewo, 18 lutego 1994

W maju 1994 roku Andrzej poszedł na targ kupić truskawki, które tak lubił. I rozerwała go bomba. Pochowali go na cmentarzu w Sarajewie.

Tęskniła.

Tęskniła za nim nieustannie. Oprócz pragnienia odczuwała tylko to jedno: tęsknotę. Ani zimna, ani ciepła, ani głodu. Tylko tęsknotę i pragnienie. Potrzebowała tylko wody i samotności. Tylko w samotności mogła zatopić się w tej tęsknocie, tak jak chciała.

Nawet sen nie dawał wytchnienia. Nie tęskniła, bo śpiąc, się nie tęskni. Mogła tylko śnić. Śniła o tęsknocie za nim. Zasypiała ze łzami w oczach i ze łzami się budziła.

Jej przyjaciele widzieli to. Nie dawali jej żadnych rad. Byli zbyt dobrymi przyjaciółmi. I za dobrze ją znali. Jedyne, co mogli zrobić, to wyrwać jej kilka godzin z tej tęsknoty. Kino, telefony, niezapowiedziane wizyty, nagłe podrzucenie dzieci do opieki. Aby tylko nie myślała. Organizowali ważne przyjęcia, w zasadzie bez powodu, aby tylko mieć pretekst do wyciągnięcia jej na zewnątrz. Chociaż na kilka godzin.

Przychodziła do nich dzielna i uśmiechnięta, mimo że sama nie mogła patrzeć na uśmiechniętych ludzi. Przynosiła im kwiaty, oni układali je w wazonie, a ona już widziała je martwe.

Dbała, aby nie nosić czerni. Ani na sobie, ani pod oczami. Nieustannie skupiona. Do granic. Skoncentrowana, aby nie pokazać bólu. Śmiała się tylko twarzą. Powtarzała śmiech po innych. Było to widać, czasami się spóźniała.

Nie żaliła się. Nigdy go nie wspominała. Z nikim nie chciała o nim rozmawiać. Tylko raz, jeden jedyny raz pękła jak zbyt jeszcze świeża blizna.

Były imieniny Marty. To przecież dzięki Marcie spotkała Andrzeja. Gdyby ona pewnego dnia nie postanowiła wyjść za mąż, nie spotkałaby Andrzeja.

Tego dnia Marta, nie ustalając niczego z nią, przysłała taksówkę. Po prostu. Ktoś zadzwonił do drzwi. Otworzyła. Młody taksówkarz wręczył jej kartkę. Poznała pismo Marty. *Czekamy na Ciebie. Taksówkarz wie, że nie ma prawa odjechać bez Ciebie. Marta.*

Zrobiła makijaż, wypiła dwa kieliszki czerwonego wina jeden po drugim, „na odwagę", wzięła ze stolika nocnego prezent dla Marty i pojechała. Objęły się serdecznie na powitanie. Marta wyszeptała jej do ucha:

– Imieniny bez ciebie nie miałyby sensu. Tak się cieszę, się, że przyjechałaś.

Przedstawiła ją wszystkim. Wśród zaproszonych gości był także młody kleryk. Marta wspominała kiedyś, że poznała go, robiąc reportaż – była dziennikarką w jednym z ogólnopolskich tygodników – i że był „interesujący". Kleryk nie odstępował jej na krok. Nie był „interesujący". Ani przez chwilę. Był zarozumiały, powierzchownie inteligentny i miał pianę wokół ust od nieustannego mówienia o sobie i o tym, co „doprowadziło go do prawdy i Pana". Nie mogła się od niego uwolnić. Nawet ucieczka do toalety jej nie pomogła – czekał pod drzwiami. Wyszła, a on zaczął natychmiast mówić. Dokładnie w tym samym miejscu, w którym przerwała mu swoim wyjściem do toalety.

Gdy nawiązał do „straszliwego bezsensu wojny religijnej na Bałkanach", wiedziała, że czas wracać do domu. Nerwowo szukała wzrokiem Marty, aby się pożegnać. Nagle usłyszała to nieprawdopodobne zdanie, wypowiedziane teatralnym, modulowanym głosem ministranta:

– Nie straciliśmy Andrzeja. Zyskaliśmy tylko nowego anioła. Ty też powinnaś tak myśleć.

Odwróciła gwałtownie głowę. Zobaczyła jego złożone jak do modlitwy dłonie, to spojrzenie wszystkowiedzącego mentora i tę wstrętną pianę w kącikach jego ust. Nie wytrzymała. Upuściła kieliszek na podłogę, zbliżyła twarz do niego i powiedziała:

– Co ty palancie wiesz o stracie?! No co?! Czy ty chociaż raz, jeden jedyny raz widziałeś Andrzeja?!

Krzyczała. Histerycznie krzyczała. Wszyscy w pokoju zamilkli i odwrócili głowy w ich stronę.

– Czy ty wiesz, że oddałabym wszystkie twoje zasrane anioły za jedną godziną z nim?! Tę jedną, jedyną godzinę?! Żeby mu powiedzieć to, czego nie zdążyłam. Czy ty palancie wiesz, co powiedziałabym mu jako pierwsze?! Powiedziałabym mu najpierw, że najbardziej żałuję tych wszystkich grzechów, których nie zdążyłam z nim popełnić?! Nie?! Nie wiesz tego! Ty proroku na studiach i mesjaszu amatorze, nie wiesz tego?! Ale wiesz, co ja powinnam myśleć?!

Zamilkła. Zakryła twarz dłońmi. Trzęsła się jak epileptyk. W pokoju panowała absolutna cisza. Nagle opanowała się, sięgnęła do torebki przewieszonej przez ramię, wyszarpnęła chusteczkę higieniczną i jednym ruchem przesunęła ją wokół warg sparaliżowanego tym wszystkim kleryka. Cisnęła z obrzydzeniem biały zwitek chusteczki na podłogę, odwróciła się i po leżącym na podłodze szkle z rozbitego kieliszka pośpiesznie wyszła.

Ale to było ten jeden raz. Jeden jedyny. Nigdy więcej nie zakłóciła żadnego przyjęcia. Zapraszana, przychodziła. Nagle zauważali, że jej nie ma. Wychodziła, nie mówiąc nic nikomu, i wracała w największym pośpiechu, najczęściej taksówką, do domu, aby położyć się na swojej poduszce i płakać w spokoju. Bo ona tak naprawdę chciała tylko pić i tęsknić. I umrzeć też czasami chciała. Najlepiej na atak wspomnień.

Biurko z komputerem przysunęła do łóżka. Aby było blisko i żeby w nocy nie przewracać się o rzeczy na podłodze, gdy nagle zapragnie przeczytać list od niego. Bo wszystkie jego listy zapisała w komputerze. Dwieście osiemnaście listów, które jej przysłał. Gdyby spłonęło całe jej mieszkanie, gdyby zniknął jej komputer, gdyby zapadł się cały ten ohydny blok przy najpiękniejszym osiedlowym śmietniku tego świata, to i tak dyskietka z jego listami ocaleje w metalowym regale w domu Marty.

Budziła się dokładnie o trzeciej rano. Dzisiejszej nocy też. I wczorajszej. I każdej z pięciuset trzydziestu ośmiu nocy przed wczorajszą także. Dokładnie o trzeciej rano. Czy zimą, czy latem, obojętnie. O trzeciej rano zapukała do drzwi Marta i powiedziała jej, że Andrzej nie żyje. Patrząc w podłogę, powiedziała to zdanie:

„Andrzeja zabiła bomba na rynku w Sarajewie".

Dokładnie o trzeciej rano. Ponad dwa lata temu. W maju 1994 roku. Dlatego na jej ścianie wisi kalendarz z 1994 roku, chociaż jest 1996. I dlatego ta reprodukcja „Pola maków" Moneta z kalendarza z maja 1994 wita ją, gdy otwiera drzwi po powrocie do domu każdego dnia. Andrzej bardzo lubił Moneta. To on powiesił na ścianie ten kalendarz. Krzywo i za nisko. Pamięta, że posprzeczali się o to, bo on twierdził, że „jest akurat" i „że ona się po prostu czepia". Zaczęła krzyczeć na niego. Wyszedł obrażony. Wrócił po godzinie. Z kwiatami, lodami waniliowymi, które uwielbiała, i torbą truskawek dla siebie. Zjadła lody i nie zdążyła go nawet zaciągnąć do łóżka. Kochali się na podłodze pod tą ścianą, na której wisi kalendarz. Potem, gdy wyczerpani palili papierosy, on wstał i nagi wyszedł do kuchni. Wrócił z młotkiem i podszedł do kalendarza.

– Nie rób tego teraz, jest przecież trzecia w nocy. Sąsiedzi mnie uduszą. Poza tym chcę, żeby on wisiał, tak jak wisi – wyszeptała i zaczęła go całować.

Dlatego ten kalendarz zawsze będzie wisiał krzywo i za nisko i dlatego też nigdy nie pomaluje tej ściany. Nigdy.

Chudła.

Był dla niej jak kapłan.

Właśnie tak. Pamięta, że od pewnego momentu nie potrafiła tego inaczej określić.

Tylko krótko wydawało się jej, że to jest tak bardzo aroganckie i absurdalne, myśleć o tym właśnie wtedy, gdy leżeli przytuleni do siebie nadzy i lepcy od potu i jego spermy, i on szeptał do niej te wszystkie ewangelie o miłości, a ona czuła, jak z każdym wyszeptanym zdaniem bardziej rozpycha prąciem jej uda.

Kapłan z nadchodzącą erekcją.

To było może grzeszne, obrazoburcze i wiarołomne, ale właśnie tak wtedy czuła.

Był wtedy pośrednik – kapłan właśnie – między czymś mistycznym i ostatecznym a nią. Bo miłość jest przecież tak mistyczna i ostateczna i też ma swoje ewangelie. Ma też swoją komunię – gdy przyjmuje się w siebie czyjeś ciało.

Dlatego był dla niej jak kapłan.

Gdy odszedł, nie potrafiła zrozumieć celu swojej cielesności i kobiecości. Po co? Dla kogo?

Po co jej piersi, jeśli on ich nie dotyka lub nie karmią jego dzieci?

No po co?

Brzydziła się sobą, gdy mężczyźni wpatrywali się w jej piersi, gdy w roztargnieniu nie ukryła ich w obszerności czarnego wełnianego swetra, lecz włożyła rano zbyt obcisłą bluzkę. Te piersi były przecież tylko dla niego. I dla jego dzieci.

Tak postanowiła.

Dlatego trzeciego miesiąca po jego śmierci chciała je amputować.

Obie.

Ta myśl przyszła jej do głowy którejś nocy po przebudzeniu z okropnego snu o Sarajewie, przed okresem, gdy swoją opuchlizną i bólem tak wyraźnie przypominały jej o swoim istnieniu.

Oczywiście nie zrobi tego. To zbyt okrutne. Ale zmniejszy je, rozpędzi, rozgoni jak wrzody. Zasuszy.

Weźmie je głodem.

Rano była najchudsza. Dlatego poranki nie były już takie straszne. Ta jej chudość to była taka mała radość, takie małe zwycięstwo nad okrucieństwem dnia rozpoczynającego się tym swoim cholernym słońcem budzącym wszystko do życia, tą swoją świeżością, tą swoją rosą na trawie i tymi swoimi nieskończonymi dwunastoma godzinami do przeżycia.

Weźmie je głodem, zasuszy...

Chudła.

Otworzyła drzwi. Marta. Powiedziała, że nie ruszy się z miejsca, jeśli ona nie pojedzie do lekarza.

– Zobacz – wskazała na wypchany plecak – tam jest żywność na minimum dwa tygodnie. Woda leci z twoich kranów. Strasznie się mieszka ze mną. Pomijając to, że chrapię.

Uśmiechnęła się. Pojechała z Martą. Wyłącznie dla Marty. Ona sama zrobiłaby wszystko dla Marty.

– *Anorexia nervosa* – powiedział psychiatra, przerażająco chudy starzec o białych jak śnieg, gęstych włosach. – Wypiszę pani skierowanie do stołówki – dodał, pisząc coś pośpiesznie w swoim notatniku.

Do stołówki? – odezwała się Marta, która też była w gabinecie. Bo ona tylko pod tym warunkiem zgodziła się na rozmowę z lekarzem.

– Przepraszam – uśmiechnął się – do Kliniki Zaburzeń Odżywiania. Ale i tak przyjmą tam panią dopiero za rok. Tam jest taka kolejka. To teraz bardzo modna choroba. Musi być pani cierpliwa.

– Nie chcę żadnego skierowania – zaprotestowała cicho.

Podniósł głowę znad notatnika, usiadł wygodniej w fotelu.

– Źle pani robi. Bardzo źle. Mam opowiedzieć, co się będzie z panią działo w najbliższych tygodniach i miesiącach? Mam opowiedzieć o tym, jak pani krew stanie się tak wodnista, że najdrobniejsze skaleczenie doprowadzi do krwotoku? O tym, że będzie pani łamała palce lub całe ręce i nawet tego nie zauważy? Że straci pani włosy? Wszystkie. Na głowie, pod ramionami, łonowe. Opowiedzieć o wodzie, która zacznie się zbierać w pani płucach? Opowiedzieć o tym, że zatrzyma sobie pani cykl owulacyjny i praktycznie odłączy od siebie macicę i zatrzyma menstruację? – Spojrzał w jej kartę informacyjną. – I to w wieku dwudziestu ośmiu lat?

Odsunął kartę.

– Ale pani nie chce skierowania. Pani chce się upodobnić do szarej obojnackiej myszy. Chce pani się po prostu zrobić nieważna, mała, nieistotna. Jaka rozpacz pcha panią do tego, że chce pani przestać być kobietą? Ja nie wiem jaka, ale wiem, że żaden mężczyzna, nawet ten, który umarł, nie chciałby tego. Bo pani jest zbyt piękna.

Marta płakała. W pewnym momencie wstała i wyszła z gabinetu.

Ona siedziała oszołomiona i patrzyła na tego lekarza. Przestał mówić. Odwrócił głowę i patrzył w okno.

Siedziała skulona i drżała. Po chwili, nie podnosząc oczu powiedziała:

– Czy pan… to znaczy… czy może mi pan wypisać to skierowanie?

Jeden dzień w Sarajewie

Postawiła walizkę przy windzie, nacisnęła guzik i wróciła do drzwi. Sięgnęła po klucz, a potem przekręciła go najpierw w dolnym, a potem w górnym zamku. Dwa dni... Dadzą sobie radę bez niej. To w końcu dzielni faceci. Jej młodzi mężczyźni, wchodzący powoli w dorosłe, za chwilę już pewnie całkowicie samodzielne życie. I mąż... Nie lubił zostawać sam w domu z chłopakami, ale wiedział, jak bardzo te wyjazdy są dla niej ważne, i nie protestował. Choć, oczywiście, nie znał prawdy. Zachowała ją tylko dla siebie. Winda nadjechała. Ada włożyła walizkę do środka i nacisnęła przycisk. Kabina ruszyła w dół. Kobieta spojrzała na swoje odbicie w lustrze. Uśmiechnęła się. Czuła, że to będzie wyjątkowy dzień. Jak co roku...

***

Zaciek na ścianie jako pierwsza zauważyła babcia. Nie powiedziała jednak nic, bo od pewnego czasu miała podejrzenia, że psuje jej się wzrok, a nie chciała niepokoić nikogo ze swoich bliskich. Już i tak mieli dostatecznie dużo własnych problemów. Pójdzie po prostu do okulisty i zapyta, co się dzieje. Zapisała się nawet na wizytę. Ale musi poczekać. Termin, jak to w państwowej przychodni, wyznaczono jej dopiero za kilka tygodni. Cóż, może do tego czasu nie oślepnie. Tylko ta plama na suficie… Na białym jakoś wszystko widać wyraźniej. A przede wszystkim te cholerne, czarne, przesuwające się wiecznie przed oczami niteczki.

– Męty ciała szklistego – powiedziała jej kiedyś lekceważącym tonem ponura pani okulistka. – Jeśli widzi je pani od dzieciństwa, to zapewne są to pozostałości włókien organicznych z okresu embrionalnego. A jak od niedawna, to wynik złego trawienia i naturalnego procesu starzenia się organizmu. Nie ma na to rady, trzeba się przyzwyczaić…

Po czym wypisała jej krople, o których potem babcia przeczytała w Internecie, że to placebo i równie dobrze, zamiast wydawać na nie fortunę, można przemyć oczy wodą z kranu. Efekt będzie mniej więcej podobny. Babcia westchnęła i przeniosła wzrok z sufitu na telewizor. No proszę, jak ma przed oczami kolorowe obrazki, to żadnych plam nie widzi. I pan Ibisz taki młody w tym okienku. A przecież musi być sporo starszy od jej syna, który wygląda jak stary kapeć. Jak ci ludzie z telewizji to robią, że tak młodo wyglądają?! Dziennikarze, aktorzy, piosenkarze… O, na przykład taka zapowiedziana przez Ibisza pani Rodowicz. Jest tylko dwa lata od niej młodsza, a twarzyczkę ma gładką jak nastolatka. Pakt z diabłem zawarła, czy jak?

– A tu co się stało?! – Rozmyślania o umowach między podejrzanie młodo wyglądającymi artystami a siłami nieczystymi przerwał babci gniewny okrzyk jej synowej, wchodzącej do pokoju z wazą w dłoniach. – Zalewają nas?! Rany boskie…! Piooooootr…!!!

Babcia najpierw się ucieszyła, że jej oczy działają lepiej, niż myślała i plama nie jest jedynie ich wytworem, a potem zmartwiła, że w tych okolicznościach nieprędko zasiądą do obiadu. A była taka głodna... W pokoju, przyzwany dramatycznym okrzykiem, pojawił się trzeci członek rodziny, jej wnuczek Piotruś.

– Po co tak ryczeć? – zapytał półprzytomnie, bo od dwóch godzin grał w *Battlefield* i ciągle jeszcze nie wrócił do rzeczywistości. – Co się stało?!

– To się stało! – Matka Piotra wskazała na sufit. – Tragedia się stała! Horror!

Piotr przez chwilę wpatrywał się bezmyślnie w powiększającą się z każdą chwilą plamę nad ich głowami.

– Kształtem przypomina Włochy – zauważył. – Nawet zaczyna się z wolna robić obcas od buta...

– Butem to ty zaraz oberwiesz – powiedziała z rozpaczą jego mama. – Zrób coś, a nie gap się jak cielę na malowane wrota!

– Ale co ja mam zrobić?! – zaprotestował Piotr. – Potrzeba hydraulika, żeby zakręcił wodę w całym pionie. Ta stara wariatka z góry gdzieś wyjechała. Z rana minęliśmy się w windzie. Miała walizkę. Wyglądało na to, że wybiera się w podróż. Przecież nie będę się włamywał do jej mieszkania!

– To zadzwoń gdzieś, rusz się! – zażądała jego mama, teatralnym gestem łapiąc się za głowę. Skoro nadarzyła się okazja, aby zrobić dramatyczną scenę, to oczywiste było, że w pełni ją wykorzysta. – Zawsze liczycie tylko na mnie. Mama zrobi, mama zadzwoni, mama załatwi. Już nie mam siły! Wykaż wreszcie jakąś inicjatywę! A ja zażyję coś na uspokojenie, bo mnie w końcu trafi apopleksja albo zawał...

– Już dobrze, dobrze – mruknął Piotr, idąc w stronę

drzwi. – Zejdę do naszego dozorcy. Niech od razu zakręci wodę, a potem wezwie się hydraulika i zastanowi, co dalej robić…

Po chwili w pokoju znów została tylko babcia. Starsza kobieta zamyśliła się i zapomniała nawet o tym, że jeszcze chwilę temu była głodna. „Stara wariatka", tak ich sąsiadkę nazwał jej wnuczek. Chyba jednak nie miał racji… No dobrze, może i pani Ada nie była w wieku jego koleżanek, a bardziej ich matek, ale też babci nijak nie pasowało do niej określenie „stara". Ile mogła mieć lat? Pewnie jakoś tak po pięćdziesiątce, może nawet pod sześćdziesiątkę. Czy to starość? Kiedyś pewnie tak, ale teraz… Przecież ludzie żyją dłużej, są zdrowsi, lepiej wyglądają, a lekarze znają wiele sposobów na przedłużenie im młodości. Poza tym pani Ada jest zawsze taka zadbana i ma perfekcyjną figurę. No, może jest ciut za chuda, ale zawsze lepiej być odrobinę szczuplejszym niż dźwigać parę kilogramów za dużo. Już ona sama może coś o tym powiedzieć… A dlaczego „wariatka"? Bo często szepce coś do siebie samej? Bo patrzy na ludzi zawsze takim dziwnym, zamglonym wzrokiem? Bo kiedy zaskoczyć ją jakimś okrzykiem, choćby i przyjacielskim, zwykłym „dzień dobry, sąsiadko!", sprawia wrażenie przerażonej? Babcia przypomniała sobie, jak dwa dni wcześniej czekały razem na windę. Pani Ada odpowiedziała na jej powitanie, nie sprawiając wrażenia, że chce kontynuować rozmowę. Ale babcia akurat miała ochotę zamienić kilka słów. Domownicy też niechętnie z nią konwersowali. A zresztą, o czym z nimi rozmawiać? Z tego, co wygadywał jej wnuczek, większości i tak nie rozumiała. Żeby teraz rozmawiać z młodymi, trzeba chyba skończyć kurs komputerowy. Używają tylu dziwnych słów i tych strasznych angielskich nazw, które nic jej nie mówią. A starsze pokolenie, jej syn i synowa, tylko narzeka. Od rana do wieczora. Na korki, drożyznę w sklepach, rosnące opłaty, politykę, kolegów z pracy, urzędy, telewizję, siebie nawzajem... Oszaleć można!

– A cóż to? – zagadnęła Adę. – Ze sklepu się wraca?

Ta spojrzała na nią zdziwionym wzrokiem, po czym opuściła wzrok na trzymaną w ręce torbę.

– Aaaa, tak – przytaknęła z roztargnieniem, najwyraźniej oderwana od swoich myśli. – Ze sklepu.

– Duże zakupy... – kontynuowała babcia. – Wszystko teraz drożeje. Czytałam w gazetach, że markety podniosły ceny, żeby sobie zrekompensować ten podatek, co to go rząd miał wprowadzić. Nie wprowadził, bo mu Unia nie pozwoliła, a ceny i tak poszły w górę. Jak tu zawsze u nas...

– Jakoś nie zwróciłam na to uwagi – odpowiedziała Ada obojętnym tonem, nawet nie próbując udawać zainteresowania. – Po prostu idę i kupuję, nie patrzę na ceny...

– To sąsiadka jest bardzo szczęśliwa – westchnęła babcia. – Przy mojej rencie muszę liczyć każdy grosz... Ale widzę, że zakupy udane. Przyjęcie będzie sąsiadka robiła?

– Przyjęcie? – Na twarzy Ady odmalowało się zdziwienie. – Nie, nie. Nie pamiętam, kiedy robiłam jakieś przyjęcie. Moi panowie lubią dobrze zjeść, a że nie będzie mnie kilka dni, to chcę im wszystko przygotować na zapas...

Nadjechała winda. W kabinie już nie rozmawiały.

„Wariatka"... A może Piotruś jednak ma trochę racji...?

***

Atrakcyjne dla większości osób widoki przesuwały się za oknem taksówki, nie robiąc na niej żadnego wrażenia. Mieszkała w Krakowie tak długo, że piękno tego miasta przestało na nią działać. Przyjeżdżający tu turyści podziwiali piękne, kilkusetletnie kamienice. Ona widziała jedynie krzyczące wielkim głosem o remont, stare budynki, z których sypie się tynk. Co roku setki tysięcy smartfonów i aparatów fotograficznych zamieniały w pliki formatu jpg i raw miliony zdjęć Sukiennic, rynku, kościoła Mariackiego, Kazimierza. Dla niej centrum miasta było po prostu jeszcze jednym miejscem, gdzie nie warto się z nikim umawiać, bo z góry wiadomo, że w żadnej kawiarni nie znajdzie się wolnego miejsca, a wszędzie będą się monotonnie snuły tabuny osób, szukających najlepszego punktu do zrobienia sobie „selfie z atrakcyjnym tłem". Do tego te wszystkie szare dzielnice poza centrum, mogące samym swym widokiem wywołać depresję nawet u największego optymisty na świecie... Ale – co dziwiło nawet ją samą – Ada nie wyobrażała sobie, że mogłaby na stałe mieszkać gdzieś indziej. Mimo smogu, brudu i denerwujących, wiecznych korków, kochała Kraków. Dzisiaj jednak nie miało to dla niej żadnego znaczenia. Myślała tylko o tym, że za dwie i pół godziny zacznie pokonywać tysiąc sto osiemdziesiąt kilometrów dzielące ją od stolicy Bośni i Hercegowiny. Godzina lotu do Wiednia, a potem przesiadka i kolejnych siedemdziesiąt minut nad chmurami w kierunku Sarajewa. Nic więcej się dziś nie liczy...

***

– Nic to panu nie da, że zakręcę pion. – Hydraulik patrzył na Piotra z zakłopotaniem pomieszanym z lekką irytacją. – To znaczy da, bo nie będzie przybywało nowej wody, ale stara i tak będzie panu zalewała mieszkanie. Nikogo tam na pewno nie ma?

– Pukałem, dzwoniłem. Nie ma...

– Ale administracja musi mieć jakiś kontakt z właścicielami. – Hydraulik zaczął się drapać po głowie. I to tak intensywnie, że Piotr na wszelki wypadek trochę się od niego odsunął. Przyszło mu bowiem na myśl, że to niekoniecznie musi być wyraz zakłopotania. Równie dobrze mógł to być objaw postępującej wszawicy. – Zawsze mają. Pan się przejdzie i zapyta, a ja w tym czasie zamknę główny zawór. Duży ten zaciek u pana?

– Na pół sufitu – odpowiedział Piotr, wyciągając telefon. – I wciąż się powiększa…

– Niedobrze – zawyrokował hydraulik. – Te kamienice były stawiane i remontowane z czego popadnie. Wiem, bo już tu z kolegami parę razy robiliśmy różne naprawy. Jak panu przegniją te gazety i słoma, którymi tu wszystko sztukowali, to jeszcze się panu pół sufitu sypnie. Trzeba działać! Niech pan nie stoi i nie próbuje się dodzwonić, bo w administracji i tak nigdy nie odbierają. Pan szybko biegnie. To przecież dwie kamienice dalej, pięć minut i wszystko pan załatwi!

Piotr skinął głową, przyznając mu rację, po czym tak zwanym kurcgalopkiem ruszył w stronę biura zarządu swojego budynku ze smętną konstatacją, że widać pisane mu dzisiaj być poganianym przez wszystkich dokoła.

***

Start był tym, czego Ada najbardziej nie lubiła w czasie lotu. Denerwowało ją, kiedy stewardesy, objaśniając procedury awaryjne, ze znudzonymi minami wykonywały ruchy, jakby występowały w teledysku „Vogue" Madonny, i nie lubiła, gdy w czasie osiągania przez samolot wysokości przelotowej zatykały jej się uszy. Tym bardziej że dwa lata wcześniej leciała do Sarajewa z niedoleczoną infekcją górnych dróg oddechowych i straciła słuch. Przysnęła wtedy od razu przy starcie. Obudziła się po godzinie i, jeszcze półprzytomna, uświadomiła sobie, że nie słyszy jednostajnego warkotu silników, który zawsze towarzyszy pasażerom w czasie lotu mniejszymi samolotami. Błyskawicznie oprzytomniała, przerażona nagłą myślą, że być może zdarzyła się katastrofa, a ona sama nie żyje. Czy tak wygląda życie po śmierci? Czy człowiek na zawsze zostaje w sytuacji, w jakiej znajdował się w chwili zgonu? Świat pędzi dalej, a dla niego wszystko się zatrzymuje i chwila pożegnania z życiem zamienia się w wieczność... Nie, jednak nie. Samolot leciał, ludzie siedzący obok niej coś mówili, ale ona nic nie słyszała. Przełknęła ślinę, nie pomogło. Powtórzyła to, nabierając wcześniej powietrza w usta i zatykając nos. Bez zmian. A może to stan permanentny? Ada, choć mocno zaniepokojona, postanowiła nie panikować do czasu, gdy znajdzie się z powrotem na ziemi. Kiedy jednak po kilkunastu minutach od chwili opuszczenia samolotu nadal niczego nie słyszała, pozwoliła sobie na mały atak paniki. Odeszła od taśmy, na której lada moment miała się pojawić jej walizka, usiadła i zaczęła głęboko oddychać, próbując uspokoić rozszalały łomot serca i uczucie, że na głowie zaciska jej się żelazna obręcz. Marta! Jej ostatnia deska ratunku. Wysłała jej rozpaczliwego SMS-a z objaśnieniem sytuacji. Odpowiedź przyszła po dziesięciu minutach. Ada miała iść do apteki i kupić krople do nosa z potężną dawką pseudoefedryny. Dostała nawet ich nazwę. W Polsce nie dopuszczono ich do użytku, a tam można je było kupić bez recepty. Pomogły. Szybko, bez komplikacji. Marta... Zawsze mogła na nią liczyć.

To Marta przekazała jej wieść o tym, że Andrzeja już nie ma. Wtedy była Aniołem Śmierci. I to ona trzy lata później siedziała naprzeciw niej i cierpliwie tłumaczyła kolejny raz:

– Tak, to prawda... Żyje. Wybuch bomby spowodował,

że jego dokumenty znalazły się przy ciele innego mężczyzny, którego pochowano pod jego nazwiskiem. Takich pomyłek w czasie wojny zdarzają się setki, tysiące. On sam trafił do szpitala, bez dokumentów, poraniony, nieprzytomny. Potem okazało się, że ma amnezję wsteczną. Nie pamiętał nawet swojego imienia i nazwiska, żadnego wydarzenia z kilkunastu lat przed wybuchem. Umieszczono go w ośrodku, w którym leczy się takich jak on. Ludzi bez pamięci. *Tabula rasa*. Teraz zaczął sobie przypominać…

Patrzyła na nią, słuchała jej słów i… nie rozumiała nic. Andrzej żyje? Człowiek, którego musiała pochować w swojej głowie milion razy, a może i więcej, bo chwil, kiedy się tam pojawiał, nie mogła już zliczyć, nadal chodzi po tym świecie? I ona dowiaduje się o tym teraz, kiedy…

Dotknęła ręką swojego brzucha. Bezradnie popatrzyła na swą przyjaciółkę.

– Rozumiem – powiedziała Marta – ale i tak uważam, że powinnaś wiedzieć.

– Czy ty… – zaczęła Ada błagalnie.

Marta zrozumiała.

– Tak, pojadę do Sarajewa i wszystko mu wytłumaczę…

***

Pierwszy list od Andrzeja przyszedł trzy miesiące później. Kiedy zobaczyła kopertę zaadresowaną jego charakterem pisma, zmartwiała. Nagle przestało się liczyć wszystko. Zawodowe problemy jej męża, dziwna wysypka, jaka pojawiła się u jej małego synka, jej własne zmęczenie, powodujące nawracające bezustannie migreny. Liczył się tylko list. Nie doszła nawet do mieszkania. Zrobiła kilka kroków, czując, jak drżą jej nogi. Usiadła na schodach i zaczęła czytać.

Adusiu,

wiem, że nie powinienem pisać do Ciebie, ale nie mogę tak po prostu udawać, że nie było Cię w moim życiu. Choć sporo z tego życia wciąż nie pamiętam. Układam je z małych puzzli. Pierwsze z nich zaczęły do siebie pasować, gdy usłyszałem Unforgettable *Natalie Cole. Nasze* Unforgettable. *Wtedy przypomniałem sobie Twoją twarz i to, jak wypowiadasz moje imię. Przywróciłaś mi pamięć, Adusiu.*

Dowiedziałem się od Marty, że ułożyłaś sobie życie. To dobrze. Nie chcę wprowadzać w nim żadnej rewolucji. Cieszę się Twoim szczęściem. Może kiedyś będzie nam się dane spotkać, a może tego cholernego dnia nasze drogi się rozeszły na zawsze.

Widzisz, potrzeba było aż bomby, żeby nas rozdzielić…

Co wieczór zasypiam, marząc o tym, że kiedyś jeszcze będzie mi dane dotknąć Twojej ręki. Ta myśl, ta wizja, ta nadzieja pozwala mi przetrwać.

Andrzej, Sarajewo, 9 marca 1997 r.

Potem takich listów przyszło jeszcze pięć, zanim w końcu zdecydowała się odpowiedzieć.

Dwa lata później pojechała do Sarajewa po raz pierwszy.

***

– Nie mam żadnego kontaktu do lokatorów tego mieszkania. – Pani w administracji bezradnie rozłożyła ręce. – Trzeba będzie poczekać, aż któryś z nich wróci.

– A policja? – zapytał Piotr. – Mogłaby się tam włamać?

– Teoretycznie jest coś takiego jak wejście siłowe – wyjaśniła administratorka – ale rzadko kto się na to decyduje, bo potem ludzie się awanturują, lecą do sądu, żądają odszkodowania. Może pan zadzwonić, ale założę się, że nic pan nie ugra…

Po kilku minutach Piotr już wiedział, że miała rację. Policjant, do którego się dodzwonił, stwierdził, że skoro zakręcony jest główny zawór, to nie ma sensu na siłę wchodzić do mieszkania sąsiadki. A na gniewne żachnięcie się Piotra, że to oznacza odcięcie kilkanaściorga lokatorów od wody na nie wiadomo jak długo, stwierdził, że któraś z hiszpańskich monarchiń nie myła się przez pół życia i jakoś dała radę. Riposta, że to było w średniowieczu, przyszła Piotrowi do głowy, dopiero gdy policjant już się z nim rozłączył.

– Mówiłam panu, że to strata czasu – podsumowała słuchająca ich rozmowy administratorka. – Ale w czasie, jak się panowie przekomarzali, znalazłam coś… – Podała Piotrowi kartkę z imieniem, nazwiskiem i numerem telefonu. – Jakieś kilkanaście lat temu ta pani tu mieszkała, załatwiała też kilka spraw u nas i wtedy zostawiła swój numer – wyjaśniła. – Uprzedzam jednak, że równie dobrze mogła go już zmienić. Nie widziałam jej tu od bardzo, bardzo dawna…

Piotr podziękował i wyszedł z budynku administracji. Przez chwilę zastanawiał się, co zrobić, po czym wyciągnął telefon i wystukał na ekraniku numer z kartki. Wbrew jego pesymistycznym oczekiwaniom, zaledwie po jednym sygnale połączenie zostało odebrane…

***

Pięciogwiazdkowy hotel Bristol z zewnątrz nie zachwycał prawie nikogo. Wysoki, nieco ciężkawy, o niezbyt wymyślnej bryle za dnia wyglądał trochę jak mrówkowiec przeniesiony do środka miasta z jakiegoś osiedla z lat siedemdziesiątych. Idealnie pasował jednak do otoczenia, składającego się w większości z szarych blokowisk. Uroku nabierał dopiero po zachodzie słońca, kiedy można było docenić jego pomysłowe oświetlenie. Ada lubiła go przede wszystkim za widok z okna. Zawsze rezerwowała ten sam apartament, na ostatnim piętrze. Choć Sarajewo nie pretendowało do miana najpiękniejszej stolicy świata, to gdy zapadał zmrok, nabierało uroku, a rozciągająca się wtedy przed jej oczami panorama warta była każdych pieniędzy!

Ada położyła walizkę na łóżku, otworzyła ją i wyjęła kilka rzeczy. Do końca nie mogła się zdecydować, którą sukienkę wybrać na dzisiejszy wieczór. Miała do wyboru jedwabną, błękitną z delikatnym srebrzystym orientalnym wzorem albo prostą, klasyczną małą czarną. Lubiła zaskakiwać Andrzeja. „Nie wyobrażam sobie, że mogłabyś dobrze wyglądać w czymś brązowym. Nikomu nie jest w nim do twarzy!", zaśmiał się kiedyś. Rok później przyjechała w dopasowanym zamszowym kostiumie w tym kolorze. Andrzej nie mógł oderwać od niej najpierw wzroku, a potem rąk. Wtedy byli najbliżsi tego, aby zakończyć wieczór w łóżku. Ale jednak nie przekroczyli granicy. Ani razu przez siedemnaście lat. Nie przekroczą jej też dzisiaj. Tak ustalili i słowa dotrzymają. I tak kradną ten czas swoim rodzinom i partnerom, nigdy się im do tego nie przyznając. Ona przyjeżdża tu z Krakowa na coroczne „sympozja naukowe", on z Paryża, gdzie osiadł na stałe, na „zlot dziennikarzy". Sympozjum, zlot... Kilka godzin, kiedy na całym świecie są tylko oni dwoje.

Ada sięgnęła po leżący przy łóżku telefon, połączyła się z recepcją i poprosiła, aby dokładnie na 18.30 zamówić jej taksówkę. Odłożyła słuchawkę, zadecydowała, że założy małą czarną i zaczęła się rozbierać. Kiedy zdjęła ostatnią rzecz, podeszła do okna, odgarniając ciężkie zasłony, a potem otworzyła drzwi balkonu. Promienie słońca otuliły jej nagie ciało. Ada przez chwilę rozkoszowała się ciepłem, którego tak jej brakowało wczesną wiosną w Polsce, po czym zrobiła jeszcze jeden krok do przodu i wyszła na balkon. Poczuła ciągle jeszcze chłodnawy podmuch wiatru. Nie na tyle jednak, żeby się cofnęła. Stojąc tutaj i patrząc na panoramę Sarajewa, czuła się jak bogini. Albo raczej bohaterka filmowego romansu, przeżywająca przygodę swojego życia. I choć wiedziała, że uczucie to minie już za kilka godzin, to teraz nie miało to dla niej żadnego znaczenia. To ona była scenarzystką, reżyserką i główną gwiazdą tego filmu.

***

– Zobaczymy, czy pasują... – Ruda kobieta w wieku jego mamy patrzyła na Piotra niepewnie, jednocześnie gmerając w zamku już drugim kluczem z pęku, który ze sobą przywiozła. – Mogła wymienić zamki. Nie widziałyśmy się już tyle lat... Nawet już nie pamiętam ile...

– Administratorka mówiła mi, że kiedyś pani tu mieszkała – powiedział Piotr. – To od pani kupiła to mieszkanie?

– Nie, nie. – Kobieta uśmiechnęła się do niego. – Spędziłam tu kilka miesięcy razem z Adą. To jej własność. Przeniosłam się tu tylko na czas, gdy pomagałam jej uporać się z chorobą...

– Psychiczną? – wyrwało się Piotrowi, zanim zdołał się opanować.

Kobieta włożyła do zamka kolejny klucz.

– Tak do końca sama nie wiem – powiedziała z namysłem. – Ada chorowała na anoreksję. To zaburzenie na tle emocjonalnym, więc można je podciągnąć pod chorobę psychiczną. Choć to słowo kojarzy mi się z wariatami, a Ada nie była szalona, tylko nieszczęśliwa. Przeżyła traumę, straciła ukochanego, nie umiała sobie z tym poradzić. Jedno pociągnęło za sobą drugie...

– I wyleczyła się? – zaciekawił się Piotr.

– Z anoreksji tak – odpowiedziała kobieta, przekręcając klucz i naciskając na klamkę. – Ale to nie znaczy, że odzyskała pełnię zdrowia…

Drzwi ustąpiły. Weszli do środka. Wilgotna wycieraczka w przedpokoju była jedynie preludium do tego, co zobaczyli w pokoju. Woda przykryła centymetrową warstwą salon, w którym stał tylko prosty drewniany stolik, stary, sprawiający wrażenie rozpadającego się, tapczan, bujany fotel i niewielki regalik z telewizorem i magnetowidem. Nie to jednak zwróciło ich uwagę. Wszystkie ściany pokoju przykryte były czymś, co początkowo wzięli za dziwaczną, wręcz ekscentryczną, wielobarwną tapetę. Dopiero po chwili zorientowali się, że owo pierwsze wrażenie było mylne. Na ścianie znajdowały się tysiące zdjęć i listów. Podeszli bliżej. Przez chwilę patrzyli na to, co znajdowało się na fotografiach i pożółkłych kartkach, a potem spojrzeli na siebie.

Na ich twarzach malowało się bezbrzeżne zdumienie.

***

Patrzyła na twarz Andrzeja, nie mówiąc ani słowa. Przez ostatni rok nieco się postarzał. I co z tego? Uwielbiała i te jego siwe baczki, i powiększającą się siatkę zmarszczek wokół oczu, i nawet coraz bardziej zarysowany pod koszulą brzuch. Mogła patrzeć w jego oczy godzinami. Nie potrzebowała słów, wystarczyło to, że trzymał jej rękę w swojej. Kochała jego ciepło, dreszcz, jaki przenikał ją, gdy się witali, magiczny dotyk. Dotyk jej Kapłana.

W restauracji 4 sobe gospođe Safije, znanej też pod międzynarodową nazwą The Four Rooms of Mrs. Safija, zawsze rezerwowała urokliwą, stojącą nieco na uboczu altankę. Mieli tu spokój i przestrzeń tylko dla siebie. Zwłaszcza w marcu, kiedy poza nimi mało kto wybierał miejsce na dworze, na zewnątrz restauracji. Nie zwracali tu niczyjej uwagi. Nawet kelnerzy pojawiali się tutaj rzadko. Ta altanka była na tych kilkadziesiąt minut, najważniejszych w całym roku, ich azylem. Świątynią.

Andrzej. Jej Andrzej. I kilkadziesiąt minut, które były dla niej całą wiecznością.

***

– Może podać jej ten koc? – Goran spojrzał niepewnie na swojego kolegę. Pracował w 4 sobe gospođe Safije trzeci dzień i nie wiedział jeszcze, co wypada kelnerowi, a za co można dostać burę od przełożonych. – Musi jej być chyba zimno...

Szef zmiany, Luka, popatrzył na niego ze zdziwieniem, po czym się roześmiał. Miał nieprzyjemny, szyderczy śmiech.

– To jeszcze nikt ci nie powiedział? – odpowiedział pytaniem. – To nasza psycholka.

– Psycholka? – zdumiał się Goran. – Co masz na myśli?

– Ta kobieta przyjeżdża tutaj od kilkunastu lat – wyjaśnił Luka. – Zawsze rezerwuje ten sam stolik, tego samego dnia i na tę samą godzinę. Siada, zamawia dwie przystawki, dwa dania główne, dwa desery i butelkę wina. Nigdy niczego z tego nie tyka. Siedzi tutaj trzy godziny, po czym zostawia sowity napiwek i wychodzi. Mówię ci, psycholka i tyle...

Goran popatrzył w stronę altanki. Siedząca tam kobieta miała głowę odchyloną w prawą stronę i sprawiała wrażenie, jakby się pochylała, aby lepiej zrozumieć słowa, wypowiadane przez kogoś, kto siedzi obok niej.

Tyle że obok nikogo nie było.

Goran westchnął i odłożył koc, zastanawiając się, czy zagrzeje miejsce w 4 sobe gospođe Safije do następnej wizyty kobiety. W Sarajewie tak trudno było o pracę…

***

Ada z uśmiechem podała paszport sympatycznej celniczce.

– Mam nadzieję, że spędziła pani miło czas w Sarajewie… – powiedziała urzędniczka.

Ada skinęła głową.

– …i że jeszcze pani do nas wróci – dokończyła celniczka.

– O tak – odpowiedziała Ada. – Wrócę tu na pewno. Jeszcze niejeden raz. Mogę to pani obiecać.

4

JANUSZ L. WIŚNIEWSKI
Kochanka

TOMASZ JASTRUN
Kochanek

Kochanka

Wchodził. Czasami zrzucał marynarkę na podłogę, czasami wieszał ją na wieszaku w przedpokoju. Bez słowa podchodził do mnie, podnosił spódnicę lub zsuwał gwałtownie moje spodnie, wpychał swój język w moje usta, potem rozsuwał moje nogi i wsuwał dwa palce we mnie. Czasami nie byłam wcale wilgotna i gdy wybrał niewłaściwe palce, czułam jego obrączkę w swojej pochwie.

Co czułaś w takim momencie?

Drut kolczasty. Po prostu drut kolczasty. Zardzewiały drut kolczasty w mojej pochwie i jego język w moich ustach. Każda litera wygrawerowana na tej obrączce była jak zahaczający i rozrywający mnie kolec. *Joanna 30.01.1978*. Zaczynało boleć przy „J", pierwsze łzy przychodziły przy pierwszym „a", przebijało mnie przy „30". Urodziłam się trzydziestego stycznia. W dniu jego ślubu, tylko że osiem lat wcześniej. Gdy przychodził do mnie w urodziny, miał zawsze dwa bukiety. Jeden dla mnie. Ten mój urodzinowy. Przepiękny. Taki, aby obejmując go, trzeba było wyciągać obie ręce. Drugi dla żony. Kładł go na parapecie w kuchni. Tak, aby go przemilczeć. Udawać, że jest jak jego aktówka. Bez znaczenia. Tak, aby nie leżał w salonie, gdy kochamy się na podłodze, lub w sypialni, gdybyśmy zdążyli tam dotrzeć. Gdy po wszystkim przestawał mnie całować i odwracał się, wstawałam z podłogi w salonie lub z łóżka w sypialni i naga szłam do łazienki. On zazwyczaj leżał i palił papierosa. Wracając z łazienki przez przedpokój, zauważałam ten bukiet. Podchodziłam do szafy w przedpokoju, brałam ten największy wazon z fioletowego szkła, nalewałam wody, szłam do kuchni i wstawiałam kwiaty dla jego żony. Bukiet taki, aby obejmując go, trzeba było wyciągać obie ręce. Także przepiękny. Bo on nigdy nie kupuje kwiatów w pośpiechu. Nigdy. On kupuje kwiaty tak naprawdę dla siebie, aby cieszyć się widokiem radości, którą nimi sprawia. Mnie. I swojej żonie także.

Róże dla niej były zawsze purpurowe. Wstążki zawsze kremowe. Za folią między kwiatami zawsze biała koperta. Niezaklejona. Kiedyś miałam ją już w dłoniach. On leżał w pokoju, palił papierosa, zmęczony i uspokojony tym, co zrobiliśmy przed chwilą, a ja stałam naga w kuchni przy bukiecie purpurowych róż dla jego żony i przyciskałam do piersi kopertę, w której były słowa mogące mnie jedynie zranić. Pamiętam, że spojrzałam na tę kopertę i widząc pisane jego ręką słowo *Joanna*, poczułam w sobie po raz drugi ten drut. Ale tym razem już w całej sobie, wszędzie. Odłożyłam wtedy tę kopertę za folię. Opadła między purpurowe róże dla jego żony. Musiałam odwrócić się od tego wazonu, aby więcej nie patrzeć na niego, i stałam odwrócona plecami do okna, naga, drżąc z zimna i z bólu, i z poniżenia, i z litości nad sobą, czekając, aż drżenie przejdzie. Aby niczego nie zauważył.

Potem wracałam na podłogę lub do łóżka, wtulałam się w niego i zapominałam o wszystkim. Pomagał mi w tym. Czasami miałam wrażenie, że wie, co działo się ze mną w tej kuchni i chce mi to wynagrodzić. Tak jak gdyby pocałunkami chciał zatkać dziury we mnie po tym kolczastym drucie. I zatykał. Bo on kocha kobiety tak samo, jak kupuje dla nich kwiaty. Głównie po to, aby czuć radość, patrząc na nie, gdy są szczęśliwe. I to jest chyba to, co tak bardzo uzależnia mnie od niego. To uczucie, że nie można przeżyć bez niego czegoś „równie dobrego" albo czegoś „lepszego". Po prostu nie można.

Czasami wydawało mi się, że to absurd. Że to tylko moja niedorozwinięta wyobraźnia. Kiedyś odważyłam się i powiedziałam to swojemu kolejnemu psychoterapeucie. To, co usłyszałam, było jak wykład, który miał mnie chyba wprowadzić w stan podziwu. Powiedział, że to nie ma nic wspólnego z wyobraźnią i że to jest „edypalny przejaw pragnienia bycia żoną swojego ojca i uczynienia z niego swej własności oraz pragnienia rodzenia mu dzieci". Wyobrażasz to sobie?! Taki palant! Takie coś mi powiedział. Mnie, która nie miała ojca od drugiego roku życia. A przed drugim rokiem życia miała go ponoć sześć miesięcy i dwadzieścia trzy dni zanim trawler, na którym był oficerem, uderzył w górę lodową i zatonął koło Nowej Fundlandii. Wyszłam w połowie drugiej terapii i nawet nie chciało mi się trzasnąć drzwiami. Mógłby poczuć się zbyt dobrze, myśląc, że udało mu się mnie zdenerwować. „Edypalny przejaw pragnienia". Coś takiego! Zarozumiały psychol w czarnym golfie, spodniach, które chyba nigdy nie widziały pralni, i z brzydkim kolczykiem w uchu. Mówić coś takiego mnie, która zaraz po „Dzieciach z Bullerbyn" przeczytała „Psychologię kobiety" tej genialnej Horney!

To na pewno nie był „edypalny przejaw pragnienia". To były jego usta. Po prostu. I dłonie także. Wtulałam się w niego, a on dotykał i całował. Wszystko. Usta, palce, łokcie, włosy, kolana, stopy, plecy, nadgarstki, uszy, oczy i uda. Potem oczy, paznokcie i znowu uda. I trzeba było mu przerywać. Aby wreszcie przestał całować i aby wszedł we mnie, zanim zrobi się za późno i będzie musiał wstać, ubrać się i zejść do taksówki, która zawiezie go do żony.

I gdy później wychodził do domu, zabierając bukiet z wazonu w kuchni, miałam to wyraźne uczucie, że nie można bez niego przeżyć „czegoś równie dobrego". Po prostu nie można. I że to akurat mam takie ogromne szczęście z nim przeżywać. I że tego nie wyjaśni żaden psycholog i że sama Horney, gdyby jeszcze żyła, także nie potrafiłaby tego wyjaśnić. I że nawet gdyby mogła, to ja i tak nie chciałabym tego słuchać.

Czasami z korytarza lub już z ulicy wracał i wbiegał na moje czwarte piętro, wpadał zdyszany do mieszkania, aby podziękować mi, że włożyłam kwiaty do wazonu. I wtedy bolało mnie najbardziej. Bo ja tak samo jak on chciałam przecież, aby to przemilczeć. Udawać, że ten bukiet jest jak jego aktówka. Bez znaczenia. Nie udało się to nam nigdy. Ja za każdym razem wyciągałam fioletowy wazon, a on zawsze wracał, aby podziękować.

A wracał, bo nigdy niczego nie bierze za oczywiste. I to jest – i zawsze był – także kawałek tego nieosiągalnego „czegoś równie dobrego", czego nie przeżyje się z innym mężczyzną. On się nad wszystkim zastanawia, pochyla troskliwie lub w najgorszym przypadku wszystko dostrzega. Traktuje wdzięczność jak coś, co powinno się wyrazić tak samo jak szacunek. Najlepiej natychmiast. I dlatego nie wiedząc nawet, jaki ból mi tym sprawia, wbiegał zdyszany na czwarte piętro, całował mnie i dziękował za to, że kwiaty wstawiłam do wazonu. I gdy on zbiegał do taksówki schodami, ja wracałam do sypialni lub do salonu, gdzie przed chwilą mnie całował, dopijałam resztki wina z jego i mojego kieliszka, otwierałam następną butelkę, nalewałam wino do obu i płakałam. Gdy wino się kończyło, zasypiałam na podłodze.

Czasami nad ranem, ciągle jeszcze pijana, budziłam się, drżąc z zimna, i musiałam pójść do łazienki. Wracając, widziałam swoje odbicie w lustrze. Policzki poorane ciemnymi strużkami resztek po makijażu. Czerwone plamy zaschniętego wina, rozlanego na moje piersi, gdy ręce trzęsły mi się od łkania lub gdy byłam już tak pijana, że rozlewałam wino, podnosząc kieliszek do ust. Włosy przyklejone do czoła i szyi. I gdy widziałam to odbicie w lustrze, dostawałam ataku nienawiści i pogardy do siebie, do niego, do jego żony i do wszystkich cholernych róż tego świata. Wpadałam do salonu, chwytałam ten bukiet, co to trzeba było wyciągnąć obie ręce, żeby go objąć, i tłukłam nim o podłogę, o meble lub o parapet. Bo ja także dostawałam od niego róże. Tylko że białe. Przestawałam tłuc, gdy na łodygach nie było już żadnych kwiatów. Dopiero wtedy czułam się uspokojona i szłam spać. Budziłam się około południa i chodziłam boso po białych płatkach leżących na podłodze w salonie. Na niektórych były plamy krwi z moich dłoni pokłutych kolcami. Takie same plamy były zawsze na pościeli. Teraz już będę pamiętała, aby nie zapalać światła w łazience nad ranem trzydziestego pierwszego stycznia.

Ale róże ciągle lubię i gdy już się uspokoję tego trzydziestego pierwszego stycznia i gdy wieczorem piję herbatę z rumianku i słucham jego ulubionego Cohena, to myślę, że on jest właśnie jak róża. A róża ma też kolce. I myślę, że można płakać ze smutku, że róża ma kolce, ale można również płakać z radości, że kolce mają róże. Kolce mają róże. To jest ważniejsze. To jest znacznie ważniejsze. Mało kto chce mieć róże dla kolców…

Ale przy Cohenie ma się takie myśli. Bo on jest taki przeraźliwie smutny. Rację ma ten brytyjski krytyk muzyczny: do każdej płyty Cohena powinni dodawać darmowe brzytwy. Wieczorem trzydziestego pierwszego stycznia potrzebuję herbaty z rumianku i właśnie Cohena. To przy jego muzyce i przy jego tekstach mimo tego jego sztandarowego smutku najłatwiej jest mi poradzić sobie z moim własnym.

I tak jest od sześciu lat. Od sześciu lat trzydziestego stycznia najpierw on doprowadza mnie do szaleństwa, dotykając, całując i pieszcząc moje dłonie, a potem ja sama kaleczę je sobie do krwi kolcami róż z urodzinowego bukietu od niego. Ale tak naprawdę to głównie kaleczą mnie litery i cyfry *Joanna 30.01.1978*, wygrawerowane delikatnie na wewnętrznej stronie jego obrączki. Kaleczą mnie jak drut kolczasty w podbrzuszu.

Dlaczego się na to godzisz?

I ty także o to pytasz?! Moja matka mnie o to pyta, gdy jadę do niej na święta. I zawsze przy tym płacze. I wszyscy moi psychole, oprócz tego od „przejawu edypalnego", mnie o to nieustannie pytali i pytają. Ja doskonale rozumiem intencję, niemniej to pytanie jest niewłaściwie postawione. Bo ja wcale nie mam uczucia, że się na coś godzę. Nie można godzić się na coś, co jest potrzebne lub czego się pragnie, prawda?

Ale pomijając pytanie i rozumiejąc intencję, trwam – bo chyba wszystkim o to trwanie w tym pytaniu chodzi – przy nim głównie dlatego że kocham go tak bardzo, że czasami aż mi dech zapiera. Czasami marzę, aby mnie porzucił, nie raniąc przy tym. Wiem, że to niemożliwe. Bo on mnie nie porzuci. Po prostu to wiem. Bo on jest najwierniejszym kochankiem. Ma tylko mnie i żonę. I jest nam obu wierny. Odejdzie wtedy, gdy ja mu to nakażę lub gdy znajdę sobie innego mężczyznę. Ale ja nie chcę mu tego nakazać. A to z innymi mężczyznami także nie funkcjonuje. Wiem, bo miałam kilku „innych mężczyzn". Głównie po to, aby z tymi mężczyznami uciekać od niego.

To było przed dwoma laty. Wyjechał na kilka tygodni do Brukseli, na jakieś szkolenie. Odkąd przeszedł do tej firmy internetowej, często wyjeżdżał. Miałam do niego polecieć na ostatni tydzień. Planowaliśmy to w szczegółach na dwa miesiące przed jego wyjazdem. Już samo planowanie wprowadzało mnie w ekstazę. Kiedy znalazł się w Brukseli, dzwonił każdego dnia. Miałam już wszystko przygotowane. Mieliśmy być z sobą siedem dni i osiem nocy. Byłam niewiarygodnie szczęśliwa. Tabletkami tak przesunęłam moją menstruację, aby w żadnym wypadku nie wypadła na ten tydzień w Brukseli. Miałam lecieć w piątek, a w środę dostałam gorączki. Ponad trzydzieści dziewięć stopni. Płakałam z wściekłości. Gdybym mogła, udusiłabym tę koleżankę, która przywlokła się z anginą do biura i mnie zaraziła. Jadłam łyżkami sproszkowaną witaminę C, garściami łykałam aspirynę, chodziłam z torebką wypchaną pomarańczami i cytrynami, które jadłam, nie posypując cukrem, jak jabłka. Postanowiłam, że będę zdrowa na moje siedem dni i osiem nocy w Brukseli. To było jak projekt w pracy: „Bruksela, czyli zdrowa za wszelką cenę". Kiedy nic nie pomagało, zaczęłam brać wszystkie antybiotyki, które znalazłam w apteczce w łazience. Większość była już przeterminowana, bo ja normalnie prawie nigdy nie choruję. Właśnie we środę, gdy antybiotyki się skończyły, a ja ciągle miałam prawie trzydzieści dziewięć stopni gorączki i uczucie, że pod łopatką mam wbity nóż, który się rusza, jak kaszlę, poszłam do prywatnej przychodni koło mojego biura.

Stanęłam w wąskim korytarzu prowadzącym do gabinetów lekarzy. W fotelu przed drzwiami gabinetu ginekologicznego siedziała jego żona i czytała książkę. Pod oknem, przy niskim stoliku z kredkami i plasteliną jego córka rysowała coś na dużej kartce papieru. Podniosła głowę, gdy weszłam, i uśmiechnęła się do mnie. Uśmiechała się identycznie jak on. Całą twarzą. I tak samo jak on mrużyła przy tym oczy. Poczułam, że drżą mi ręce. W tym momencie jego żona wstała, wywołana przez pielęgniarkę. Odłożyła książkę, powiedziała coś do córki i uśmiechając się do mnie, wskazała zwolniony fotel. Przechodząc obok mnie w wąskim korytarzu, otarła się o mnie ogromnym brzuchem. Była w ostatnich tygodniach ciąży.

Pociemniało mi w oczach. Podeszłam do okna i nie zważając na protesty, otworzyłam je na oścież i zaczęłam głęboko wciągać powietrze. Ktoś pobiegł przywołać pielęgniarkę. Po chwili, odurzona powietrzem, poczułam się lepiej. Zamknęłam okno i wyszłam. Jego córka patrzyła na mnie przestraszona, nie rozumiejąc, co się dzieje.

Nie potrzebowałam już antybiotyków. Po drodze wysypałam do ulicznego kosza pomarańcze i cytryny z torebki. Do następnego wyrzuciłam wszystkie aspiryny. Nagle poczułam, że bardzo chcę być chora. Najpierw być śmiertelnie chora, a potem gdzieś się zakopać. Tak, aby mnie nikt nigdy nie odnalazł. Wziąć swojego pluszowego łosia z dzieciństwa, przytulić się do niego i zakopać na jakiejś najbardziej opustoszałej działce za miastem.

Gdy dotarłam do domu, nie miałam siły wejść na moje czwarte piętro. Zatrzymywałam się na każdym i odpoczywałam. Piętnaście minut lub dłużej. Nagle byłam bardzo chora.

Tak jak sobie życzyłam. Zasnęłam w ubraniu na kanapie w salonie. Nie miałam siły rozebrać się i przejść do sypialni. Śniło mi się, że jego córka ukryła się ze strachu przede mną w szafie i bawi się moim pluszowym łosiem, wydłubując jego plastikowe czarne oczy widelcem.

Obudziłam się po osiemnastu godzinach. Wstałam, wyjęłam swój bilet do Brukseli i spaliłam go nad umywalką. Potem wyciągnęłam wtyczkę telefonu z gniazdka. Przedtem zamówiłam ślusarza i zmieniłam zamki w drzwiach. Żeby on nie mógł tutaj już nigdy wejść. Gdy ślusarz wyszedł, zamknęłam drzwi na nowy klucz i schowałam go pod poduszkę. Tego dnia także postanowiłam, że gdy tylko wyleczę się z anginy, to znajdę sobie innego mężczyznę. I zaraz potem zajdę z nim w ciążę. I to będzie znacznie pewniejsze niż zmiana zamków w drzwiach.

Najpierw płakałam albo spalam. Potem samolot do Brukseli odleciał beze mnie. Tego samego dnia kaszel osłabł i wypadł ten nóż z pleców. Gdy opadła gorączka, zdałam sobie sprawę, że on z pewnością nie wie, dlaczego mój telefon nie działa i dlaczego nie było mnie w tym samolocie. I dlaczego nie ma mnie w biurze. Byłam pewna, że te dzwonki i pukanie do drzwi, które słyszałam, ale ignorowałam w ciągu ostatnich dni, to z pewnością któryś z jego przyjaciół albo nawet on sam.

Mijały moje dni i moje noce z tych siedmiu i ośmiu w Brukseli, a ja przechodziłam powoli z fazy „jak on mógł zrobić mi taką podłość" do fazy „jaką właściwie podłość mi zrobił?". Co ja sobie wyobrażałam? Że on wraca do łóżka żony i grają w szachy lub oglądają albumy z fotografiami z młodości całe noce? Tym bardziej że to nie było tak, że ona to „ponad dwa cetnary mamuśka w domu", a ja to „90–60–90 kochanka dziesięć ulic dalej". Jego żona była piękna, nie ten model. Nigdy tak zresztą nie myślałam. Ale to, że jest aż tak piękna, jak tam w tej poczekalni, na krótko przed porodem, zabolało mnie dotkliwie.

I ten brzuch, gdy przeciskała się przez wąski korytarz obok mnie. Gdy dotykała mojego brzucha swoim brzuchem z jego dzieckiem w środku, czułam się, jak gdyby ktoś odciskał mi nad pępkiem gorącym żelazem to *Joanna 30.01.1978.* Tak jak znaczy się owce lub krowy.

Bo ja miałam w mózgu – chyba wyczytany z książek i zaimpregnowany własną wolą – schemat psychologiczny, w którym jego żona to prawie jego matka. Aseksualna. Konkurentka, ale tak, jak konkurentką pozostaje zawsze teściowa. Taki absurdalny – Freud mógłby być ze mnie dumny – model skonstruowałam sobie. Nigdy nie pytałam go, czy sypia z żoną. Nigdy też nie pytałam, czy chce z nią mieć kolejne dzieci. Po prostu jakoś tak podświadomie założyłam, że jeśli zostawia we mnie swoją spermę, to niegodziwością byłoby zostawianie jej w innej kobiecie. Szczególnie tak świętej i tak aseksualnej jak jego żona.

Dla mnie była ona po części otoczona kultem świętości. Ladacznicą miałam być wyłącznie ja. Ona miała prawo do jego szacunku i codziennych mszy, ja za to miałam mieć wyłączne prawo do jego ciała i czułości. Pomyliłam to, co psychoanalityk zdiagnozowałby jako nerwicę, z modelem życia i ten właśnie model rozsypał się z hukiem na drobne kawałki w poczekalni u lekarza, gdy brzuch jego ciężarnej żony otarł się o mój. I tak naprawdę to powinnam być wściekła na siebie za to, że konstruuję sobie utopijne modele. Ale byłam wściekła na niego. Za to, że zamiast odmawiać na jej cześć różańce, chodził z nią do łóżka. Co przez ten jej ogromny brzuch tak ewidentnie wyszło na jaw.

Poza tym ja zdecydowanie przeceniałam seksualność w moim związku z nim. I to jest powszechne. Właśnie tak. Powszechne i przeciętne. Seksualność jest jednym z najpowszechniejszych, najtańszych i najprostszych sposobów zapewnienia sobie uczucia. I dlatego tak łatwo się ją przecenia. I dlatego też pewnie tylu mężczyzn wraca do domu na obiad, ale po uczucie idzie do prostytutki.

I ja także przeceniłam tę seksualność. I mnie się to także zdarzyło. Mnie, regularnej petentce psychoterapeutów. Bo ja tak bardzo potrzebowałam uczucia. I dlatego gdy minęła mi ta brukselska angina, poszłam na nie polować.

Samotna inteligentna kobieta przekraczająca trzydziestkę, która niecierpliwie chce znaleźć uczucie w tej dżungli na zewnątrz, rzadko upoluje cokolwiek. Już raczej sama zostaje upolowana. I to najczęściej przez myśliwych, którzy albo strzelają na oślep, albo mylą strzelnicę w wesołym miasteczku z prawdziwym polowaniem i traktują kobietę jak plastikowy goździk lub stokrotkę, w którą trafili z wiatrówki na tej strzelnicy.

Kobieta przekraczająca trzydziestkę jest z reguły bardzo interesująca dla pięćdziesięciolatków i wyżej oraz ciągle jeszcze dla osiemnastolatków i niżej. To jest fakt, o którym czytałam najpierw w „Cosmopolitan", potem w „Psychologii dzisiaj", i który odczułam na własnej skórze i to w różnych jej miejscach.

Bo większości tych mężczyzn tak naprawdę to głównie o moją skórę chodziło. Tylko jednemu – tak mi się wydawało – chodziło o duszę. Przynajmniej tak mówił i na początku wcale nie chciał mnie rozbierać, gdy zaprosiłam go do siebie po drugiej kolacji. Dałam mu czas. Potrafił nawet przerwać monolog o sobie i pozwolić powiedzieć coś o moim świecie. Po około dwóch tygodniach, po koncercie w filharmonii przyjechaliśmy taksówką do mnie. Miało być wreszcie intymnie. Bo to był koncert Brahmsa, a dla mnie Brahms jest bardzo sexy i działa mi na receptory. Ale nic z tego nie wyszło. Tego wieczoru przyłapałam go w łazience, jak wyciągał z kosza z bielizną do prania moje majtki i wąchał. I wtedy wiedziałam, że jeśli nawet chodzi mu o duszę, to z pewnością nie moją.

Po pewnym czasie pogodziłam się z faktem, że trzeba dobrze wyglądać, być szczupłą, świeżo wykąpaną i ładnie pachnieć oraz pozwolić bardzo wcześnie minimum na petting, aby „zaparkować" mężczyznę na chwilę przy sobie. Taki polski młody, bardzo warszawski, seksualny kapitalizm z dużą podażą i kontrolowanym popytem. Ciekawe, że wyłącznie żonaci mężczyźni potrafili pogodzić się z faktem, że dla mnie intymność to nie jest coś, co można zamówić DHL-em z doręczeniem na sobotę wieczorem. Ale żonaci mężczyźni mają swoje madonny od obiadów w domu i ja nie po to wydałam tyle pieniędzy na ślusarza, żeby teraz znowu zmieniać zamki.

Ci starsi, nieżonaci przeważnie z orzeczeń sądów, i ci bardzo młodzi, nieżonaci z definicji, oczywiście nie wszyscy, ale w większości, mieli jedną wspólną cechę: jeśli już nie mieli kłopotów z erekcjami, to mieli erekcje z kłopotami.

Ci młodzi to przeważnie Hormonici. Tak ich nazywałam. Całkowicie na testosteronie i adrenalinie. Nie wiedzieli dokładnie, co robią, ale robili to całą noc. Kłopoty z ich erekcją polegały na tym, że mieli ją znowu po piętnastu minutach, ale dla mnie nic z tego nie wynikało, im zaś się zdawało, że należy im się za to medal. Rano szli dumni jak gladiatorzy do domu, a ja miałam otartą twarz od ich dwudniowego zarostu i obolałą pochwę od ich adrenaliny.

Ci w moim wieku najpierw całe wieczory opowiadali, kim już są lub kim zostaną wkrótce, a zaraz potem mieli umiarkowane, normalne erekcje, ale byli za to za bardzo oczytani. Naczytali się instrukcji obsługi łechtaczki, punktu G, wiedzieli wszystko o grze wstępnej i oksytocynie i traktowali mnie jak kino domowe. Naciśnij tutaj, przekręć gałkę tam, trzymaj dwa wciśnięte przyciski przez minimum pięć sekund i będziesz miał najlepszą jakość obrazu i najlepszy dźwięk. Ale to nie działa. Kobiety nie są szafkami z Ikei, które da się zmontować według instrukcji.

Ci około pięćdziesiątki byli przekonani, że są tak samo piękni i tak samo ważni jak te wszystkie tytuły lub stanowiska na ich wizytówkach. Mieli więcej siwych włosów, ale spokoju także mieli więcej. Potrafili dłużej czekać, przeczytali więcej książek, mieli więcej do opowiedzenia o swoich ekszonach i zawsze płacili wszystkie rachunki. A potem w nocy byli tak zajęci spowodowaniem, utrzymaniem lub wzmocnieniem swojej erekcji, że całkowicie zapominali o tym, po co ją chcą spowodować, utrzymać lub wzmocnić. Zapominali całkowicie o mnie, skupieni na swoim czternasto- lub mniej centymetrowym ego. Potem rano znajdowałam w torebce ich żałosne wizytówki, z których byli tacy dumni.

Dokładnie sto osiemdziesiąt dwa dni po tym, jak zmieniłam zamki w drzwiach swojego mieszkania, wyjeżdżałam służbowo z Dworca Centralnego w Warszawie do Torunia, przygotować jakiś wywiad dla mojej gazety. Płacąc za bilet, wyciągnęłam z portmonetki banknot dwustuzłotowy i kasjerka w kasie nie miała reszty. Odwróciłam się, aby zapytać osobę w kolejce za mną, czy mogłaby rozmienić mi te dwieście złotych. Stał za mną. Milcząc, wziął dwieście złotych z mojej dłoni zastygłej w zdumieniu i lęku, podszedł do kasy i powiedział, że on także jedzie do Torunia i że chciałby miejsce obok mnie. Kasjerka podała mu dwa bilety i wydała resztę. Wziął moją walizkę i milcząc, poszliśmy na peron. I gdy schodami ruchomymi zjeżdżaliśmy na peron, z którego miał odjechać pociąg do Torunia, stanął blisko za mną i zaczął szybciej oddychać, a potem całować moją szyję i brać do ust i ciągnąć delikatnie moje włosy. I wiesz, co wtedy czułam?! Kiedyś czytałam reportaż o narkomanach, było tam między innymi także o tym, jak czuje się narkoman, który przez dłuższy czas nie mógł brać, bo był na przykład w więzieniu. Potem, gdy wreszcie ma swoją kreskę lub porcję LSD i wciąga ją do nosa lub wstrzykuje do żyły, czuje coś w rodzaju orgazmu lub wigilijnej sytości po całych tygodniach głodowania. Na tych schodach na peron pociągu do Torunia, gdy on dotykał ustami mojej szyi, czułam dokładnie to. I wtedy, na krótko, przestraszyłam się myśli, że być może ja mylę miłość z uzależnieniem od niego. Takim narkotycznym uzależnieniem. Jak od LSD, morfiny albo od Valium na przykład. I to wcale nie wydawało mi się absurdem.

Od tego Torunia miał znowu klucze do mojego mieszkania. Te nowe. I znowu przyjeżdżał w piątki na parking pod mój biurowiec i zabierał mnie na Hel, do Ustki albo w Bieszczady. Jego żona tymczasem urodziła drugą córkę, Natalię.

Co jest w nim takiego szczególnego?

Szczególnego w nim? Jak to co?! Wszystko jest w nim szczególne! Już pierwsze godziny jego obecności w moim życiu były szczególne. Pierwszy raz zobaczyłam go, zapłakana, w kostnicy we Włoszech.

To było na ostatnim roku studiów. Pisałam pracę magisterską z twórczości włoskiego noblisty z lat siedemdziesiątych, poety Eugenia Montale. Tak sobie wybrałam. Ja, studentka romanistyki urzeczona poezją Montalego, postanowiłam napisać po francusku pracę z włoskiej poezji. To Monika namówiła mnie na wyjazd do Ligurii we Włoszech. Przełożyłam termin obrony na wrzesień i pojechałyśmy do tej Genui z zamiarem zwiedzenia całej Ligurii. Monika, widząc, że targają mną wyrzuty sumienia z powodu przesunięcia terminu obrony, uspokajała: „Żadna praca o Montalem nigdy nie będzie prawdziwa, jeśli człowiek nie upije się chociaż raz winem w miejscu urodzin Montalego, Genui. Potraktuj to jako wyjazd studyjny – mówiła, uśmiechając się do mnie – i pamiętaj, że to ja stawiam to wino".

Miałyśmy najpierw zarobić, pracując jako kelnerki, a potem spędzić dwa tygodnie „studyjnie", przejeżdżając Ligurię od Cinque Terre na wschodzie do Monako na zachodzie, i jak to sformułowała Monika, „nie oddalać się od plaż na więcej niż pięć kilometrów i dłużej niż pięć godzin".

Nic nie było tak, jak zaplanowałyśmy. Gdy wędrowałyśmy w Genui od restauracji do restauracji, miałyśmy wrażenie, że pracują tam wyłącznie polskie studentki i rosyjscy ochroniarze. Nie stać nas było na hotel w Genui, więc wycofałyśmy się z wybrzeża w głąb lądu. Tam wszystko było pięć razy tańsze. Po tygodniu, bez pieniędzy i bez nadziei, trafiłyśmy do Avegno, małej miejscowości blisko głównej autostrady biegnącej wzdłuż Zatoki Genueńskiej. Było już po południu, gdy wylądowałyśmy na małym rynku z fontanną w centralnym punkcie. W pewnym momencie przez rynek przeszła procesja. Kobiety w czarnych sukniach, czarnych kapeluszach, z twarzami za czarnymi woalkami. Niektóre z powodu upału schowały się pod czarnymi parasolami. Wiedziałyśmy, że ten korowód to coś szczególnego. Podążyłyśmy za nim. Niedaleko rynku był cmentarz z aleją drzew pomarańczowych i z małą kostnicą w białym budynku z drewnianym krzyżem na dachu. W kostnicy w małej białej trumnie wyścielonej białym aksamitem leżało niemowlę w białej jedwabnej sukience. W pewnym momencie jedna z kobiet zaczęła głośno się modlić. Uklękłam obok i modliłam się z nią. Po włosku. Bo ja umiem modlić się i kląć w dwunastu językach. Nawet po flamandzku. I to nie ma nic wspólnego z moją romanistyką. To jest po prostu praktyczne.

Trumienka została przesunięta na niewidzialnym taśmociągu do ściany, otworzyła się metalowa przegroda i trumienka została praktycznie wessana za metalową ścianę oddzielającą kostnicę od krematorium. Wszyscy obecni jęknęli przerażająco. Po chwili zapadło milczenie i słychać było wyraźnie syk płomieni za metalową ścianą. Aby to zagłuszyć, zaczęłam modlić się głośno. Po włosku. Monika wtórowała mi jeszcze głośniej po polsku.

Ojcze Nasz...

Nagle wszyscy w kostnicy dołączyli do nas po włosku.

Po kilku minutach za metalową ścianą zapadła cisza i wtedy zapłakana kobieta z drugiego rzędu ławek odsłoniła twarz, podeszła do mnie i pocałowała w rękę. Potem wszyscy wyszli.

Monika klęczała nadal. Ja siedziałam ze złożonymi dłońmi i wpatrywałam się przerażona w krzyż na metalowej ścianie. To odbyło się tak szybko. Za szybko. Spalono niemowlę, odmówiono dwie modlitwy i wszyscy rozeszli się do domów. Jak po akademii.

Do kostnicy wszedł niski, bardzo gruby mężczyzna. Podszedł do Moniki i zaczął mówić do niej po włosku. Monika wskazała na mnie.

Po piętnastu minutach zostałyśmy pracowniczkami tej kostnicy i sąsiadującego z nią cmentarza. Miałyśmy przygotowywać trumny i rozpoczynać oraz prowadzić modlitwy tuż przed kremacją. Gruby Włoch oferował trzy razy więcej, niż dostałybyśmy w jakiejkolwiek restauracji w Genui.

„Bo ludzie lubią i zapłacą więcej, gdy ktoś zupełnie obcy zaczyna płakać za ich bliskich...” – powiedział.

I tak na dwa tygodnie zostałyśmy płaczkami w przedsiębiorstwie Najlepsze Pogrzeby sp. z o.o. z siedzibą w Avegno. Oczywiście, zbyt mało ludzi umiera w Avegno, aby właściciel mógł mieć godziwe dochody, dlatego płakałyśmy i modliłyśmy się na pogrzebach w okolicznych miejscowościach: Cicagan, Nervi, Rapallo, Carasco, Camogli, a czasami aż w Moneglii. W ciągu dwóch tygodni wyściełałyśmy trumny i płakałyśmy trzydzieści osiem razy na pogrzebach dwudziestu dwóch mężczyzn, czternastu kobiet i dwojga dzieci w okolicy Avegno.

Tego pierwszego dnia, gdy spalono to niemowlę, do kostnicy wszedł on i ukląkł naprzeciwko mnie. I patrzył mi w oczy, gdy płakałam. Potem siedział przy fontannie, gdy wyszłyśmy z tej kostnicy i wróciłyśmy na rynek. Następnego dnia miałyśmy pogrzeb staruszki. Już o dziewiątej rano. Matki burmistrza Avegno. Właściciel kostnicy prosił nas, aby płakać szczególnie intensywnie. On wszedł do kostnicy kwadrans po rozpoczęciu pogrzebu. Chyba nie mógł zrozumieć, dlaczego ja także tam jestem. I na dodatek jak wczoraj klęczę przy trumnie i płaczę. Po pogrzebie znowu czekał przy fontannie i tam odważył się i zapytał o coś po angielsku. Tak go poznałam.

Spędzał urlop w Ligurii. Z żoną, która tego dnia została na plaży w Savonie. On nie znosił całych dni na plaży. Wynajął samochód i „jeździł po okolicy”. Tak trafił do Avegno. I tak trafił do kostnicy tuż przed spaleniem tego niemowlęcia.

„A ty tak płakałaś, że ja myślałem, że to twoje dziecko, i tak mi było przykro, i chciałem cię utulić – powiedział kilka dni później, gdy jedliśmy pierwszą wspólną kolację w portowej restauracji w Genui. I tym „utulić" wzruszył mnie pierwszy raz w życiu. I wzrusza mnie do teraz.

Dwa miesiące później w Warszawie pocałował mnie po raz pierwszy. Byliśmy wprawdzie w kontakcie, ale tego dnia spotkaliśmy się zupełnie przypadkowo w empiku na Nowym Świecie. Kupowałam książkę na prezent urodzinowy dla Moniki. Najnowszą książkę mojej ulubionej Gretkowskiej. On kupił taką samą. Dla siebie. Zapytał nieśmiało, czy mam czas pójść z nim na lampkę wina do kawiarni. Miałam. Wypiliśmy całą butelkę. Nie jadłam nic od rana. I to od rana przed dwoma dniami. Bo rozpoczęłam kolejną dietę. Mimo to nie byłam wcale pijana. Był czarujący. Podnosił kieliszek z winem, widziałam, że ma tę obrączkę, ale to nie miało żadnego znaczenia. Wyszliśmy. Odprowadził mnie do domu. Pożegnał, całując w rękę. Po minucie wrócił. Dopędził mnie na pierwszym piętrze i po prostu objął i pocałował. Ale nie tak z sympatii w policzek. Prawdziwie, rozpychając moje zęby językiem.

Następnego dnia zadzwonił rano do biura. Przepraszał za to, co stało się „wczoraj na schodach". Wieczorem ktoś przyniósł mi kwiaty od niego do domu. I wszystkie książki Gretkowskiej w kartonie owiniętym błyszczącym papierem. Czasami wieczorami przyjeżdżał pod mój blok i przez domofon pytał, czy pójdę z nim na spacer. Schodziłam na dół i spacerowaliśmy. Zauważyłam po pewnym czasie, że nie spotykam się już z nikim wieczorami i tak ustawiam swoje plany, aby być w domu, gdyby na przykład wpadło mu do głowy podjechać, nacisnąć przycisk domofonu i zaprosić mnie na spacer. Tęskniłam za nim, gdy nie przyjeżdżał. Już wtedy, choć nawet nie można było nazwać tego, co odbywało się między nami, zaczęłam dostosowywać moje życie do jego planów. Już wtedy czekałam na telefon, sygnał domofonu lub dzwonek u drzwi. Już wtedy nie znosiłam weekendów, cieszyłam się na poniedziałki i nieustannie sprawdzałam swój telefon komórkowy. Kochanką zaczęłam więc być bardzo wcześnie. On nawet o tym jeszcze nie wiedział.

Po miesiącu zaczęłam oczekiwać, że po powrocie z któregoś spaceru wejdzie wreszcie ze mną na górę. Ale on tylko czasami wbiegał na schody, tak jak za pierwszym razem, i mnie całował. Dwa miesiące później w dniu moich imienin przyszedł wieczorem z fotografiami z Ligurii. Nie uprzedził mnie telefonicznie. Po prostu zadzwonił do drzwi, otworzyłam z ręcznikiem na głowie, a on tam stał z różami. Oglądaliśmy fotografie, wspominaliśmy. Nie podchodziłam do telefonu, aby odbierać życzenia. Szkoda mi było czasu. Gdy poszliśmy do kuchni zrobić herbatę, stanął za mną, podniósł mój sweter, zsunął ramiączka stanika i zaczął całować te wgłębienia w skórze pleców. Odwróciłam się do niego, podniosłam ręce do góry, a on zdjął ten mój sweter przez głowę. Wtedy zamknęłam oczy i podałam mu swoje usta.

Oczywiście, że on jest szczególny! Naprawdę. Trudno minąć go na ulicy i spojrzawszy mu w oczy, nie odczuć przy tym, że to ktoś wyjątkowy, z kim chciałoby się spędzić czas. I tego właśnie najbardziej zazdroszczę jego żonie. Tego, że ona ma tak dużo jego czasu dla siebie.

W tym czasie można przecież go słuchać. A ja ze wszystkiego, co mnie spotyka z jego strony, najbardziej lubię go słuchać. Z naszych nocy – myślę, że nie byłby zadowolony, wiedząc to – dokładniej pamiętam jego opowieści, niż to, co robiliśmy przed nimi.

Dzwonił do mnie rano, w dzień, czasami nawet w nocy i mówił podnieconym, niecierpliwym głosem: „Słuchaj, muszę ci coś jak najprędzej opowiedzieć".

I ja wiedziałam, że tym jednym zdaniem stawia mnie przed wszystkimi. Także przed żoną. Bo to ja, a nie kto inny, miałam wysłuchać opowieści o jego sukcesie, porażce, wzruszeniu, planie lub pomyśle. Jako pierwsza. Absolutnie pierwsza. I to był dla mnie prawdziwy dowód miłości. Przez sześć lat nie powiedział mi ani razu, że mnie kocha, ale za to ja słuchałam wszystkiego pierwsza. Dla mnie już do końca życia żadne „kocham cię" nie zastąpi tego „słuchaj, muszę ci coś natychmiast opowiedzieć". Zrozumiałam, jak ważne to jest dla niego, gdy przez przypadek, kiedyś przy winie w pubie, byłam świadkiem, jak dyskutował zażarcie z jednym ze swoich kolegów o tym, w którym momencie rozpoczyna się zdrada. Ze zdumieniem słuchałam, gdy mówił, że zdrada jest dopiero wówczas, gdy zamiast żonie coś ważnego „jako pierwszej osobie pragnie się natychmiast opowiedzieć innej kobiecie" i „żeby zdradzić, nie trzeba wcale wychodzić z domu, bo wystarczy mieć telefon lub dostęp do Internetu".

Od sześciu lat opowiadał mi wszystko najważniejsze jako pierwszej. Czasami czekał z tym do rana. Czasami, gdy był za granicą, czekał nawet kilka dni, ale najczęściej przyjeżdżał natychmiast. Bo ja o wszystkim najważniejszym dla niego miałam wiedzieć jako pierwsza. Od sześciu lat nie zdradzał mnie. Nawet ze swoją żoną.

To, co opowiadał, było zawsze takie... takie istotne. Istotne. Albo przytrafiały mu się rzeczy, które normalnie się nie zdarzają, albo to on był na tyle wrażliwy, aby te rzeczy zarejestrować i dać się im przerazić, wzruszyć, odurzyć lub oburzyć. Niektórzy chcieliby świat przytulić, inni pobić. On należał do tych pierwszych. I to o tym swoim przytulaniu świata najczęściej mi opowiadał.

Tak jak wtedy, gdy tuż przed Wielkanocą wrócił z Frankfurtu nad Menem i opowiadał mi, jak to pierwszego dnia pobytu rano w drodze z hotelu do centrum targowego przysiadł się do niego w metrze mężczyzna z białą laską. I tak jechali chwilę w milczeniu, a potem ten mężczyzna zaczął opowiadać, jak pięknie jest na Wyspach Kanaryjskich. Jak wygląda zatoka na Lanzarote po wiosennym deszczu i jaki kolor mają kwitnące kaktusy, rosnące w leju po wulkanie na Palmie, i jak aksamitne są ich kwiaty, i o tym, że najbardziej niebieski horyzont jest w maju. Potem była jakaś stacja i ten mężczyzna wstał, spojrzał na niego z uśmiechem i wysiadł. I jak chodząc po targach, przez cały dzień nie mógł zapomnieć spojrzenia mężczyzny z białą laską.

Albo wtedy, gdy jedenastego września przyjechał do mnie do domu i siedząc oniemiali na podłodze, wpatrywaliśmy się w ekran telewizora, nie rozumiejąc świata. Bał się. Usiadł za moimi plecami, objął mnie mocno i położył głowę na moim karku. Drżał. I mówił takim dziwnym, zdławionym głosem. Wiesz, że ja go kocham także za to, że on potrafi tak się bać i nie wstydzi się tego przy mnie okazać? On, który z bezkompromisową bezwzględnością, ale pedantycznie uczciwą i sprawiedliwą, kieruje setką ludzi i którego boją się w jego firmie prawie wszyscy. On, który nigdy nie godzi się siedzieć na miejscu pasażera, gdy tylko coś mu nie odpowiada. Prosi natychmiast o zatrzymanie i sam siada za kierownicą.

Żaden mężczyzna, którego znałam, nie bał się tak pięknie jak on. Nigdy nie zapomnę, jak tego jedenastego września w pewnym momencie wstał i pierwszy raz z mojego domu zadzwonił do żony. I chociaż płakać mi się chciało, gdy powiedział do słuchawki „Joasiu...", czułam, że to jest piękne i że gdyby tego nie zrobił, nie szanowałabym go tak bardzo, jak szanuję.

Tego dnia, patrząc na te surrealistyczne obrazy z Nowego Jorku, po raz pierwszy tak naprawdę rozmawialiśmy o Bogu i religii. Nieochrzczony katolik, chodzący do kościoła po południu lub wieczorami, tylko wtedy, gdy na pewno nie ma tam księży, po tym, jak żaden z nich nie chciał pochować jego ojca, od którego odeszła pierwsza żona i on, nie mając wyboru, zgodził się, aby się z nim rozwiodła. Siedział za mną i szeptał mi do ucha, jak bardzo marzy o tym, żeby wysłać w jednym przedziale pociągu do Asyżu lub Mekki najważniejszych czarowników i papieży wszystkich religii. I żeby w tym przedziale była kapłanka wudu, która wierzy, że zmarli pośród nas żyjących odbywają doczesną wędrówkę i że za pomocą szmacianej lalki i igły do szycia można spowodować ciążę lub nieurodzaj w całym kraju. Żeby obok niej siedział buddysta, który wierzy, że Bóg jest mrówką lub kamieniem. A pod oknem taoista, który milionom Chińczyków opowiada, że Yin i Yang to Prawda i Fałsz, to Kobieta i Mężczyzna, to Dobro i Zło jednoczące się w Dao lub Tao i na końcu wszystko to i tak jedno Wu Wei, czyli, tłumacząc dosłownie, „bez znaczenia". A przy drzwiach żeby siedział polski rabin z Nowego Jorku, a naprzeciwko niego brodaty szejk, najważniejszy szejk z najważniejszego muzułmańskiego meczetu Al-Azhar. I żeby wysiedli wszyscy razem z tego pociągu w Mekce lub Asyżu, i żeby stanęli razem i powiedzieli każdy w swoim języku, że żadna religia nie usprawiedliwia zabicia ciężarnej pakistańskiej sekretarki ze 104 piętra w tym WTC. I żeby powiedzieli, że nie można nikogo zabić w imię Boga, w imię szmacianej lalki lub w imię mrówki.

I on tak szeptał mi to do ucha, a ja ze łzami w oczach zakochiwałam się w nim coraz bardziej.

W takich momentach chciałam być dla niego wszystkim. Różańcem i ladacznicą. I nigdy go nie zawieść lub rozczarować. Ale nie tak jak dla matki. Bo dla matki chciałam być idealna dla jej, nie mojego dobrego samopoczucia. Nigdy nie zapomnę, gdy na Gwiazdkę kupiła mi łyżwy i poszłyśmy na lodowisko. Miałam dwanaście lat. Nie potrafiłam jeździć. Nie lubiłam poza tym. Ale moja matka potraktowała tę jazdę na łyżwach jak test „dobrego wychowania". Czułam podświadomie, że ja nie tylko jeżdżę na łyżwach. Gdy się przewracam na lód, to przewracam także na lód ego mojej matki. Dumnej wdowy po oficerze, która „sama wychowa swoją córkę na prawdziwego człowieka". I ja się przewracałam ze wstydem i nie mówiłam jej, że boli mnie ręka. Dopiero wieczorem, gdy ręka przypominała już zbyt dużą protezę i miałam gorączkę z bólu, powiedziałam jej o tym. Ręka była złamana w dwóch miejscach. Kiedyś opowiedziałam mu o tym – nie zapomnę tych jego rąk złożonych jak do modlitwy, przerażenia w oczach i milczenia, które zapadło.

Co jest w nim takiego szczególnego? Szczególne jest w nim także to, że on mnie nieustannie pożąda. Mimo swojego wieku jest jak młody chłopak, który myśląc cały czas o „tym jednym", ma erekcję także wtedy, gdy słucha hymnu narodowego. Wysłucha hymnu, zdejmie swoją patriotyczną rękę ze swojej lewej piersi i chce natychmiast położyć swoją lubieżną rękę na mojej prawej. To jest nieprawdopodobnie budujące uczucie dla kobiety przekraczającej trzydziestkę – być pożądaną niemal zwierzęco i niemal bez przerwy. Ma się przy tym niezapomniane chwile na bezdechu i ten pulsujący cudownie ból w podbrzuszu.

W takich chwilach zostawiał wszystkich i wszystko, nachylał się do mojego ucha i szeptał, że mnie pragnie. W autobusie, gdy „jakoś tak wyszło", że jechaliśmy do mojego mieszkania w czasie przerwy na lunch, aby wrócić po godzinie do swoich biur i natychmiast dzwonić do siebie i umawiać się u mnie na popołudnie. W teatrze, gdy zatrzymywał mnie w antrakcie tak długo, aż wszyscy wrócili na swoje miejsca, i zaciągał mnie do damskiej toalety i kochaliśmy się w jednej z kabin. W taksówce, gdy kazał kierowcy zatrzymać się przy parku, mrugał do niego, dawał plik banknotów i prosił, aby wysiadł „na jakiś czas" i „zamknął nas od zewnątrz". Nigdy się nie zdarzyło, żeby kierowca odmówił.

Tak! Przy nim dowiadywałam się natychmiast, że mnie pragnie.

Pewnie myślisz, że on był taki, bo nie miał czasu się „wychłodzić", będąc ze mną od rana do rana i od poniedziałku do poniedziałku. Jak także tak myślałam, szczególnie gdy słuchałam koleżanek opowiadających, jak to ich nowo poślubieni mężowie lub nowo sprowadzeni narzeczeni tak mniej więcej po czterech miesiącach zaczynali mieć problemy z „obniżonym współczynnikiem pożądania własnej kobiety", jak to sarkastycznie określała pani Kazia z księgowości. Mądra, spokojna, bezdzietna, po dwóch rozwodach i trzech ślubach. On nie miał problemu z tym współczynnikiem. Wiem to z pewnością. Były takie cztery miesiące w ciągu tych sześciu lat, że był u mnie codziennie. I codziennie zaczynaliśmy lub kończyliśmy w łóżku. Gdy teraz o tym myślę, to wydaje mi się, że tak naprawdę najczęściej nie wychodziliśmy z łóżka w ogóle.

Często myślałam o tym, czy był – wtedy wydawało mi się, że nie może być „jest" w czasie teraźniejszym – taki okres w jego życiu, że pożądał tak samo żony. Tylko raz, jeden jedyny raz zapytałam go o to. Kiedyś na plaży na Helu o wschodzie słońca.

Przyjechał w piątek po południu pod moje biuro. Zadzwonił z recepcji na dole. Zeszłam na parking, wsiadłam do jego samochodu i pojechaliśmy z tego parkingu w centrum Warszawy na plażę na Helu.

„Wiedziałem, że nie masz żadnych planów na weekend – mówił, mrużąc oczy. – Pojedź ze mną, proszę...".

I to mnie tak cholernie zabolało. Że on wie, że ja nie mam żadnych planów na weekend. I że on wie z pewnością także to, że moje plany to on. I że czekam na niego. I że mój telefon czeka, i mój zamek w drzwiach, i moje łóżko. I że ja czekam na niego, wracając w sobotę rano w pośpiechu z piekarni na rogu i bojąc się, że on mógł zadzwonić, a mnie akurat w tym czasie nie było. I że kupuję tak na wszelki wypadek dwa razy więcej bułek i dwa razy więcej jajek, gdyby na przykład nie zadzwonił, tylko po prostu przyszedł na śniadanie. I pomidory też kupuję. Bo przecież lubi jajecznicę z pomidorami.

On planował swój czas i mój, nie pytając mnie o nic; przyjeżdżał po prostu na parking pod moje biuro w piątek po pracy. Wsiadałam. Całował moje dłonie i nadgarstki. Kłamałam, że „mam swoje plany na weekend". Najpierw udawał, że jest rozczarowany, i podwoził mnie w milczeniu pod mój blok. Wysiadałam. On czekał. Potem ja udawałam, że zmieniłam plany, cofałam się do samochodu i wsiadałam.

– Zmieniłam plany. Dla ciebie. Ostatni raz. Naprawdę ostatni – mówiłam, udając rozdrażnienie.

On za każdym razem uśmiechał się jak zadowolone z prezentu dziecko i jechaliśmy spod mojego bloku na Hel, do

Kazimierza lub w Bieszczady. Kiedyś nawet pojechaliśmy spod mojego bloku prosto do Pragi. I za każdym razem zmieniałam plany „naprawdę ostatni raz", i za każdym razem miałam wrażenie, że to jest jak spełnienie marzeń. Ta zmiana planów, których w ogóle nie miałam.

Trzymałam go za rękę, a on opowiadał mi, co zdarzyło się w jego życiu ostatnio. W każdej takiej podróży byliśmy trochę jak nastolatki, których rodzice wypuścili na wakacje pod namiot. Śmialiśmy się do bólu brzuchów albo kilometrami milczeliśmy, rozczuleni, dotykając swoich dłoni. Czy wiesz, że można mieć orgazm od muskania zewnętrznej strony dłoni? I że to może zdarzyć się na szosie za Łodzią lub przy wjeździe na obwodnicę Trójmiasta?

Czasami słuchaliśmy mojej ulubionej muzyki, czasami zatrzymywał się nieoczekiwanie na leśnym parkingu, aby mnie całować. Czasami prosił, abym czytała mu w drodze książki, które chciał przeczytać i nigdy nie miał na to czasu. Czy wiesz, że wspólne czytanie książek na głos znacznie mocniej wiąże ludzi niż wspólne spłacanie kredytu?

Czasami opowiadał coś, co wydawało się fantazją, a okazywało prawdziwym wykładem z fizyki lub kosmologii. Bo on, jak sam to mówił, „nie z własnej winy został informatykiem", ale tak naprawdę, to gdy go pytają, zawsze odpowiada, że jest fizykiem. I gdy ta fizyka nim zawładnęła, to zatrzymywał samochód na poboczu, wyciągał kartki lub wizytówki i rysował mi na nich teorię wszechświata. Tak jak wtedy, gdy przypomniały mu się te wszechświaty niemowlęce. Już sama nazwa podziałała na mnie tak, że natychmiast chciałam wszystko wiedzieć. Wszechświaty niemowlęce! Cale wszechświaty jak bańki mydlane, tyle że nie z mydła, tylko z czasoprzestrzeni powstałej po Wielkim Wybuchu lub zapadnięciu się do jednego punktu czarnych dziur. Niemowlęta zrodzone z piany wszechświatów lub z parujących czarnych dziur, wypełniających wszechświaty rodzicielskie. Niezależne od nich w sensie rządzących nimi praw fizycznych, ale będące ich kontynuacją. Zatrzymywał przy drodze samochód i tłumaczył mi z przejęciem te wszechświaty.

A gdy mijała ta podróż i zbliżaliśmy się do Helu, Kazimierza lub Bieszczad, byłam pewna, że następnym razem także „zmienię plany dla niego" i to także będzie „naprawdę ostatni raz". Tak kobieta niepostrzeżenie staje się kochanką.

Podróż mijała i to dopiero był początek. Dopiero teraz mieliśmy rozbić przecież ten namiot i wślizgnąć się do śpiwora.

Tak jak wtedy na Helu. To było pod koniec sierpnia. Mieszkaliśmy w pachnącym sosną i żywicą małym drewnianym domku tuż przy plaży. Nie spaliśmy całą noc. W pewnym momencie on wstał i przyniósł z łazienki biały frotowy ręcznik i owinął mnie nim. Wyszliśmy na mały taras zbity z desek pokrytych resztkami schodzącej płatami farby, oddzielony od plaży niską barierką ze spróchniałego drewna. Wschodziło słońce. Tylko na Helu i w Key West na Florydzie słońce wschodzi tak, że zaczyna się wierzyć w Boga, jeśli dotąd się nie wierzyło.

Usiedliśmy na tarasie, wpatrując się urzeczeni w horyzont. Wsunął rękę pod ręcznik i dotykał mojego podbrzusza. Podał mi otwartą butelkę z szampanem. Nie wiem do dzisiaj, czy to alkohol, czy to ten Bóg wypychający tego ranka tak pięknie słońce nad horyzont, spowodował, ale poczułam nagle niesamowitą bliskość z nim. Czułaś kiedyś coś takiego w stosunku do mężczyzny? Miałaś uczucie jego całkowitej przynależności do ciebie? Wydało ci się nagle, że jest jakaś mistyczna i uroczysta, ewangeliczna więź między wami? Taka tantra o wschodzie słońca. Ja to wszystko po kolei odczuwałam tam na tym obskurnym drewnianym tarasie na Helu. I chyba dlatego odważyłam się wtedy i powiedziałam:

– Tak bardzo chciałabym być twoją jedyną kobietą. Jedyną! Rozumiesz?! I wiedzieć, że będę cię miała jutro, w przyszły poniedziałek i także w Wigilię. Rozumiesz?!

Płakałam.

– Chciałabym być twoją jedyną kobietą. Tylko to.

Schylił głowę. Skulił się, jak gdyby to, co powiedziałam, było jak cios i teraz oczekiwał następnych. Wyciągnął palec z szyjki butelki z szampanem i zastygł w tej pozycji. Milczał. Po chwili wstał i poszedł w kierunku morza. Ja siedziałam, nie mogąc się ruszyć. Wracając, dotknął mojej głowy i powiedział cicho: „Wybacz mi".

Potem poszedł do kuchni i zaczął przygotowywać dla nas śniadanie. Nie kochaliśmy się już tego dnia. Następnej nocy także nie. A potem wracaliśmy w milczeniu samochodem do Warszawy.

To wtedy, w drodze powrotnej z Helu, zrozumiałam, że on nie będzie nigdy tylko moim mężczyzną. Jego można mieć całego dla siebie tylko okresowo. I powinnam to zaakceptować. Jeżeli nie można mieć całego ciasta, to i tak można mieć radość przy wydłubywaniu i jedzeniu rodzynków. Poza tym warto żyć chwilą, choć często chce się własne serce odłożyć do lodówki. I gdy w drodze powrotnej z Helu dotarliśmy do granic Warszawy, byłam już taka jakaś pogodzona, że znowu dotknęłam jego dłoni. Tam gdzie ma najbardziej wystające żyły. I gdy podjechaliśmy pod mój blok, on przyszedł do mnie na czwarte piętro. Pomógł wnieść walizkę. I został na noc. I taka pogodzona jestem także dzisiaj.

Jutro są moje urodziny. I jego rocznica ślubu. Od dziewięciu tygodni nie mam okresu. Będę miała jego dziecko. Już wcale nie boję się tej obrączki. Powiem mu jutro, że nie można kupować dwóch bukietów róż i myśleć, że wręcza się je kobietom z dwóch różnych, rozdzielonych wszechświatów.

On to z pewnością zrozumie i odejdzie od nas. Ale i tak pozostanie mi po nim cały wszechświat. Niemowlęcy.

Kochanek

Wracaliśmy z Helu. W samochodzie panowało milczenie, a przecież zwykle mamy sobie tyle do powiedzenia. Z milczeniem tak jest, że im dłużej się milczy, tym trudniej potem się odezwać. Ciążyły mi słowa Moniki.

Dwa dni temu wdychaliśmy zapach morza, siedząc na tarasie, kiedy nagle powiedziała, że chce być moją jedyną kobietą. Wiedziałem, że tak myśli, ale nigdy tego nie mówiła. Tym większą wagę miały jej słowa. Serce podeszło mi do gardła. Nic nie powiedziałem. Popłakała się. Nie mówiła o tym więcej, nie pytała, jakby chciała zostawić sobie nadzieję. Było mi jej żal, ale przestraszyłem się, że coś zrobi, jakieś okropne „coś", żeby te słowa stały się ciałem. A ja nie zamierzałem rozstawać się z żoną, przecież mamy małe dzieci. Kocham je. A żona jest mi bliska. Tak, mimo wszystko jest mi bardzo bliska. Zapaliłem papierosa, zauważyłem, że dłoń mi drży.

Nie kochaliśmy się z Moniką tej nocy. Leżałem obok niej i nie mogłem zasnąć. Chociaż widziałem, jak sny poruszają jej powieki i słyszałem jej oddech, czułem się zupełnie samotny.

Tak do dna. Jakiś drapieżny komar krążył nad nami jak myśliwiec. Zabiłem go.

Miasto powitało nas deszczem. Wycieraczki zmywały łzy z szyb. Odwiozłem Monikę do domu i odprowadziłem ją na czwarte piętro.

– Jak można mieszkać na czwartym piętrze bez windy – zasapałem się. Miała ciężki bagaż; nawet jak jedzie na weekend, zabiera ze sobą pół domu.

– To załóż mi windę, ty wszystko potrafisz.

Powiedziała to poważnie, ona chyba naprawdę wierzy, że jestem wszechmocny. Ale miała już dobry głos. Wiedziała, że myślami jestem w domu, przy rodzinie, i nie próbowała mnie zatrzymać. Ale miała jednak łzy w oczach. Odwróciła głowę, żebym tego nie widział.

Jadąc do domu, zajrzałem do całodobowej kwiaciarni. Znano mnie tam już dobrze. Dziewczyna o nieco skośnych oczach – tata musiał być Wietnamczykiem – powitała mnie, jak zawsze, nieco skośnym uśmiechem.

– Czerwone czy białe? – zapytała od razu i podeszła do róż.

Musiała mnie podejrzewać o jakąś wielką czerwono-białą miłość. Podobała mi się. Jeśli zdobędę się na odwagę, spróbuję się z nią kiedyś umówić.

– Jak było na konferencji? – zapytała żona. Miałem wrażenie, że przygląda mi się podejrzliwie.

– Mój referat się podobał – powiedziałem i dałem jej purpurowe róże. Wstawiła je do wazonu, wyrzucając stare kwiaty, które były już w marnym stanie.

– Co zrobisz, kiedy ja tak zwiędnę? – zapytała nagle.

– Jak to co, wezmę sobie młodszą... – To miał być żart. Chyba niefortunny.

Była poważna. Rozważała moje słowa. Po chwili milczenia zapytała:

– Ciekawe, czy ten wyjazd nie był z kochanką?

Poczułem, że mam kamień w żołądku. Szukała mojego wzroku; bałem się patrzeć jej w oczy, ale wiedziałem, że lepiej dla mojego kłamstwa, by znalazła moje oczy. Znalazła je, ale nie pozwoliłem jej zajrzeć w nie za głęboko.

– Ty chyba coś ukrywasz – powiedziała.

Kamień w moim żołądku się poruszył. I miałem nieodpartą potrzebę, żeby zapalić. Pewnie zaraz wybuchnie gniewem. Joanna ma dwie twarze, łagodną i piekielną. Czasami podejrzewam, że cierpi na zaburzenia osobowości typu borderline, tak szybko i gwałtownie zmienia jej się nastrój. Monika nigdy tak się nie denerwuje, jest jak tafla jeziora w bezwietrzny dzień, ale znam ją tylko od dobrej strony. Nasze spotkania to święto. Ruchome święto.

Wyszedłem na balkon z papierosem. Gwiazdy wirowały na czarnym niebie, pomyślałem: „Co znaczy mój małżeński problem wobec wszechświata?". Wróciłem, nastawiłem wodę na herbatę i żeby odwrócić uwagę żony od podejrzeń, snułem przygotowane uprzednio kłamstwa na temat konferencji. Ale drugim nurtem płynęło wspomnienie, jak kochałem się z Moniką na Helu. To zagadka, a może po prostu magia, że pożądam jej przez cały czas, że z tym się budzę i z tym zasypiam. Żona nie ma fantazji. Rzadko uprawiamy seks, ale to jest jej wola, by robić to rzadko. A przecież to sprawia większą przyjemność jej niż mnie. Jej wielokrotne orgazmy są godne zazdrości. Tłumaczyła, że im rzadziej to robimy, tym większą ma potem rozkosz. Gdy nie było jeszcze Moniki, irytowało mnie to, w złości mówiłem jej czasami: „A ja lubię często, więc ktoś trzeci będzie musiał nam pomóc". I zaczynała się awantura. Różnimy się z żoną w wielu sprawach, w zbyt wielu: ja na przykład uwielbiam Cohena, a ona go nie znosi – mówi, że to depresyjny wyjec. Różnić się to pół biedy. Ważne, co robimy z tymi różnicami. W przypadku moim i żony różnica opinii buduje nasz gniew i irytację. To typowe, kiedy żyje się w akwarium małżeństwa. Z Moniką nie kłócę się nigdy – ustępuje mi, nawet jak ma odmienne zdanie. A bywa, że to ja ustępuję. Te różnice są maleńkie w porównaniu z tym, jak wielka namiętność nas łączy. Zbudowaliśmy więc z kochanką tradycję kompromisu, a w domu, z żoną, tradycję konfliktu. Klasyka. W każdym związku jest jakaś tradycja, sposób radzenia sobie z różnicą poglądów. To od niej zależy, czy małżeństwo przetrwa. Coraz trudniej o to dzisiaj. Gdy kobiety wyszły z domu męskiej niewoli, obie strony są wolne i egoistyczne, dlatego tak trudno o kompromis. I pięćdziesiąt procent małżeństw się rozwodzi. A drugie pięćdziesiąt procent się nie rozwodzi, bo małżonkowie nie mają już na to siły, tak są sczepieni kłami i pazurami. Czy myślę o rozwodzie? Myślałem, zanim urodziło się nam drugie dziecko. Teraz już nie myślę. To była wpadka. Zdarza się. Ale jaka słodka. Kocham moje dzieci. Z żoną się przyjaźnię, po tylu latach to wielki sukces. W rzadko którym małżeństwie się to udaje. Wobec kobiet potrafię być czuły i serdeczny, ale nie potrafię ich kochać; potrafię za to kochać dzieci. Nie mam więc serca z kamienia. Ta moja ostrożność wobec kobiet to sprawka mojej mamy. Odtrącała mnie w dzieciństwie i teraz odruchowo boję się głęboko zaangażować, by nie cierpieć, kiedy zostanę porzucony. Tylko ten, kto kocha, może być boleśnie odtrącony.

Zdaję sobie sprawę, że Monikę tak lubię też dlatego, że mam ją tylko raz na jakiś czas. Moja żona jest piękna, ale jeśli mamy jakieś piękno na co dzień, przestajemy je cenić i zauważać. Dotyczy to nie tylko kobiet, ale też obrazów na ścianach czy niezwykłych widoków za oknem. Wszystko co mamy stale przed oczami, powszednieje.

Młodsza córka, Natalia, zupełnie nieplanowana, urodziła się nam nie tak dawno. I jest oczywiste, że jest. Że musiała być. Cała przeszłość świata pracowała na to, by pojawiła się na ziemi. Czasami jednak, kiedy żona się wścieka na mnie bez powodu, wołam:

– To rozwiedź się ze mną, skoro jestem taki okropny!

– A chciałbyś!! To idź do tej swojej Klementyny! – krzyczy nieswoim głosem, nagle chropowatym i grubym. Wcześniej nie znałem takiego jej głosu. Gdybyśmy znali ukryte głosy kobiet, ich piwnice, nigdy byśmy się nie żenili. Kobiety więcej ukrywają, grając często role grzecznych dziewczynek. To się jednak kończy, a powodem jest feminizm. I nagle się okazuje, że one mają wszystkie męskie wady, plus te kobiece. Tak jest prawdziwiej, ale czy lepiej? Na pewno jest brzydziej i trudniej. Słucham czasami rozmów nastolatek. Kiedyś jak młode panienki mówiły, miały płatki kwiatów na wargach; teraz mają kurwę.

A Klementyna jest moją znajomą z pracy i jeśli nas coś łączy, to praca i serdeczne koleżeństwo, ale żona jest o nią zazdrosna. Nie mieści się jej w głowie, że facet może być z kobietą blisko, ale bez seksu. A ja tak potrafię. Odpowiada mi nawet zazdrość żony o kobietę, z którą nie łączy mnie romans. Co za luksus – zaprzeczać w imię prawdy; wtedy jakby część tej prawdy zdaje się zasłaniać moje kłamstwa.

*

Wyjazdy z Moniką to odpoczynek po stresie w pracy i w domu. Mam taką pracę, że mogę te wyjazdy zakamuflować. Jestem informatykiem, sprawdzam sieci komputerowe w firmach w całej Polsce. Czy w czasie wyjazdów z Moniką nie boję się, że spotkam znajomych? Bardzo się boję. Dlatego już nigdy nie pojedziemy na Hel – widziałem na deptaku w Juracie kolegę z pracy, który zna moją żonę; na szczęście on nas nie widział. Albo udawał, że nie widzi. Bieszczady też przestały być puste i robią się zatłoczone. Monika nie rozumie problemu, a może podświadomie chce, by doszło do nieszczęścia. Muszę wymyślić jakieś ładne miejsce, gdzie nie spotkamy znajomych.

Mieliśmy być razem w Brukseli, odbywałem tam jakieś szkolenie. Monika obiecała dojechać. Nie dojechała. Podobno chorowała. Ale okazało się, że zmieniła zamki w swoich drzwiach i klucz, który miałem do jej mieszkania, przestał pasować. Próbowała ze mną zerwać. Myślałem, że ma jakiegoś nowego kochanka. Nie byłem zazdrosny, w każdym razie nie tak, jak powinienem, nie chciałem jednak jej stracić. Może to sprawka jej matki, która wie o nas. I rozpacza z tego powodu. Ona jest chorobliwie związana z matką.

Żona jest w moim wieku. Monika jest ode mnie o osiem lat młodsza. Uważam, że to odpowiednia różnica wieku między kobietą i mężczyzną. Żona zaczyna się już starzeć. Jak wszystkie kobiety przed Wielką Zmianą ma dni, kiedy wygląda ładnie, i dni, kiedy wygląda źle. Wkrótce to źle weźmie górę nad ładnie. I tak jej zostanie. A mnie podobają się coraz młodsze kobiety, nawet nastolatki. Ich młodość ma w sobie woń upału i rześki chłód wiosennego poranka. Czy jestem zboczony? Większość facetów ukrywa, że rajcują ich nastolatki (za tym ukrywa się pociąg do małych dziewczynek – pozostałość z czasów, kiedy byliśmy małymi chłopcami, piekielnie ciekawymi, co też te odmienne od nas istoty mają między nogami).

Spotykam się też z Beatą, ale rzadko. Jest młoda. Często bym nie dał rady. Mieć żonę i dwie kochanki, w sumie trzy kobiety, plus dwie córki to i tak niezły wynik. Ale mnie z tym dobrze, czuję się spełniony i wypieszczony. Większość facetów o czymś takim marzy, ale mało kogo na to stać. Czy mnie stać? Tu znowu pewnie winna jest moja mama. Nie dała mi zbyt wielu uczuć, bo też ich nie dostała od własnej matki. A ja teraz rekompensuję to sobie, próbując przytulić się do wszystkich kobiet świata. Zanim zacząłem żyć z trzema kobietami, miałem wiele przygód, takich na chwilę.

Monikę po raz pierwszy zobaczyłem we Włoszech, w małym miasteczku Avegno. W kościele. Płakała, byłem pewien, że po stracie dziecka. Była piękna i wzruszająca ze swoimi łzami. Nie wyglądała na Włoszkę. Okazało się, że jest Polką i – nie do wiary – wynajętą płaczką. Co za historia, tak mnie to rozbawiało, że prawie się zakochałem. Ale mój wewnętrzny opiekun pogroził mi wtedy palcem – nie rób tego, odtrąci cię prędzej czy później i będziesz cierpieć.

W Monice podoba mi się też to, że wie, o co lepiej nie pytać. Nigdy nie pyta, czemu noszę obrączkę. Na szczęście nie miała możliwości przeczytać napisu na niej: *Joanna. 30.01.1978*. Nigdy też nie pyta, czemu jej daję białe róże, a żonie purpurowe. Czasami kupowałem róże dla obu pań i przynosiłem do niej róże dla żony. Je też zawsze wsadzała do wazonu, żeby nie były złaknione. Jest dobra, żal jej nawet róż dla mojej żony. Bałem się, że ją zaboli, że kupuję róże dla niej i dla żony. Nie bolało, może udawała, że nie boli?

To też jej zaleta. Monika nigdy nie pyta o moje dzieci i o żonę. A ja przy niej na żonę nigdy nie narzekam. To kwestia smaku.

Beata, moja młoda kochanka, ma trzyletnią córeczkę. Mówi, że ma dwadzieścia dwa lata, ale podejrzałem jej dowód, kiedy była w łazience. Ma tylko dwadzieścia. Musiała być niemal dzieckiem, kiedy urodziła. A na dodatek nie podała mi swojego prawdziwego imienia i nazwiska. Trochę podejrzane. Ale nie ujawniłem, że znam prawdę. Znać czyjeś kłamstwa i trzymać to w ukryciu to też pewna forma władzy nad tym, co kłamie.

Dlaczego Beata zaszła tak wcześnie w ciążę? Jestem ciekaw, ale nie pytam, czuję, że nie chce o tym mówić. Spotykamy się rzadko, to tylko seks i nic więcej. Z Moniką mam wymianę duchową. I rozmawiamy o wszystkim. Dlatego Monice i żonie daję kwiaty, a Beacie pieniądze. Wiem, że ledwo wiąże koniec z końcem. Udaje, że te pieniądze tylko pożycza, kiedyś je odda. Czasami zdaje mi się, że sam siebie oszukuję, udaję, że nie wiem, że ona robi to tylko dla pieniędzy. Ale jeśli nawet tak, to robi to też dla dziecka, więc ze szlachetnych pobudek. Ale mam też pewność, że jest jej ze mną dobrze. Nie jest ciekawa mojego życia. Czysty, erotyczny układ. Pytanie, czy jestem jedyny? Nie jest to jednak problem, które mnie męczy. Nie jestem o nią zazdrosny. Byle się czymś nie zarazić. Byle nie zaszła ze mną w ciążę. Nie bierze pigułek. Żadna z moich kobiet ich nie bierze, paradoksalnie sprzyja to seksowi, bo zmusza do urozmaiceń. Nie znoszę prezerwatyw. Nie rozumiem, jak można się tak kochać. Na widok prezerwatywy od razu więdnę. Spotykam się z Beatą raz na dwa tygodnie, zawsze w południe, kiedy mała jest w przedszkolu. Więc nawet nie znam tej dziewczynki.

Tak, kobiety mnie fascynują, największą przyjemność sprawia mi sprawianie im przyjemności. Nie tylko w seksie.

Jestem poganinem wierzącym w Boga. Ale nie wierzę w kler i w instytucję Kościoła, szczególnie w ten polski, konserwatywny i bezrozumny. Zachodzę do kościoła, ale nie w tych godzinach, kiedy chodzą wszyscy. Jak turysta. Z Moniką czasami rozmawiam o wierze, z żoną nigdy. Beata nie jest ładna, ale ma w sobie to coś, ten chemiczny pakiet erotyczny. I ma młodość, żywą i czystą. Z Beatą poruszam tylko lekkie tematy, najczęściej nasz dialog wygląda tak:

„Wolniej… szybciej… delikatniej… poczekaj… pieść moje piersi".

„Weź w dłonie jądra".

„Kocham ciebie"

„Ja ciebie też".

Po czym wychodzę z jej mieszkania, jak gdyby nigdy nic. Z mieszkania Moniki nigdy tak nie wychodzę; ociągam się, jakbym się bał, że rozsypie się czułość, którą zbudowaliśmy dla siebie nawzajem.

Mam klucze do mieszkania Moniki, tak mi ufa. Ale zabrała mi je, gdy tak nawaliła z Brukselą; nie wiem i nie rozumiem, co się wtedy stało. Pewnie już wtedy wymyśliła sobie, że chce, abym był jej na wyłączność. A ja nie jestem na wyłączność dla nikogo. Nie potrafię i nie chcę. Przez sto osiemdziesiąt dwa dni nie miałem klucza do jej domu ani do jej serca. A teraz mam go znowu. Gdybym mieszkał sam, żadna kobieta oprócz żony nie miałaby klucza do mojego mieszkania, jak żadna nie ma do mojego serca. Przez ten czas rozstania przytyłem pięć kilo. Ciekawe dlaczego? Już sześć lat spotykam się z Moniką. Rozumiem, że ma trudną sytuację. Czy mam wyrzuty sumienia, że marnuję jej życie? Czasami. Ale z naszym sumieniem też toczymy różne gry.

Po stu osiemdziesięciu dwóch dniach rozstania pojechałem na dworzec; wiedziałem, że jedzie do Torunia. I tak wróciliśmy do siebie. Skąd wiedziałem? Jestem informatykiem,. Włamałem się do jej poczty mailowej. Nie mogłem się powstrzymać, byłem pewien, że ma jakiegoś faceta. Nie miała. A ona do dzisiaj jest pewna, że ten dworzec to moja intuicja. Tak jej powiedziałem. Uwierzyła, chciała uwierzyć. Było to dla niej dowodem mojej miłości. Zgrzeszyłem, włamując się do jej poczty, ale zrobiłem to tylko raz. I nigdy więcej.

Ale to też prawda, że mam intuicję, można powiedzieć, że kobiecą. Intuicja to myślenie w sferze podświadomej, ale oparte na wiedzy i doświadczeniu. Czasami moja intuicja wywołuje niepokój, który płynie jak podziemny strumień. Od niedawna czuję taki niepokój. Skoro moja żona zaszła w ciążę i urodziła się Natalia – nie bierze pigułek, ale jesteśmy ostrożni, jak się okazało jednak niewystarczająco – czemu nie mogłoby się to przydarzyć którejś z moich dwóch pozostałych kobiet? W końcu przyjemność płynąca z seksu przysłania akt, który pierwotnie służy zapłodnieniu. Przyjemność jest tylko przynętą.

Z Moniką kocham się zwykle alternatywnie, więc bezpiecznie, rzadko po bożemu. Odkryłem, że sprawia mi przyjemność, kiedy mówi do mnie po francusku w czasie seksu; to erotyczny język, studiowała romanistykę. Proszę ją o to. Przekonałem ją nawet do pozycji 69, pieścimy się często do końca nawzajem ustami. Monika jest naiwna i niemal uwierzyła, kiedy jej powiedziałem, że są przypadki zajścia w ciążę w ten sposób, a płód rozwija się wtedy w żołądku. O Monikę jestem spokojny, nie zajdzie w ciążę. Wiem, jak jest ostrożna. I jak się tego boi. Prawdziwym zagrożeniem jest Beata. Nigdy nie prosi mnie o ostrożność, gdy się kochamy.

Kiedy byłem u niej tydzień temu, zaniepokoił mnie ton jej głosu i spojrzenie, jakby chciała mi coś powiedzieć. Niczego nie powiedziała. A ja nie pytałem – ze strachu, co to może być. I wtedy ruszył strumień niepokoju. Jest w ciąży? Zablokowałem jednak to myślenie. A potem był wyjazd z Moniką na Hel. Teraz strumień niepokoju znowu wpłynął na powierzchnię.

Kochałem się z żoną; musiałem dać jej dowód, że jej pragnę, że z nikim nie byłem, co podejrzewała. Lubię patrzeć jej w oczy, gdy dochodzę do szczytu, czuję wtedy, że zaglądam do wnętrza wulkanu, który zaraz wybuchnie. Ale tym razem nie patrzyłem. Bałem się, czy nie odczyta czegoś z moich oczu. A potem nie mogłem zasnąć, tak dręczyła mnie obawa, że Beata jest w ciąży. I że cały ten nasz dziwny i trochę niepojęty dla mnie romans jest po to właśnie. Jak mogłem wcześniej nie dostrzec, pewnie chce mnie usidlić? Jest sama z dzieckiem, w bardzo trudnej sytuacji. Ktoś mi mówił, że to będzie znak nowych czasów, polowanie kobiet na zamożnych mężczyzn, również żonatych; zachodzić będą w ciążę, a nowe prawo zapewni im dostanie życie, na które łożyć będą usidleni. Więc to mężczyźni, a nie kobiety, powinni się bać seksu bez zabezpieczeń. Teraz bałem się już nie na żarty.

Nazajutrz w pracy nie mogłem się skupić. Co robić w tej sytuacji? Zwykle o wszystkich swoich problemach mówię Monice, więcej jej mówię o swoich kłopotach niż żonie, która łatwo wpada w histerię. I to jest prawdziwa zdrada – nie seks – jeśli zwierzamy się innej kobiecie. Teraz jednak powiedzieć Monice, że mam drugą kochankę.

Należę do ludzi, którzy wychodzą naprzeciw dramatom, a nie chowają się przed nimi po kątach, nie zamykam oczu, nie zatykam uszu. Kiedy będę umierał, spojrzę śmierci w oczy.

Zadzwoniłem do Beaty. Dzwoniłem do niej tylko wtedy, kiedy mieliśmy się spotkać. Chciałem się z nią spotkać jak najszybciej i wyjaśnić sytuację. Zmuszę ją, by przerwała ciążę. Nie odebrała telefonu. Dzwoniłem co kwadrans. Co ona kombinuje? W tym pieprzonym kraju nie można nawet zrobić legalnie aborcji. Poszperałem w Internecie i się uspokoiłem – to tylko kwestia ceny. Można też wyjechać za granicę, choćby do Niemiec.

Zadzwoniłem do Moniki; była ciepła i serdeczna jak zawsze. I chciała się ze mną zobaczyć. Obiecałem, że wpadnę wieczorem, ale będę w biegu, więc tylko na chwilę.

– Mam ci coś ważnego do powiedzenia – powiedziała, ale ciepło, więc nie zaniepokoiłem się.

Postanowiłem, że jeśli Beata nadal nie będzie odbierać telefonu, pojadę do niej. To ryzykowny pomysł; była zagadką, teraz większą niż niegdyś. Czy chciałem jej rozwiązania? Właściwie to dziwne, że do tej pory tak bezboleśnie, bez dramatów i wpadek udawało mi się wieść moje wielopoziomowe życie. Czy teraz znika moja szczęśliwa gwiazda?

Doczekałem z trudem do wieczora. Telefon Beaty żył, ale odrzucała moje połączenia. Powiedziałem żonie, że muszę jechać nagle do klienta. Patrzyła na mnie podejrzliwie, nie podobało mi się jej spojrzenie.

*

Beata mieszkała w starej kamienicy, na pierwszym piętrze. Kiedy zobaczyłem, że w oknie pali się światło, serce zabiło mi mocniej. Jest tam pewnie jej córka, której nigdy nie widziałem. To nie był dobry pomysł, żeby pukać do jej drzwi. Ale czułem, że jeśli tego nie zrobię, zje mnie niepokój. Schody, które tak dobrze znałem, liczyły moje kroki. Pachniało środkiem czystości. Nie zapaliłem światła w korytarzu. Stałem przez chwilę przed drzwiami, nasłuchując. Nie, to zbyt duże ryzyko. Chciałem odejść, gdy nagle otworzyły się drzwi i zostałem uwięziony w smudze światła. Stał w nich facet, młody, wysoki i dobrze zbudowany. Trzymał w ręce kolorowy worek ze śmieciami; kolor worka mówił, że są to papiery.

– Przepraszam... Szukam państwa Malinowskich, podobno mieszkają w tym bloku... – W nagłej potrzebie przyszło mi do głowy tylko to banalne nazwisko. Przybiegła mała dziewczynka i przytuliła się do jego nogi.

– Zapytam żony – powiedział. – Danusia, czy w naszym domu mieszkają jacyś Malinowscy?

Usłyszałem jej głos. To nie miała na imię Beata?

– Nie wiem, ale chyba nie, na pewno nie.

– Tato, a kto pyta? – zapytało dziecko.

Beata, a teraz Danuta pojawiła się nagle w drzwiach. Udawała, że mnie nie zna. Miała takie oczy, jakby naprawdę widziała mnie po raz pierwszy. Przeprosiłem i odszedłem. Czułem się idiotycznie, ale byłem uspokojony – nie jest w ciąży, a jeśli jest, to nie ze mną. A jeśli ze mną, to i tak wszystko będzie na jej męża. Czułem się oszukany i zagubiony. Głowiłem się, jak ona przede mną zatajała obecność męża w mieszkaniu. Czy wiedział o naszych spotkaniach?

*

Kupiłem białe róże i pojechałem do Moniki. Czułem ulgę na myśl o spotkaniu z nią. Oczyma wyobraźni widziałem, jak wbiegam po schodach, rzucam w kąt marynarkę i zaczynam ją rozbierać już w korytarzu.

Nie zgodziła się na to. Powiedziała, żebym usiadł, że ma mi coś ważnego do powiedzenia. Usiadłem…

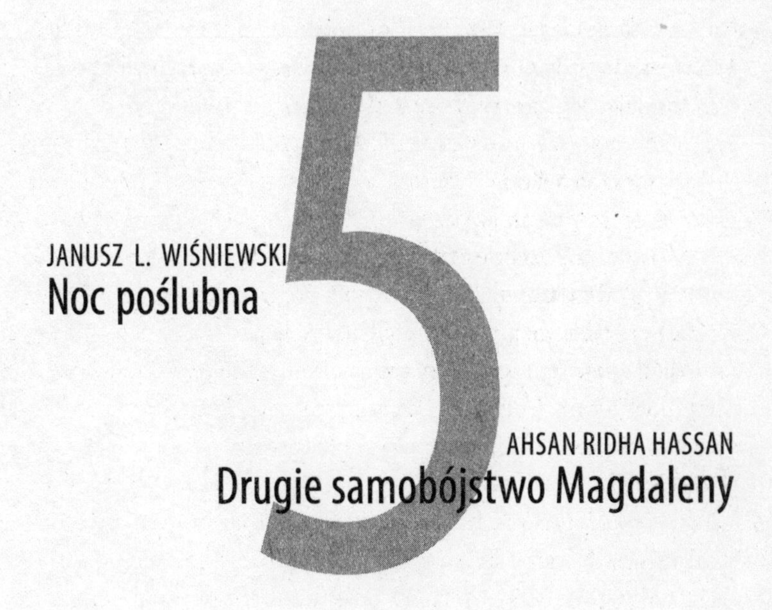

JANUSZ L. WIŚNIEWSKI

Noc poślubna

AHSAN RIDHA HASSAN

Drugie samobójstwo Magdaleny

Janusz L. Wiśniewski

Noc poślubna

A Helga mnie okropnie rozczarowała – pomyślała z wściekłością, pchając plecami z całej siły ciężkie stalowe drzwi za sobą i zmiatając przy tym z betonowej podłogi kawałki gruzu i odłamki szkła z rozbitej żarówki.

Chciała być przez te ostatnie dwie godziny zupełnie sama. Odwróciła się twarzą do drzwi, aby przekręcić klucz w zamku, i wtedy dostrzegła nad swoją głową kalendarz, który Hedda zawiesiła na jednej z pordzewiałych śrub, wzmacniających konstrukcję drzwi.

Moja mała Hedda – pomyślała rozczulona, przypominając sobie tę scenę sprzed kilku dni. To było bardzo wcześnie rano. Wszyscy leżeli jeszcze w łóżkach. Dawno przyzwyczaili się do wybuchów na zewnątrz, ale ten wydawał się tak bliski, że mała Heide, która spała przytulona do niej, obudziła się przestraszona i zaczęła płakać. Wtedy Hedda wstała z łóżka, w samej nocnej koszuli i boso przebiegła po betonowej podłodze, podsunęła do drzwi krzesło stojące zwykle przy toaletce, stanęła na nim i zawiesiła kalendarz na tej ohydnej śrubie. I gdy schodziła z krzesła, zahaczyła koszulą nocną o oparcie i rozdarła ją niefortunnie. Pamięta, że roześmiała się tak głośno, że nawet Helmuth, którego, jak sądziły dotychczas, nie obudziłby granat wrzucony pod łóżko, otworzył oczy. A Hedda, chociaż nie miała jeszcze nawet siedmiu lat, z godnością, spokojnie opuściła resztki koszuli i wróciła z podniesioną głową do łóżka.

Moja mała, kochana Hedda…

Dzisiaj także połknęła spokojnie zawartość ampułki, którą podał jej ten zasmarkany, trzęsący się ze strachu pożal się Boże doktorek, ten Stumpfegger, czy jak mu tam. Połknęła i z godnością osunęła się na kanapę, a ten Stumpfegger jęknął przy tym tak, że Helga zaczęła patrzeć na mnie z przerażeniem.

Moja mała Hedda…

To ona powiesiła ten kalendarz. I potem zaczynali w siódemkę, ona i dzieci – Joseph mieszkał w głównym bunkrze blisko Führera – każdy dzień od zrywania kartki z kalendarza, co robiła Hedda. Tak teatralnie skupiona, uważająca, aby nie zaczepić koszulą nocną o krzesło – one zawsze uśmiechały się w tym momencie. Tylko Helmuth spał jak zwykle. I dzisiaj rano nie było inaczej. Hedda wspięła się na krzesło i zerwała kartkę. Ostatnią. Pierwszego maja 1945 roku. Czwartek.

Moja mała Hedda…

Przekręciła klucz w zamku stalowych drzwi, oddzielających jej komorę od korytarza prowadzącego do głównego wejścia i dalej stromymi schodami dwie kondygnacje w dół do głównego bunkra. Nie znosiła tego miejsca. Jak Joseph mógł się zgodzić, aby ona z dziećmi mieszkała tak wysoko, pod samym dachem lewego skrzydła bunkra?! Nad nimi była już tylko warstwa ziemi w ogrodzie przy Kancelarii Rzeszy. Te wybuchy i eksplozje na zewnątrz stały się nie do wytrzymania. On miał wygodną komorę szesnaście metrów niżej, tuż obok sypialni Führera w bunkrze głównym, i wcale nie słyszał tego piekła!

Odwróciła się i przeszła na kanapę obok umywalki. Miała dokładnie 2 godziny i 17 minut czasu. Była 17:03. Joseph przyjdzie tutaj punktualnie o 19:20. Będzie jak zwykle elegancko ubrany. Kapelusz, skórzane białe rękawiczki. Ciekawe, czy włoży te, które podarowała mu w dniu jego czterdziestych czwartych urodzin?

Rok temu Hanna na jej prośbę w październiku poleciała z nimi w nocy do Wenecji. Wystartowali z Tegel. Joseph zupełnie się tego nie spodziewał; w limuzynie powiedziała mu, że „wyciąga go tam, gdzie było nam tak dobrze". To było takie podniecające. Nie wie do dzisiaj, jak Hannie udało się wydostać tym samolotem z Berlina. Joseph mówił, że ona miała zawsze dostęp do specjalnych map. Zamieszkali w tym samym hotelu co wtedy, w 1936 roku, gdy pojechali na prywatne zaproszenie Mussoliniego. Ale nie było tak jak wtedy. Zupełnie nie. Wtedy kochali się całą noc i Joseph spóźnił się na konferencję prasową następnego ranka. Teraz Joseph nawet jej nie dotknął i całą noc czytał jakieś raporty i opowiadał jej o „złych doradcach Führera", o „ogromnym poczuciu winy z powodu niedokończonego problemu ostatecznego rozwiązania sprawy Żydów". I płakał z bezsilności, a czasami wcale do niej nie mówił, tylko przemawiał jak na wiecu do tych prymitywnych analfabetów gdzieś na zapadłej wsi koło Hamburga. Następnego dnia kupiła mu te rękawiczki w sklepie obok hotelu i po południu po prostu wrócili z Hanną do Berlina. Nie chciała spędzać kolejnej nocy w Wenecji z ministrem propagandy.

Joseph przyjdzie o 19:20. Porozmawiają o tym, że „dzieci odeszły godnie". Nie powie mu oczywiście, jak zachowała się Helga. Jego pierworodna, ukochana córeczka tatusia, Helga

Goebbels, którą do chrztu trzymał sam Führer. Nie! Nie powie mu tego. Wpadłby w wściekłość i zanim udałoby się jej go uspokoić, spóźniliby się z pewnością na pożegnanie. A Joseph i Magda Goebbels nie spóźniali się nigdy. Nigdy. I ten ostatni raz także się nie spóźnią. I tak ma zostać. I taka prawda o nich ma być zapisana w historii. Dlatego nie powie mu, że musiała dzisiaj po południu siłą wlewać Heldze cyjanowodór do gardła. I że ten zasmarkany kretyn, to zero, ten Stumpfegger, który nawet nie zasługuje na rozstrzelanie, gdy zobaczył, że Helga klęczy na podłodze i zanosi się od płaczu, wybiegł po prostu, krzycząc na cały korytarz i zostawił ją tam zupełnie samą.

No więc Joseph przyjdzie o 19:20, zlustruje ją od stóp do głów i gdy wszystko będzie w porządku, zejdą schodami dwie kondygnacje w dół, do głównego bunkra. Dokładnie o 19:30, tak jak wczoraj było zapowiedziane. Mają być wszyscy. Tak ustalił Joseph. I dlatego też będą wszyscy. I dlatego ona musi wyprasować jeszcze spódnicę i odświeżyć tę granatową marynarkę. To w niej była cztery dni temu, gdy Führer w pewnym momencie przy kolacji zupełnie nieoczekiwanie odpiął złoty krzyż od swojego munduru, podszedł powoli do niej i jako pierwszej damie Rzeszy, przy wszystkich, przypiął go do jej granatowej marynarki. I wtedy poczuła tę olśniewającą dumę. To mistyczne poruszenie i bezgraniczne oddanie Führerowi, Partii i Sprawie. I to wtedy tak naprawdę poczuła, jak wielkie jest to „wyróżnienie, którym obdarzył ją, Josepha i ich wszystkie dzieci: Helgę, Hildę, Helmutha, Holde, Hedde i Heide łaskawy los, że mogą być tutaj razem z Nim, z Führerem, a potem razem z Nim odejść z tego świata". I wtedy także wiedziała, że „Bóg da jej siłę, aby to ostatnie, najtrudniejsze zadanie wypełnić godnie, nieodwołalnie i do końca". I dzisiaj po południu wypełniła to zadanie, a teraz odświeży tę granatową marynarkę, przypnie złoty krzyż i będzie czekać na Josepha. A potem, krótko po 19:30, gdy już pożegnają wszystkich, powoli przejdą schodami na górę i będzie koniec. Joseph się zastrzeli, a ona połknie swoją ampułkę. Adiutant Josepha ma przykazane spalić ich ciała, ale przedtem strzałem z pistoletu w głowę ma „upewnić się, że z pewnością nie żyją".

Miała jeszcze trochę czasu. Zdjęła buty i położyła się na kanapie przykrytej poplamionym przez dzieci pledem. W zasadzie, zamiast leżeć, powinna usiąść teraz przy stoliku obok umywalki i pisać swój dziennik. Nie miała jednak siły pisać. Chociaż powinna. Poza tym jutro Joseph przy śniadaniu nie zada jej pytania, które zadaje od lat: „Spisałaś wczorajszy dzień?".

Nie. Jutro nie zada tego pytania. Jutro nie będą po prostu jedli razem śniadania.

Dlatego dzisiaj nie ma absolutnie żadnego znaczenia, że Joseph przykazał jej „spisywać swoje życie", a ona tego nie zrobi. Wieczorem zawsze powtarzał dzieciom: „Wasz ojciec nie pójdzie spać, póki nie spisze historii, którą tworzył w trakcie upływającego dnia". Bo Joseph wierzył, że nieustannie tworzy historię. Ciekawa była czasami, jakie to on historie – bo przecież nie Historię – tworzył każdego dnia w tym swoim Ministerstwie Propagandy. Bardzo była ciekawa.

Ciekawe też, czy spisał tę pikantną historyjkę z tą małą zarozumiałą „artystką" z Pragi, tą pożal się Boże aktorką, Lidą Baarovą. Ona chodziła z Hode, ich czwartym dzieckiem, w ciąży, a on zapraszał tę Baarovą do Ministerstwa Propagandy i gził się z nią na marmurze lub dębowym biurku w tym swoim biurze przypominającym pałac Nerona. Gdy jego sekretarz, Karl Hanke, który potajemnie się w niej kochał, doniósł jej o tym, Joseph próbował ją wzruszyć kiczowatą opowieścią, jak to „śmiertelnie i nieopatrznie zakochał się w tym aniele" i gadkami, że on ją szanuje i mogą jakoś to „we troje zorganizować". Ciekawe, że miłość do „anioła" minęła natychmiast i bez śladu, gdy tylko dotarło to do Führera. Gdy Hitler otrzymał potwierdzoną przez SS wiadomość, że jego minister propagandy chce rozwieść się z ciężarną matką trójki wzorcowych aryjskich dzieci, to po prostu dostał ataku szału. Takiego prawdziwie nazistowskiego. Z pianą na ustach, bieganiem po kancelarii i groźbami, że „ten kulawy Goebbels skończy jako garstka prochu w Buchenwaldzie, który już przecież budujemy". Hitler wściekł się tym bardziej, że akurat planował aneksję Czech, nikomu w Europie niepotrzebnego kraju Baarovej, a prasa i tak już pastwiła się nad nim za to, że toleruje swojego ministra wojny, marszałka polowego Blomberga, który zakochał się i pojął za żonę jedną z bardziej znanych w Berlinie prostytutek. Bo w 1936 roku ciągle jeszcze była w Niemczech wolność prasy i można było pisać o marszałkach polowych. A tym bardziej o prostytutkach.

To było tak dawno temu...

Nie mogła przestać myśleć o Heldze. Rozczarowała ją! I to akurat Helga, z której zawsze była taka dumna. I Joseph także. Ale ona była najstarsza i być może zauważyła, że dzisiaj, a tak naprawdę to od ślubu „wujka Adolfa" z „tą panią Braun", było wszystko inaczej.

„Ta pani Braun"...

Tak nazywali ją wszyscy, którym chociaż raz dane było otrzeć się o kancelarię Rzeszy lub Obersalzberg, gdzie mieszkał Hitler. „Ta pani Braun" z akcentem na „ta". Bo oficjalnie Führer – to głównie Joseph na wiecach osobiście wykrzykiwał tę absurdalną bzdurę – „nie ma prywatnego życia i dzień i noc służy niemieckiemu narodowi". Naród oczywiście nie wierzył. I miał rację. Bo przynajmniej raz, a czasami dwa razy w miesiącu Führer służył na początku w dzień, a z upływem czasu także w nocy córce krawcowej z Monachium, „tej" Evie Braun, zmarłej Hitler. Tak było na początku, jeszcze w Monachium, w mieszkaniu Hitlera na Prinzregentenplatz, w trzydziestym drugim, gdy dwudziestoletnia Braun bywała na „sofie Wilka", i tak było do końca w sypialniach Führera w rezydencji w Obersalzberg, począwszy od trzydziestego szóstego. Wie to dokładnie od najlepszej przyjaciółki siostry Braun, Gretl. Przyjaciółka Gretl Braun bardzo lubiła „bywać w dobrym towarzystwie", więc zapraszała ją regularnie, oczywiście gdy Josepha tam nie było, do ich berlińskiego domu, aby dokładnie wiedzieć, jak „daleko zaszły sprawy" między tą Braun a Wilkiem. Sprawy „zachodziły daleko", ale bardzo rzadko, bo Wilk rzadko miał czas i ochotę bywać na sofie z kimkolwiek.

Poza tym rzadko był wilkiem. Pamięta, jak poruszona słuchała opowieści, „pod przysięgą na Boga, że to prawda", jak to Eva żaliła się siostrze, że „nie jest dla A. kobietą, tylko matką". Hitler bałwochwalczo kochał swoją matkę. To wiedzieli wszyscy. To jej fotografia była zawsze nad jego łóżkiem. Nawet w hotelikach, w których zatrzymywał się na dłużej niż trzy noce. Ale to, co opowiadała ta przyjaciółka Gretl Braun, było jak nie z tego świata. Eva żaliła się mianowicie siostrze, że „Adolf kazał jej spryskiwać piersi perfumami, których używała jego matka, potem przychodził do niej do łóżka i ssał je, imitując płacz niemowlęcia i powtarzając imię «Klara»". Tak na imię miała matka Hitlera!!! Była tak poruszona tą historią, że opowiedziała ją wieczorem w sypialni Josephowi. Dokładnie go obserwowała, aby zarejestrować jego reakcję. Zapytał spokojnie, skąd wie, i nie zaprzeczył ani słowem. Znała go dobrze. Joseph reagował tak jedynie na fakty. Radził tylko, aby nikomu tego nie opowiadać, bo „przyjaciółka Gretl i może nawet sama Gretl mogą wkrótce nic już nigdy nie opowiedzieć, jak zna gestapo". Tylko jeden jedyny raz wrócili potem do tego tematu.

To było w dzień po zamachu na Hitlera w jego twierdzy w Kętrzynie. Przeszmuglowana przez hrabiego Stauffenberga bomba wybuchła w niewłaściwym momencie. Akurat gdy Hitler przesunął się za stołem konferencyjnym w taki sposób, że znalazł się dokładnie za jego betonową nogą. To był kolejny zamach. Kolejny nieudany. Tak jak gdyby przeznaczeniem Führera było przeżyć. Gdy zwróciła na to uwagę Josephowi, ten wcale nie był zdziwiony i opowiedział jej w najgłębszej tajemnicy niesamowitą historię, potwierdzającą, że „Führer ma swojego anioła stróża, który prowadzi go do zwycięstwa". Do końca nie udało jej się osiągnąć tego, aby Joseph, rozmawiając z nią, darował sobie te patetyczne propagandowe bzdury.

Okazało się, że zupełnie pierwszym aniołem stróżem Adolfa Hitlera, kanclerza Trzeciej Rzeszy, która miała być wieczna, był żydowski robotnik z Braunau nad Innem na granicy Austrii z Niemcami, gdzie w Niedzielę Wielkanocną 20 kwietnia 1889 roku przyszedł na świat Adolf, czwarte dziecko Klary Hitler z domu Poelz. Wiosną 1891 roku niespełna dwuletni Adolf oddalił się niezauważony przez matkę z podwórka ich domu w Braunau i przeszedł nad pobliski Inn, gdzie wpadł do wody i tonął. Idący tamtędy na ryby żydowski robotnik nie zastanawiał się ani chwili, wskoczył do lodowatej rzeki i uratował chłopca. Żyd z Braunau tamtego dnia zmienił historię świata.

Nie znosiła organicznie Evy z domu Braun, umarłej Hitler. Organicznie, znaczy tak, jak nie znosi się na przykład kaszanki, po której kiedyś jako dziecko musiała zwymiotować.

To było jeszcze w Brukseli. Najpierw matka dała jej to dziwne „coś" na obiad, a potem wrócił z biura jej przybrany ukochany ojciec i opowiedział, jak i z czego robi się kaszankę. Bo on jej wszystko opowiadał, choć była jeszcze dzieckiem. I tak naprawdę to tylko on miał dla niej zawsze czas i to on przez długie lata przychodził jej do głowy, gdy pomyślała lub wypowiedziała słowo „ojciec".

Ale potem dowiedziała się, kim naprawdę był jej ojczym. Joseph nigdy jej tego nie zapomniał. Pamięta – jej ojczym już dawno nie żył – wrócił kiedyś wściekły z ministerstwa i przy dzieciach zrobił jej straszną awanturę. Zwymyślał ją za „ohydną żydowską biografię, która nie przystoi pierwszej damie Rzeszy". Tak jak gdyby ona miała wpływ na to, z kim chadzała do łóżka trzydzieści lat wcześniej jej matka. A chadzała z Richardem Friedländerem, żydowskim przemysłowcem handlującym skórą.

Dlatego Joseph chciał wymazać Friedländera z historii tej ziemi. Nie mógł dopuścić, aby świat drwił z niego, dowiedziawszy się, że żyjący Żyd Friedländer jest czymś w rodzaju przybranego teścia ministra propagandy doktora Goebbelsa. Mimo że nigdy nie rozmawiali o nim, oboje wiedzieli, że tak będzie najlepiej. Friedländer był w pierwszej setce Żydów wysłanych z Berlina do Buchenwaldu w 1938 roku. Joseph zrobił to bardzo dyskretnie. Jeszcze dyskretniej Friedländer powrócił do Berlina z Buchenwaldu w niecały rok później. W urnie. Za zaliczeniem pocztowym 93 RM.

Nie znosiła tej Braun głównie jednak za to, że to do Braun, a nie na przykład do niej, Hitler mówił „Ewuniu" lub „Perełko", że była jedenaście lat młodsza, a do tego wyglądała, jak gdyby to było osiemnaście lat, i że Joseph wpatrywał się jak urzeczony w jej ogromne piersi za każdym razem, gdy byli z wizytą w Obersalzbergu.

Co Hitler widział w tym głupim dziewczęciu, czytającym mimo dwudziestu lat ciągle jeszcze książki o Winnetou albo zawsze te same bezsensowne romanse kupowane na wagę?! A na dodatek śmierdziała papierosami! Kto śmierdzi papierosami i spryskuje się jednocześnie najdroższymi perfumami z Paryża?! Bo ona przecież nieustannie paliła. Po prostu nie usiedziała dłużej niż kwadrans bez papierosa. Hitler opowiadał na tarasie w Obersalzbergu, jak bardzo szkodliwa jest nikotyna dla „niemieckich kobiet", a ona demonstracyjnie gwizdała przy nim „Smoke gets in your eyes". A on tylko uśmiechał się, rozbawiony. Joseph opowiadał jej, że Braun, gdy mieszkała w Obersalzbergu, przebierała się minimum siedem razy w ciągu dnia. Ale to i tak nie pomagało. Papierosami śmierdziała zawsze.

Poza tym Braun nie miała żadnej klasy! Kompromitowała nieustannie Führera, Ojczyznę i niemieckie kobiety. Nawet nie potrafiła się zabić tak, aby nie trzeba było się za nią wstydzić na drugi dzień. Najpierw „nie trafiła" z rewolweru ojca i kula została w jej szyi. A dwa lata później, gdy Hitler znowu traktował ją tylko jako kobietę do „niektórych zadań", połknęła dwadzieścia tabletek nasennych – chociaż jakiś idiota napisał w raporcie dla Hitlera, chyba żeby zrobić większe wrażenie, że trzydzieści pięć, ale przez przypadek uratowała ją siostra Ilsa. Ona przecież wcale nie chciała się zabić! Kto zabija się w tych czasach vanodormem?! To tak, jak gdyby próbować uspokoić się witaminą C zamiast morfiną. Ale Hitler dał się na to nabrać i był urzeczony tą „miłością do końca i tym poświęceniem". Kupił jej te dwa wstrętne, nieustannie szczekające małe psy – jak można chcieć psy przypominające wypasione szczury ze sterczącym uszami?! – o których marzyła i zaczął pokazywać się z nią – jako prywatną sekretarką oczywiście – na przyjęciach w Monachium i Berlinie. Kiedyś byli u nich, w ich wiejskiej rezydencji nad jeziorem Bogen. Sama słyszała, jak Hitler, rozmawiając z ministrem uzbrojenia Albertem Speerem, powiedział, mimo że Braun stała obok i niewątpliwie musiała to słyszeć: „Inteligentni ludzie powinni wiązać się z prymitywnymi i głupimi kobietami".

A ta Braun stała tam i milczała jak słup soli. Nawet nie stać jej było, aby demonstracyjnie odejść. Grała rolę prywatnej sekretarki do końca. Speer uśmiechnął się tylko i zaciągnął głęboko cygarem.

Albo to! Kiedyś Joseph konferował z Hitlerem w jego gabinecie w Obersalzbergu. Ona siedziała na fotelu przy oknie, czekając, aż skończą, czytała gazetę. Usłyszała pukanie. Po chwili weszła Braun z bukietem świeżo zerwanych w ogrodzie kwiatów. Uśmiechnęła się do Hitlera i chciała wstawić je do wazonu stojącego na granitowej płycie nad kominkiem. Hitler warknął tylko znad biurka: „Nie chcę żadnych trupów w tym pokoju". Braun zrobiła się cała czerwona na twarzy, wzięła kwiaty i bez słowa wyszła.

No tak. Ale ona zniosłaby wszystko, aby tylko zostać „panią Hitler". Miała dwadzieścia lat, gdy zaczęła o tym marzyć i dopiero trzy dni temu, po trzynastu latach została „panią Hitler". Na dwie noce i półtora dnia. I na dodatek Hitler nie spędził z nią tych dwóch nocy.

A ten cały ślub?! Ta kiczowata farsa tuż przed północą dwudziestego ósmego kwietnia? I ta noc poślubna. Kto w noc poślubną pisze testament, zamiast iść do łóżka poślubionej żony?!

Joseph powiedział jej o tym dopiero o 18:38. Nie mogła w to uwierzyć, gdy wszedł do ich bunkra i podnieconym głosem powiedział:

– Dzisiaj przed północą w bunkrze głównym Bormann i ja będziemy świadkami na ślubie Führera z Evą. Proszę, abyś była z Helgą pół godziny przed północą na dole.

Uśmiechnął się tylko dwuznacznie, gdy Helmuth zapytał ni stąd, ni zowąd:

– Dlaczego tylko Helga? Ja także chciałbym zobaczyć, jak wujek Adolf całuje się z panią Braun.

Zeszły na dół do głównego bunkra już o dwudziestej trzeciej. Helga była tak jak dzisiaj po południu, w białej sukience i białych rękawiczkach do łokcia. Ona w granatowej marynarce i stalowej spódnicy. Przypięła krzyż. Włożyła złoty łańcuch, który Joseph podarował jej na czterdzieste urodziny. Wolałaby kolię z pereł, ale do złotego krzyża nie pasowałaby za bardzo. Wiedziała, że Braun powiesi na sobie wszystkie brylanty, które dostała od Hitlera w ciągu całego życia, więc nie chciała przy niej wyglądać jak uboga kuzynka z bunkra na górze. Poza tym krzyż był ważniejszy. Tym bardziej że pamięta, jakim grymasem na twarzy zareagowała Braun, gdy Führer, przypinając jej ten krzyż, powiedział: „Dla pierwszej damy Rzeszy". I dlatego przypięła krzyż i włożyła złoty łańcuch.

Gdy zeszły z Helgą, byli już wszyscy oprócz Josepha. Bormann nerwowo chodził wzdłuż ściany i raz po raz sprawdzał, czy na biurku leżą wszystkie niezbędne dokumenty. Było wyjątkowo jasno. Paliły się wszystkie żarówki. Nawet te na korytarzu. Bormann, mimo absolutnego, pod groźbą rozstrzelania, nakazu oszczędzania benzyny polecił, aby tej nocy pracowały wszystkie agregaty.

Hitler, Braun i Joseph weszli przez boczne drzwi o 23:45. Jeszcze nigdy nie widziała Braun tak uśmiechniętej. Weszła do sali trzymana pod ramię przez Hitlera i od razu przeszli do biurka, za którym stał sekretarz udzielający ślubu.

Braun miała na sobie kremową suknię z jedwabiu zapiętą pod szyję i, tak jak oczekiwała, kilogramy brylantów. Była bardzo zdenerwowana. Joseph opowiadał później, że podpisując akt małżeństwa, pomyliła się i zaczęła od litery „B". Ale ją przekreśliła i po raz pierwszy – i także ostatni – podpisała cokolwiek jako Eva Hitler.

Po ceremonii Joseph odprowadził Helgę, mimo jej głośnych protestów, do bunkra na górę. Gdy wrócił, Hitler wznosił toast „za historię, która kiedyś doceni naszą sprawę i nasze ofiary". Tej Braun, a w zasadzie już wtedy Hitler, nie było przy tym toaście! Wyszła akurat zapalić.

Szampana dostali tylko wybrani. Reszta wznosiła toast tanim rieslingiem przyniesionym w skrzynce przez adiutanta Hitlera Juliusa Schauba. Schaub zachował się wyjątkowo godnie. Odmówił wypicia szampana, którego podał mu sam Bormann, i pił ze wszystkimi innymi wino, które przyniósł.

O drugiej w nocy Hitler z sekretarzem wyszli do pomieszczenia obok, gdzie Hitler podyktował swój ostatni testament. Bo Hitler napisał wiele testamentów. To w nim ogłosił historii, że Braun i on popełnią samobójstwo, aby „uniknąć hańby rezygnacji lub kapitulacji".

Potem wrócili z sekretarzem do wszystkich. Około czwartej nad ranem Braun i Hitler podeszli do Bormanna i Josepha, dyskutujących za biurkiem.

Po chwili Joseph poprawił mundur i kazał adiutantowi Hitlera poprosić o ciszę.

Zrobiło się niesamowicie. Umilkły wszystkie rozmowy. Z zewnątrz dochodziły głuche eksplozje. Hitler trzymał Braun za lewą rękę. Stanęli za biurkiem. W pewnym momencie Hitler położył prawą dłoń na swojej lewej piersi, Braun wyciągnęła prawą dłoń do góry. Joseph krzyknął na całą salę:

– Führer z małżonką wychodzą!

Wszyscy jak na komendę podnieśli swoje prawe dłonie i wrzasnęli:

– Heil Hitler!!!

Pamięta, że dostała gęsiej skórki z podniecenia i ze wzruszenia.

Joseph do końca wiedział, jak przypodobać się Hitlerowi. „Führer z małżonką". Coś takiego! On to potrafił się znaleźć w każdej sytuacji.

I wyszli faktycznie. Spędzić swoją noc poślubną. Ona do swojej sypialni, a Hitler do swojej. Bo Eva Braun, od kilku minut Eva Hitler z domu Braun, miała w nocy z 28 na 29 kwietnia 1945 „swoje dni". Wie to z całą pewnością od pokojówki Braun, Liesl Ostertag, która była u niej dwa dni przed tym pożyczyć watę lub „coś podobnego", bo „moja pani ma... no wie pani... ma te... no wie pani... te swoje dni, a nie mogę dostać się do magazynu na górze, bo cały korytarz jest od wczoraj po wybuchu zasypany". I dała jej wtedy całą watę, jaką miała. Ona miała menstruację tydzień temu i to była na pewno jej ostatnia. Więc po co jej wata. Nie wiedziała, jak zapakować jej tę watę. Nie mogła wysłać pokojówki kochanki Hitlera z naręczem waty przez cały bunkier pełen żołnierzy. Nie miała żadnego papieru oprócz kartek z maszynopisem przemówień Josepha. Dzieci używały ich do rysowania. To było ryzykowne. Wata „na te dni", opakowana w „nieśmiertelne" przemówienia ministra propagandy Rzeszy. Ale teraz wszystko było ryzykowne. Ułożyła kilkanaście kartek na biurku i zawinęła w nie watę. Liesl nawet nie zwróciła na to uwagi.

Hitler nie znosił „nieczystych kobiet". Nie znosił mięsa, dymu papierosowego, hałaśliwej muzyki, obcych języków i „nieczystych kobiet". Braun często skarżyła się swojej siostrze Gretl, że Hitler potrafił nie odwiedzać jej w Monachium przez dwa tygodnie, gdy tylko dowiedział się, że jest niedysponowana. Zresztą ten austriacki koleżka Hitlera z Linz, ten jego bezsensowny „przyjaciel na śmierć i życie", August Kunitzek, także wszystkim wokół rozpowiadał, że „Adolf ucieka jak od ognia od takich kobiet".

Liesl sama jej wszystko w szczegółach opowiedziała wczoraj późnym popołudniem, gdy wstrząśnięta przybiegła do niej do bunkra po tym, jak Hitler i Braun popełnili razem samobójstwo. Trzęsła się z przerażenia i łkała, gdy o tym mówiła. Wyszły na korytarz, aby dzieci tego nie słyszały, ale Helga i tak zrozumiała, o co chodzi.

Braun wyszła po nocy poślubnej ze swojej sypialni i powiedziała jej dumnym głosem: „Możesz mi spokojnie mówić «pani Hitler» od dzisiaj".

Potem zdjęła z palca obrączkę i podała jej torbę, w której była jedwabna suknia ślubna, i kazała to „bezzwłocznie przekazać mojej przyjaciółce Hercie Ostermayer". Potem wróciła do swojego pokoju i przez cały dzień i całą noc nie wychodziła stamtąd. Hitler nie zjawił się u niej przez cały ten czas. Następnego dnia rano, trzydziestego kwietnia, poprosiła o papierosy i kawę na śniadanie. Tę noc także spędziła sama u siebie w sypialni. Około południa weszła do niej jej fryzjerka Milla Schellmoser, po godzinie wyszła zapłakana. Około 13:30 Braun wyszła ze swojej sypialni, ubrana w szary kostium; do tego miała czarne buty na wysokim obcasie i czarne skórzane rękawiczki. Ze schodów cofnęła się na chwilę do sypialni i po chwili wróciła, zapinając swój wysadzany brylantami zegarek. Zeszła do gabinetu Hitlera. Za kwadrans czternasta przyszedł Hitler. Nie zamienili ze sobą ani słowa. Kazali jej wyjść.

Potem wszystko zdarzyło się tak szybko. Słyszała strzał. Ale tylko jeden. Po chwili kamerdyner Linge i jakiś esesman wynieśli ciało Hitlera na zewnątrz bunkra i położyli na ziemi. Zaraz potem Bormann i jego adiutant wynieśli ciało Braun i przekazali temu Kempkę, szoferowi Hitlera. Kempke przyniósł kanister z benzyną, wylał całą jego zawartość na oba ciała i podpalił. Liesl zanosiła się od płaczu, gdy jej to opowiadała. „Führer z małżonką odeszli" – powiedziałby Joseph, gdyby byli jacyś ludzie, którzy chcieliby jeszcze słuchać jego propagandowych bzdur na tym cmentarzu w środku Berlina – pomyślała, uspokajając Liesl.

Coś takiego! Eva Braun, zmarła Hitler, odeszła nietknięta przez męża. Czy takie małżeństwo jest w ogóle ważne?

Liesl wróciła do głównego bunkra, a ona do dzieci. Helga patrzyła na nią dziwnie, ale o nic nie zapytała. Inne dzieci może jeszcze nie, ale Helga musiała wiedzieć i rozumieć, że to wszystko się kończy. Miała przecież już trzynaście lat. I może dlatego tak się dzisiaj po południu zachowywała. Bo dzisiaj przez cały dzień wszystko było inaczej.

Nie mogła leżeć. Podniosła się i usiadła na kanapie. Widziała swoje odbicie w wyszczerbionym lustrze toaletki stojącej naprzeciwko kanapy. Czuła niepokój. Tylko to. Żadnego żalu, żadnej tęsknoty, żadnej winy, żadnego strachu. Przebieg dzisiejszego dnia wracał do niej jak zapis, którego już nie umieści w swoim dzienniku.

Najpierw, jeszcze w południe, w korytarzu głównego bunkra, tam gdzie ostatnio podawano posiłki, spotkałam tego Stumpfeggera, który zrobił mi wykład o tym, że „nie poświęca się tak młodych istnień dla idei", i to przy tej Schellmoser, fryzjerce Evy Braun, och, przepraszam, od wczoraj świętej pamięci Evy Hitler. Jak mógł? I ta fryzjerka patrzyła na mnie z taką pogardą i wyniosłością. Na mnie, Magdę Goebbels. Matkę, która urodziła ojczyźnie siedmioro dzieci i trzy razy dla ojczyzny poroniła. W ciągu 19 lat dziesięć ciąż i siedem porodów.

Zupełny kretyn ten Stumpfegger. To jest niepojęte, aby coś takiego mówić przy personelu. I poza tym, jak on wyglądał?! Ohyda. Nieogolony, w rozchełstanym mundurze, z poplamionymi krwią mankietami koszuli. W zakurzonych butach. I na dodatek śmierdział potem. Gdyby Joseph to widział... To nic, że nigdy nie wiadomo, kiedy będzie woda w kranach w tym bunkrze. To go wcale nie usprawiedliwia. Joseph nigdy tak nie wyglądał.

Potem Hanna Reitsch wywołała mnie na zewnątrz i powiedziała, że ona jest gotowa wylecieć z dziećmi samolotem jeszcze tej nocy z Berlina i że choć istnieje „pewne ryzyko, że Amerykanie przechwycą jej samolot", to ona mnie bardzo gorąco prosi i zaklina, abym się zgodziła. Oczywiście, że się nie zgodziłam. To było już postanowione i ostateczne. Poza tym, co powiedziałby Joseph?

Około czternastej, zaraz po obiedzie, zamiast iść jak zwykle czytać książki do naszego bunkra, tak jak było ustalone, zostaliśmy w bunkrze głównym i poszliśmy do komory tego radiotelegrafisty Mischa. Miły człowiek. Usłużny. A przy tym prawdziwy aryjczyk. Zawsze nosił w kieszeni cukierki dla dziewczynek. Czasami brał na kolana małą Heide i pozwalał jej kręcić tymi ogromnymi pokrętłami radiostacji.

O czternastej trzydzieści wydałam polecenie Liesl, aby ubrała dzieci na biało. Tak jak na tym zdjęciu z czerwca czterdziestego trzeciego, gdy Harald przyjechał do nas na krótki urlop z frontu. Mój dzielny Harald. Gdzie on teraz jest? Czy dostanie mój list, który Hanna ma wywieźć z Berlina jeszcze dzisiaj w nocy?

Gdy weszłam do dzieci, Liesl kończyła ubierać Holde. Po chwili wyszła, nie żegnając się z dziećmi. Tak jak miała polecone. Gdy ja czesałam Heide, Helga wzięła grzebień i zaczęła czesać Heddę. Helmuth w tym czasie bawił się radiostacją Mischa stojącą na metalowym stole.

Potem przyszedł ten Stumpfegger. Miał w kieszeni siedem ampułek z cyjanowodorem. Sześć dla dzieci i jedną dla mnie. Na dzisiaj wieczór. Powiedziałam dzieciom, że muszą połknąć to, co przepisał nam doktor Stumpfegger i że to wcale nie jest gorzkie. Stumpfedgger podszedł najpierw do metalowego stołu, na którym stała radiostacja. Helmuth połknął jako pierwszy. Połknął i dalej bawił się radiem. Potem Stumpfegger podszedł do Hilde, a ja podałam ampułkę Holde i Heddzie, które podeszły do mnie same. W tym momencie upadł na podłogę Helmuth i po chwili Heide. Hedda zaczęła przeraźliwie płakać, gdy Stumpfegger zbliżał się do niej. I wtedy Helga mnie zawiodła. A ten Stumpfegger wybiegł z wrzaskiem na korytarz...

Joseph przyjdzie o 19:20. Nie powie mu oczywiście o Heldze. Chociaż chciałaby. Bardzo chciałaby. Aby on też trochę pocierpiał. A nie jak ten tchórz ukrył się z Bormannem w gabinecie Hitlera i zajął się „usuwaniem istotnych dokumentów" z kancelarii Hitlera. Tak jak gdyby to było teraz najważniejsze. I tak cały świat już wie, ilu Żydów zagazowali w Polsce. On usuwał papiery, a jej zostawił usunięcie szóstki jego własnych dzieci. Nawet nie pofatygował się do niej po południu, mimo że wiedział, iż o 15:15 musi być już po wszystkim.

Ale to typowe nie tylko dla Josepha, także dla całej reszty

tych trzęsących się teraz ze strachu nazistowskich pyszałkowatych wymoczków, którym wydawało się, że byli, i ciągle jeszcze są, na kilka minut przed opadnięciem ostatniej kurtyny, szczególnymi bohaterami. A tak naprawdę, patrząc na historię ostatnich lat z tego żałosnego bunkra przypominającego podziemny grobowiec, szczególne to były nazistowskie kobiety. I to nie tylko niemieckie.

Taka na przykład Gerda Bormann. Jak tylko ją pamięta, zawsze była albo w ciąży, albo w połogu. Dziesięcioro dzieci urodziła Rzeszy. Dziesięcioro! Hitler traktował ją jak rzymską matronę i gdyby mógł, i nie było to sprzeczne z rolą niemieckiej kobiety, zrobiłby z niej ministra do spraw rodziny. Hitler lubił takie kobiety jak „płodna Gerda", jak ją nazywali w Berlinie. Głównie za to, że rodziła praktycznie bez przerwy, całkowicie podporządkowała się temu dyktatorskiemu Bormannowi i siedziała cicho, nie robiąc żadnych skandali, mimo iż doskonale wiedziała, że Bormann ją nieustannie zdradza z tymi aktoreczkami i piosenkarkami, które podsyłał mu Joseph.

Gerda Bormann była dla niej – do pewnego czasu – szanowaną, wyróżnioną przez Führera Złotym Honorowym Krzyżem Niemieckiej Matki, pogodzoną z losem żoną nazistowskiego choleryka. Ale tylko do czasu. Potem jednak zupełnie odebrało jej zmysły. Nie dość, że chciała, aby Bormann zapraszał swoją kochankę do ich domu, to jeszcze radziła mu, żeby „uważał, aby ona nosiła jego dziecko w jednym roku, podczas gdy kochanka w kolejnym, tak aby zawsze miał jedną kobietę gotową do poczęcia". Taki plan rozpłodowy rodziny Bormann. Ale co gorsza, nie tylko rodziny Bormann, jak się wkrótce okazało. W czterdziestym trzecim „płodna Gerda" Bormann wystąpiła, korzystając z koneksji męża, z tym absurdalnym pomysłem Małżeństw Narodowych publicznie. Chciała, aby prawnie usankcjonowano posiadanie przez „zdrowych, wartościowych aryjskich mężczyzn" dwóch żon. Tak jak było to praktykowane po wojnie trzydziestoletniej! Hitler musiał zacierać ręce. To przecież on wykrzykiwał na którymś zjeździe NSDAP, że „polem walki kobiety jest sala porodowa".

Niektóre kobiety w Rzeszy zrozumiały te słowa Führera zbyt dosłownie. Jak ta czterdziestotrzyletnia „doktorowa" Karolina Diehl. Obdarowała męża i Rzeszę czwórką dzieci, z których żadne nie było jej – wszystkie były ukradzione ze szpitali lub odkupione jak małe szczeniaki na targowisku. A Diehl nie była niezrównoważoną psychopatką i fanatyczką. Zupełnie nie. Była wykształconą, grającą na fortepianie, mówiącą po francusku i udzielającą się w filantropii żoną doktora Raschera, „wybitnie zdolnego lekarza bezgranicznie oddanego Führerowi i Rzeszy", jak pisał o nim Himmler. Ale co innego miał pisać ten stary pantoflarz Heinrich Himmler, szef SS, na którego zlecenie Rascher przeprowadzał w Buchenwaldzie eksperymenty na ludziach? Wyciągał przecież od Hitlera na te eksperymenty miliony marek. Gdyby te eksperymenty robił jakiś wiejski weterynarz, napisałby o nim dokładnie to samo.

Gdy myśli o Himmlerze, to musi się zawsze dziwić. Heinrich Himmler, pan nad wszystkimi obozami koncentracyjnymi na tej planecie, człowiek, który za swój życiowy cel uznał usunięcie z tej ziemi wszystkich Żydów, co do ostatniego, był w domu absolutnym zerem. Chował jak przestraszony pies ogon pod siebie, gdy tylko Marga Himmler zawarczała to swoje słynne „Heinrich!". A wieczorem zamiast schnapsa lub piwa pił razem z Margą słabą herbatkę z rumianku. Jego żona zaczęła go szanować dopiero wtedy, gdy wyszło na jaw, że ma odwagę mieć kochankę. Himmler kupił dla swojego „zajączka" mieszkanie pod Berlinem i „płodna Gerda" Bormann często tam bywała, rozpowiadając potem po całym mieście, jak to „pięknie i praktycznie Heinrich urządził to gniazdko".

Diehl zakochała się w przystojnym i zdolnym lekarzu pracującym dla Himmlera. Miała wtedy 43 lata, a Rascher 27. Himmler nie godził się z początku na to małżeństwo. Wie to od Josepha. Himmler twierdził, że Diehl jest za stara na rodzenie dzieci. Ale Diehl nigdy się z tym nie pogodziła i udowodniła wkrótce, że Himmler się myli. Chociaż Himmler się nie mylił.

W czterdziestym roku Karolina Diehl wydaje na świat pierwsze dziecko. Syna oczywiście. Kilka tygodni przed tym Diehl ze swoją kuzynką, którą wtajemniczyła w całą sprawę, ukradła to niemowlę ze szpitala, a potem przekupiła akuszerkę i gdy Rascher był z Himmlerem w podróży służbowej, zasymulowała przedwczesny poród. Rascher był dumny, Himmler zdziwiony. Ale ciągle nie zgadzał się na małżeństwo swojego nadwornego lekarza. Ponad rok później „zbiegiem okoliczności" na dzień przed urodzinami Führera, dziewiętnastego kwietnia, przychodzi na świat drugi syn Raschera. Ojciec jest tak zajęty pracą, że nie zauważa nawet, że jego nowo narodzony syn to ośmiotygodniowe dziecko. Wszystko przez ten stres. Jak nie ma mieć stresu, gdy akurat w trakcie eksperymentu zmarło mu siedemdziesięciu więźniów. Himmler w końcu godzi się na małżeństwo Raschera i Diehl. Po ślubie, w nagrodę, Karolina – już teraz Rascher – jedzie do zbombardowanego przez aliantów Drezna i odkupuje od biednej zdesperowanej matki zdrowego chłopca i „rodzi go w bólach" dla swojego męża.

Po pewnym czasie Rascher zauważa, że żaden z jego synów nic a nic nie jest podobny do niego. Karolina decyduje się na nieprawdopodobny krok. Rodzi w domu kupionego wcześniej czwartego chłopca. Pokój, w którym rodzi, wygląda tak jak życzył sobie Führer. Jak „pole walki". Całe łóżko we krwi. Ona z zakrwawionym niemowlęciem na piersi. Jak mogło być inaczej. Same przed godziną z kuzynką nakładały czerwoną farbę na pościel i zanurzyły niemowlę w rzeźniczej krwi. Doktor Sigmund Rascher ma czwartego syna. To z pewnością jego syn. Siedział przecież obok w pokoju, gdy żona rodziła.

Ale Führer tak naprawdę zafascynowany był kobietami, które na oczy nie widziały żadnego „pola walki" i nie urodziły żadnego aryjskiego dziecka. Nie musiały być nawet Germankami. Wystarczyło, że miały „sto osiemdziesiąt centymetrów wzrostu, były blond i gdy szły przyśpieszonym krokiem, miały przed sobą kobiecość", jak powiedział swojemu szoferowi, który, gdy wypił za dużo, powtarzał to wszystko bez wahania Josephowi.

Dokładnie taka, poza piersiami, których nie miała prawie wcale, była „ta angielska żmijka", jak mówił o niej Joseph, Unity Mitford. Spotkali się przypadkowo w Osteria Bavariai w trzydziestym piątym. Pamięta ją bardzo dobrze. Podobna do Marleny Dietrich. Krótkie, lekko falowane włosy. Ponad sto osiemdziesiąt centymetrów. Przeważnie w czarnej koszuli zapiętej pod szyję, czarnym krawacie z odznaką NSDAP, czarnych spodniach, takich samych, jakie ona wkładała Heldze, gdy ta szła jeździć konno, i czarnych skórzanych rękawicach, jakich używali motocykliści. Angielska arystokratka, która opuściła swój zamek Tudorów w Anglii i przyjechała do Monachium, aby zamieszkać w małym mieszkaniu na poddaszu w starej kamienicy bez windy, z toaletą na korytarzu i „być blisko Niego". Ona chyba naprawdę była zakochana w Hitlerze.

Prawdziwe niemieckie nazistki mogłyby się wiele nauczyć od angielskiej nazistki Unity Mitford. Ale potem Anglicy popełniają ten idiotyczny błąd. Do teraz nie może tego zrozumieć. Co ich obchodziła ta dzika Polska, żeby zaraz trzeciego września trzydziestego dziewiątego wypowiadać wojnę Rzeszy?! Nie zrozumie chyba tego nigdy. Była raz w Polsce z Josephem. W Gdańsku czy w Krakowie, już nie pamięta. Wie tylko, że na ulicach było pełno pijaków, wszędzie stali żebracy i w restauracjach śmierdziało kaszanką. A ona przecież organicznie nie cierpi kaszanki. I dla takiego kraju Anglicy wypowiedzieli wojnę Rzeszy!!! Spodziewała się trochę więcej inteligencji po tym zarozumiałym grubasie Churchillu.

Dla Mitford trzeci września był dniem ostatecznym. Zapakowała do koperty fotografię Hitlera z jego podpisem, odznakę partyjną i pożegnalny list i ubrana w swój mistyczny czarny mundur poszła wczesnym rankiem do Ogrodu Angielskiego w Monachium, usiadła na ławce i się zastrzeliła.

Ona uważała, że Unity zastrzeliła się dla „naszej sprawy". Joseph uważa, że według niego Unity do końca była angielskim szpiegiem i zastrzeliła się „dla sprawy Churchilla". Ale Joseph nie ma racji. On jej po prostu nie znosił, bo Unity totalnie ignorowała go jako mężczyznę, na każdym przyjęciu u Hitlera. Poza tym on nie cierpiał kobiet wyższych od niego.

Ale niższych od siebie czasami też nie znosił. Szczególnie takich, które były bardziej nazistowskie niż on. To się rzadko zdarzało. Ale zdarzyło. Tak jak w przypadku „matki wszystkich nazistowskich suk", jak ją nazywał Himmler, gdy wypił za dużo malinówki. A Himmler jako szef SS wiedział, co mówi. „Matką wszystkich nazistowskich suk" był nie kto inny tylko Lina Heydrich. Brzydka kobieta o męskich rysach twarzy, wąskich, prawie zawsze zaciśniętych ustach i nienawistnym spojrzeniu. Małżonka Reinharda Heydricha nazywanego w Reichstagu „pierwszym śmieciarzem Rzeszy Niemieckiej". I wszyscy wiedzieli, o jakie „śmieci" chodziło. Tak naprawdę, jak informował ją Joseph, wszystkie pomysły na „ostateczne oczyszczenie od zarazy żydowskiej" miała Lina Heydrich, a nie jej zatrudniony w tym celu mąż. Ale apogeum dla wdowy Heydrich nastąpiło, gdy w Pradze, w zamachu w czterdziestym drugim, zginął jej mąż. W akcie oślepiającej zemsty opracowała szczegółowe plany budowy niewolniczych kolonii żydowskich na terenie całej Rzeszy. Z krematoriami obok stodół, stajni i studni. Z tatuowaniem numerami żydowskich dzieci bez nadawania im nazwisk. Z ustaleniem nieprzekraczalnej granicy wieku życia dla niewolników na 40 lat i natychmiastowym eliminowaniem chorych. Chyba tylko kobieta potrafi tak nienawidzić i tak się mścić.

Joseph przyjdzie o 19:20. Nie powie mu oczywiście o Heldze.

Gdy ten Stumpfegger wybiegł z wrzaskiem na korytarz, podeszłam do radiostacji i przeniosłam Helmutha na dywan przy kanapie. Położyłam go obok Heddy i Heide. Potem obok nich ułożyłam Hilde i Holde. Potem przeniosłam Helgę. Helmuth miał rozerwane spodnie na kolanie, a Hedda nie miała wszystkich zapinek w swojej sukience. A wyraźnie przykazałam przecież Liesl, aby ubrała dzieci w najlepsze ubrania!

Na leżance przy drzwiach były tylko trzy małe haftowane poduszki. Podłożyłam je pod głowę Heide, Heddy i Hildy. Otworzyłam też zaciśniętą rączkę Heide i wyjęłam z niej pustą ampułkę. W tym momencie wszedł radiotelegrafista Misch z doktorem Naumannem. Obydwaj uklękli przy dzieciach i zaczęli się modlić. Ja siedziałam na kanapie i ściskałam w dłoni swoją ampułkę na wieczór. Wstałam po chwili i poszłam na górę, do naszego bunkra. Misch i Naumann ciągle się modlili, gdy wychodziłam.

Joseph przyjdzie o 19:20. Nie powie mu oczywiście o Heldze.

Drugie samobójstwo Magdaleny

Trzy.

Nazywasz się Magdalena. Ludziom jesteś znana bardziej jako Pierwsza Dama Trzeciej Rzeszy, Magda Goebbels, ale ja dużo chętniej sięgam po to właśnie imię, po Magdalenę, które – czy tego chcesz czy nie – zakorzenione jest w tradycji hebrajskiej.

Dwa.

Nie bardzo możesz protestować. Umierasz. Zażyłaś kapsułkę z cyjankiem, smakuje gorzkimi migdałami. Gorycz rozlewa się po twoim języku, po podniebieniu, w szczelinach między zębami, spływa po gardle. Dawka śmiertelna wynosi między sto pięćdziesiąt a pięćset miligramów. Ale nie martw się, SS-Obersturmbannführer Ludwig Stumpfegger, osobisty lekarz samego Wodza, zatroszczył się o to, by podać ci końską dawkę. Na pewno cię to zabije. Zaraz po zażyciu czujesz szum w uszach, ból głowy, duszność i wrażenie ucisku w klatce piersiowej. Już za kilka chwil upadniesz na ziemię i stracisz oddech. Do wachlarza objawów szybko dojdzie pieczenie języka, rozszerzenie źrenic, przyśpieszenie i osłabienie tętna. Cyjanek zahamuje oddychanie komórkowe, wskutek czego udusisz się, umrzesz szybko, ale boleśnie.

Jeden.

Upadasz na ziemię jak szmaciana lalka, paląca gorycz migdałów zalewa twoje wnętrzności, a na chwilę przed śmiercią inna gorycz rozlewa się przed twoimi oczami. Chcesz umrzeć z godnością, w końcu twoja intytulacja zobowiązuje. Pierwsza Dama Trzeciej powinna odejść godnie, a nie wić się z bólu i dusić, jak ci wszyscy skąpani w śmiercionośnym prysznicu. Śmierć nie zna godności. Na szczęście masz męża, on pozwoli zachować ci ją do końca. Celuje lufą pistoletu w skroń. Stawy zaczynają pracować, palec wskazujący zgina się, napiera na spust.

Zero

Nim postawimy kropkę, zatrzymajmy się, rozciągnijmy tę chwilę, jak rozciąga się sweter. Albo ściągana z ciała sukienka. Dokładnie taka, jaką masz na sobie w wieku dziewiętnastu lat. Nazywasz się Magdalena Friedländer, mieszkasz w Berlinie, wracasz pociągiem ze szkoły do domu. Kiedy idziesz zająć miejsce w przedziale, większość mężczyzn – elegancko ubranych panów w kapeluszach – ogląda się za tobą. Jesteś dziewczyną, podoba ci się to. Śledzą w kolejności: twoje zgrabne nogi, pośladki zawoalowane w białą, krochmaloną bieliznę, zarysowane pod materiałem sukienki, linię ramion, szyję, blond włosy, buzię. Jesteś zjawiskowa, drażnisz zmysły, zwracasz uwagę. Wiesz o tym. Wie o tym także pewien ponad dwa razy starszy od ciebie mężczyzna. Dosiada się, rozmawiacie. Scena jak z czarno-białego filmu zza oceanu. I jak w filmie przybysz wcale nie jest natrętny, rozmowa z nim nie stanowi dla ciebie udręki, nie nudzi cię. Wręcz przeciwnie. Wydaje się zabawny, z klasą i ma w sobie charyzmatyczny magnes. Nazywa się Günther Quandt, jest przemysłowcem, multimilionerem, posiada udziały między innymi w firmie BMW. Imponuje ci. Kiedy pociąg zatrzymuje się na twojej stacji, wysiadasz, rozstajecie się, pociąg odjeżdża dalej, ale koleje waszego losu się łączą. W wieku niespełna dwudziestu lat wychodzisz za mąż. Günther zapewnia ci wszystkie możliwe luksusy, żyjesz wygodnie. Wydaje ci się, że złapałaś boga przemysłu za nogawki eleganckich spodni. Z początku, kiedy prowadzisz jego, wasz wielki dom w Berlinie, roztaczasz przed sobą wizję: niekończące się spotkania towarzyskie, szampan, zabawa. A tymczasem Günther okazuje się poukładanym do bólu pragmatykiem, dla którego szybko stajesz się po prostu dodatkiem do życia, w którym biznes jest najważniejszy. Zaczyna kojarzyć ci się z wielkim żukiem gnojarzem, właśnie tak. Choć gotuje się w tobie niespokojna krew, płoniesz temperamentem, jesteś spragniona wrażeń, musisz przyzwyczaić się do nowego, monotonnego życia. Próbujesz. Zakasujesz rękawy i zaczynasz. Mąż-gnojarz szkoli cię z zarządzania posiadłością, jak jedną ze swoich fabryk-kulek, które toczy dzień po dniu. Dysponujesz konkretną sumą pieniędzy, a każdy wydatek skrupulatnie zapisujesz w tabelce przychód-rozchód. Po niecałych trzydziestu dniach małżeństwa idziesz do niego nie jak do męża, a jak do ojca, od którego – jak dziecko – oczekujesz pochwały, pod pachą niesiesz bowiem gruby zeszyt ze skrupulatnie prowadzoną buchalterią. Czujesz napięcie w dołku: pochwali czy będzie bura? Wchodzisz do gabinetu, chrząszcz obleczony w pancerz swojego garnituru czyta gazetę giełdową. Na twoje pojawienie się nie przerywa, najpierw doczytuje artykuł. Potem w absolutnej ciszy składa gazetę, wyciąga rękę, podajesz wykaz wydatków. Günther przegląda strona po stronie, analizuje, cała gotujesz się w środku: pochwała czy rózga, pochwała czy rózga, musi być pochwała! *Alles klar?* Kurczysz się, on rośnie, jesteś córeczką, masz lat sześć, a on – tyle ile obecnie. Ojciec sięga po srebrne pióro i czerwonym atramentem dodaje notatkę. Starannie kreśli zawijasy. Odkłada przybór i automatycznym ruchem maszyny, wciąż bez słowa, oddaje ci papiery. Z rozgorączkowaniem szukasz adnotacji, śladu pozytywnej reakcji, a tam na czerwono: „sprawdzono i zatwierdzono". Bach! Rózga! Nie wytrzymujesz, drzesz zeszyt, rzucasz go ojcu-mężowi pod nogi i wybiegasz z płaczem.

„Zostaniesz królową życia, a koniec będzie straszny" – w twojej głowie brzmią słowa pochodzącej z Prus Wschodnich pani Kowalsky, która parę lat wstecz wróżyła ci przyszłość z kart. Płaczesz w swoim pokoju, w jednym ze swoich pokojów. Dom jest teraz wielki, zimny i pusty. Jak fabryka. Zastanawiasz się, czy to już jest ten straszny koniec.

Nie jest.

Życie u boku męża przemysłowca monotonnym ruchem kół zębatych toczy się dalej, jak żuk toczy swoją kulę. A dalej jest tylko gorzej. Nie dość, że opiekujesz się domem, dwoma synami Günthera, którzy są w podobnym do ciebie wieku, oraz małym pierworodnym, Haraldem, na głowę spadają ci trzy kolejne obowiązki. Trójka sierot po zmarłym przyjacielu ojcomęża. Günther otacza je opiekuńczym ramieniem – twoim ramieniem. Nie masz wyboru, zaciskasz usta, piąstki, młodość mija, bale nie dla ciebie, *Ordnung* i buchalteria, przyzwyczaj się. Wtem następuje coś niespodziewanego. Do twojego nudnego życia wpada iskra, iskiereczka, taka, co na Wojtusia z popielnika, ale to nie Wojtusia, tylko Hellmuta, twojego pasierba. Hellmut zaczyna darzyć swoją macochę gorącym uczuciem. Skandal! Ale ciii… Wiecie o tym tylko wy. Niech żuk toczy sobie te swoje kulki, nic nie musi wiedzieć. Będzie to wasza, nasza tajemnica. W końcu nie jesteście rodziną poprzez krew, tylko papier, a papier można podrzeć. Albo spalić, taką iskiereczką płomienną. Kiedy młody amant zbliża się do ukończenia dwudziestego roku życia, a ty jesteś o kilka wiosen starsza, czujesz do niego już nie iskierkę, a żar, pożogę. Dodam, nie wtykając nosa pod kołdrę, a opierając się na plotkach, że łóżko, zaułki domu, a nawet szafa, też płoną. Mimo tego, że Günther skutecznie wygaszał olbrzymie piece twojej namiętności. Zaczyna brać cię we władanie czysta morfina, ta sama nieracjonalna siła, którą odczuwałaś nie tak dawno temu, nie tak daleko stąd do pewnego syjonistycznego działacza, Victora Arlosoroffa. Żyda. Wtedy jego pochodzenie nie robiło ci różnicy, choć odczuwałaś dyskomfort, kiedy znajomi ukochanego nazywali cię „blond sziksą", kiedy patrzyli na ciebie z pobłażaniem, a ty nie do końca wiedziałaś, co zrobić z rękami, gdzie patrzeć. Victor, jak go wtedy postrzegałaś, wielki wizjoner, miał również wielkie rozrywki. Konkretnie dwie. Piesze wędrówki i noclegi pod gołym niebem. Wśród źdźbeł trawy, niewygodnych kamieni i owadów – z pewnością kilka żuczków przemierzało autostrady swojego syzyfowego losu wokół twojej głowy. Ubaw po pachy? Skądże! Nudziłaś się jak cholera! Ale kochałaś. Dlatego znosiłaś ekscentryczne rozrywki, krzywe spojrzenia, coraz mniejszą uwagę, jaką cię darzył. Wydaje mi się, droga Magdaleno, że ty potrzebowałaś uwagi, potrzebowałaś postawienia cię na piedestale przez tego czy owego. Inaczej traciłaś swe właściwości, rozpuszczałaś się w sobie. Kilka uderzeń knykciem w blachę twojego ciała i co usłyszymy?... Dobrze, bez złośliwości, powaga. Ty i Victor, namiętność, uczucie, *Ordnung*, rozmawiamy o Historii, a o Historii mówi się tylko i wyłącznie, stojąc na baczność – chociaż, tak między nami… (dla podkreślenia szeptu wchodzę w nawias: słyszałem, że Historia to dziwka, która oddaje się silniejszemu). Wracając: tamto uczucie, tamta namiętność wygasała, choć po rozstaniu dalej widywaliście się przez lata. Do momentu, kiedy Victor zostanie zamordowany; ty będziesz już wtedy Pierwszą Damą Trzeciej. Prawdopodobnie za zleceniem morderstwa stanie twój przyszły mąż, Mefisto, ale to tylko domysły historyków. I tak samo jest teraz. Odczuwasz namiętność do swojego pasierba, rozważasz pogwałcenie norm społecznych, zastanawiasz się, czy zaryzykować wszystko dla uczuć.

I przychodzi śmierć.

Przybiera postać komplikacji spowodowanych zapaleniem wyrostka robaczkowego. Jakie to paskudnie trywialne! Nie rany postrzałowe w obronie ideałów, nie bójka w twojej obronie, a wyrostek. Śmierć jest do bólu trywialna. Hellmut leży w szpitalu w Paryżu, dowiedziawszy się o tym, przyjeżdżasz czym prędzej. Szpital jest zaniedbany, Hellmut cierpi, sepsa postępuje, morfina nie pomaga. Robisz wszystko, co możesz, żeby zapewnić mu lepszą opiekę, a trzeciego dnia. W twoich ramionach. Wyziewa ostatni wydech, ale wydech ten jest gęstszy niż zwykle, zawiera mieszaninę dwutlenku węgla i kilku innych gazów. I duszy.

Widzę pęknięcie, które naznacza teraz twoją osobę, jak brzydka blizna na powierzchni pięknej porcelanowej wazy. Pęknięcia nie da się skleić, będzie boleć, będzie ropieć przez całe życie. Potrzebujesz czegoś, co uśmierzy twój ból. Znajdujesz. Podczas wyjazdu do Stanów Zjednoczonych z nudnym jak flaki Güntherem wdajesz się w romans z tajemniczym „Ernstem"; niektórzy twierdzą, że to twoja dawna miłość, syjonistyczny miłośnik wycieczek pieszych. Romansu nie ukrywasz, beztrosko wozicie się po eleganckich hotelach, razem, dłoń w dłoń, pokazujecie się publicznie. Płoniesz, jesteś cała w ogniu. Jakby tego było mało, jak modliszka wabisz kolejnego samca, w dodatku bratanka późniejszej persony numer jeden w Stanach Zjednoczonych, przyszłego prezydenta Herberta Hoovera. Widać lubisz wiązać się z potężnymi mężczyznami, bo młody Hoover, trzeba przyznać, majątkiem przewyższa twojego obecnego boga niemieckiego przemysłu. Ale nawet tak wyważone osobowości jak Günther mają uczucia, mają swoją cierpliwość. Wzywa cię na rozmowę, pyta, czy to wszystko prawda. „Tak – odpowiadasz bez mrugnięcia, bo tobie jest już wszystko jedno, chcesz żyć, zapomnieć, wyzwolić się z tych kajdan, a nie toczyć kulkę! – najprawdziwsza prawda, mój mężu". Twój mężu się wkurza. Rozcina węzeł gordyjski waszego związku, ma nadzieję, że rozrąbie go silnym machnięciem rozwodowego miecza. Jesteś sprytna, modliszki to wyrachowane istoty. Podczas procesu przedstawiasz listy, które Günther otrzymywał kiedyś od kobiet, z którymi utrzymywał sploty intymne. Masz na niego haki. Zastanawiam się tylko, jak do tych haków dotarłaś. Czy zakradałaś się późnym wieczorem do gabinetu twojego *der Ehemann*, jak szpieg, żeby przechwycić kompromitujące informacje? Czy wykorzystywałaś swoją pozycję i przepytywałaś służbę jak jeńców, bez litości? Czy może, niby z dobrego serca, powiedziałaś: „Ja pójdę po pocztę, drogi mężu, nie wysyłaj Trudi". Kontrola najwyższą formą zaufania. Sam cię tego nauczył, więc ma.

Z procesu wychodzisz bez szwanku, z pieniędzmi, z prawem do korzystania z posiadłości Severin w Meklemburgii i z nowym rozdaniem kart w relacji między tobą a Güntherem. Jako mąż i żona nie pasowaliście do siebie zupełnie. Jako przyjaciel i przyjaciółka – pasujecie niemal perfekcyjnie.

Widać czasem, żeby zacieśnić stosunki między ludźmi, trzeba je poluzować. Luzuje się też twoja zależność od eksmęża, od losów jego rodu. Günther to sprytny żuk, w przyszłości wykorzysta możliwości, jakie stworzy druga wojna światowa, wykorzysta swoje wpływy do przejęcia przedsiębiorstw należących do Żydów, wykorzysta dziesiątki tysięcy istnień ludzkich dla rozwoju swoich fabryk, dla toczenia swoich kulek. Dla niego nie będą to istoty ludzkie. W swoich zakładach Accumulatoren-Fabrik AG i Deutsche Waffen-und Munitionsfabriken będzie zmuszał do przymusowej pracy jeńców, żeby wytwarzać akumulatory do U-bootów, wspomagać produkcję rakiet V-2, a także, w innych fabrykach, wytwarzać karabiny typu Mauser i amunicję. Praca w tych warunkach będzie nieludzka, szczególnie praca przy żrącym kwasie do akumulatorów, co będzie powodować miesięcznie śmierć przeciętnie osiemdziesięciu ludzi. Ale dla Günthera nie będą to ludzie, a z góry przewidziana, zapisania, zapewne czerwonym atramentem srebrnego pióra „fluktuacja pracowników". Za te „fluktuacje" zostaną mu przedstawione zarzuty w procesie norymberskim, ale uniknie konsekwencji. Brytyjczycy dojdą do wniosku, że choć wojna się skończyła, przemysł jest potrzebny, a szczególnie akumulatory, więc Günther uniknie kary za zbijanie fortuny na ofiarach wojny i Holocaustu. Los wreszcie dopadnie go pod postacią katastrofy lotniczej w Egipcie. Nie przy pracy, a na urlopie wypoczynkowym. W konsekwencji majątek Günthera przejmą jego synowie: Herbert i Harald. Śmierdzącą fortunę pomnożą do gigantycznych rozmiarów, a córki Haralda – jednocześnie twoje wnuczki, Magdaleno – stworzą wielką brunatną kulę: Harald Quandt Holding GmbH, wartą w czasach, w których spisuję twoją historię, około trzydziestu miliardów euro. Widać masz silne geny.

Ale to nastąpi później. W momencie, kiedy rozwodzisz się z mężem, zwabiony łatwym żerem kochanek ze Stanów, młody Hoover, przylatuje natychmiast z Nowego Jorku do Berlina. Ma nadzieję, że przedłużycie romans, proponuje ci małżeństwo. Ale zbywasz go. Masz dość życia małżonki bogatego przemysłowca, przeczuwasz, że sytuacja może się powtórzyć. Nie wchodzi się dwa razy do tej samej rzeki. Stajesz się królową lodu i chłodno traktujesz jego anonse. Jest jak w filmie z Humphreyem Bogartem: przystojny amant, rozpieszczona ślicznotka w mieniącej się w poświacie księżyca sukni, księżyce pereł z ceną sięgającą kosmosu. Stoicie na tarasie klubu golfowego w Wannsee, on się oświadcza, ja, my, widzowie trzymamy kciuki, żebyś powiedziała: *Yes, Humphrey, dance me to the moon!*, ale ty dajesz mu klasycznego kosza, oglądalność spada. Bo to nie był film. Aby go jeszcze bardziej upokorzyć, każesz odwieźć się do domu. Więc cię odwozi. Ale już nie Bogart, a Nicholson z *Lśnienia*. Pędzi jak szatan, na łeb na szyję, gna wzburzony z nadmierną prędkością, czujesz mdłości, każesz mu zwolnić. Nie zwalnia. Jest w szale. Jak KTOKOLWIEK śmie mu odmówić?! Chwilę później dachujecie. On wychodzi niemal bez szwanku, ty spędzasz wiele tygodni na hospitalizacji, masz pękniętą w dwóch miejscach czaszkę. Śmierć widocznie nie interesuje się tobą.

Mijają dni, tygodnie i miesiące twojego pustego, przepełnionego nudą życia. I nagle, jak w powieści sensacyjnej, coś się wydarza. Odnoszę wrażenie, że to w tym miejscu następuje zwrot w twoim życiu, a jednocześnie pierwsze samobójstwo. Podcięcie sobie przegubów w ciepłej wannie i powolne wykrwawianie się przez lata. Woda zaczyna zabarwiać się wiśniowymi kroplami, kiedy wolna, rozpieszczona, zupełnie bez żadnego celu w życiu, pusta jak porcelanowa lalka przychodzisz na zebranie wyborcze NSDAP w berlińskim Pałacu Sportu. Jesteś jednym z tysiąca ubranych w brunatne koszule wyrostków. Różnisz się jednak od nich znacząco. Już pierwsze zasłyszane rozmowy w surowym jak tatar języku demaskują braki w wykształceniu, któremu aromatu dodaje słodki zapach potu. Nie wiesz, czemu tu przyszłaś, nie wiesz czemu zostajesz, ci ludzie cię zniesmaczają. Może dla wielkiego show, o którym tyle słyszałaś? Wszak potrzebujesz wrażeń.

Magdaleno, pozwolisz, że w tym momencie włożę kij między szprychy kół historii – twojej historii i tej wielkiej Historii – zanim na scenę wejdzie Mefistofeles. Choć daleki jestem od personifikowana zła w jednej postaci, którą z pewnością jest Joseph Goebbels, trzeba przyznać, że z Mefistofelesem ma wiele wspólnego – choćby chód. Zanim stał się potężną personą w partii, wam współcześni szydzili z niego, właśnie z powodu jego chodu. Utykał na lewą nogę, która od prawej była krótsza o dziesięć centymetrów wskutek zapalenia szpiku kostnego w kości udowej, które przebył w dzieciństwie. I ten chód kojarzył się szydercom z chodem Mefistofelesa, który zamiast stóp ma kopyta. Patrząc z mojej perspektywy, z punktu widzenia mieszkańca kraju odartego z wszelkiej godności wskutek waszych działań, postać diabła jest tutaj jak najbardziej na miejscu. Za chwilę wprowadzę na scenę również inną postać, Wodza, który roztoczył przed tobą i przed milionami innych narkotyczny mit Wielkiej Rzeszy, narkotyczną wizję człowieka, który od narkotyków był uzależniony. Który, wybacz mój język, miał również bardzo niewodzowskie problemy gastryczne – puszczał bąki na potęgę. Ale zanim wyjmę kij z kół historii, zanim wyjawię dalszy jej ciąg, chciałbym, żebyś zrozumiała, dlaczego to robię. Dlaczego dziesiątego i jedenastego grudnia 2016 roku siedzę przez cały weekend w mojej kawalerce w Krakowie, kiedy na zewnątrz panuje mróz, kiedy smog dusi przeponę, kiedy moja krtań płonie od nadmiaru wypalonych papierosów (dwie pełne paczki), których na co dzień nie palę, ale przy twojej historii inaczej nie potrafię. Całe dwa dni jestem na diecie złożonej z kofeiny, owoców, nikotyny i izotoników, całe dwa boże dni, dwa wieczory i kawałki nocy rezygnuję ze spotkań towarzyskich, aby spędzić ten czas *tête-à-tête* tylko z tobą. Chcę podnieść ci powieki, a najlepiej je wyciąć, jak zrobili Rzymianie jednemu z wodzów kartagińskich, aby patrzył na zniszczenie ukochanego miasta. Obieram twoje oczy z powiek, bo chcę, żebyś przyjęła mój punkt widzenia, żebym ja przyjął twój, żebyśmy zrozumieli. Patrzmy zatem szeroko otwartymi oczami na ten tłum brunatnych koszul, na Mefistofelesa w czarnej skórzanej kurtce kuśtykającego w stronę sceny. Oboje czujemy to pulsowanie Historii, kiedy wchodzi na podium i zaczyna przemawiać. Jak wszyscy, ulegasz czarowi jego głosu, czujesz niemal erotyczne doznanie, kiedy rozlewa wiadro swojej charyzmy na tłumy, czujesz wilgoć. Coś zmienia się w tobie, to długie palce Mefista przenikają do twojego porcelanowego wnętrza przez uszy, chwytają za kluczyk i nakręcają. Tik, tak, tik, tak, maszyna zaczyna działać. Jak inni, nie słuchasz słów, rejestrujesz jedynie tembr głosu. Działa na was tak samo, mimo że jesteście tu z innych powodów. Oni: albo młodzi gniewni – „Chwała Wielkiej Rzeszy!" – albo starsi, sfrustrowani, bo bezrobocie po wielkiej światowej, bo marzą o wielkich Niemczech, żeby coś więcej niż tylko chleb. Ty przychodzisz dla igrzysk. Wszyscy jesteście tu dla mitu, dla wielkiego mitu Wielkiej, Powstałej z Kolan Rzeszy. Joseph przemawia, a kiedy przemawia, to oczy mu świecą, długie ręce bębnią w pulpit, oskarża, oskarża, że mroki, w których się znajdują, to wina ich! wrogów narodu! żydowskich kapitalistów! Tłum skanduje, wrzeszczy razem z nim, dajesz się ponieść. Wtem ocean, cisza, nowy poranek. To Mefisto, pogodnym, mocnym głosem mówi o wybawcy, który powiedzie naród ku przyszłemu imperium. Słysząc te słowa, odczuwasz błogość, kąciki ust same idą do góry, łzy pompują się do oczu. Wtedy też doznajesz objawienia, twoja egzystencja nabiera sensu. Woda w wannie koloru wina stygnie, trup stygnie.

Wypadki toczą się błyskawicznie: po wiecu kupujesz *Mein Kampf*, studiujesz pisma Alfreda Rosenberga, z wypiekami na twarzy wertujesz strony nazistowskiego szmatławca „Schulungsbrief", wstępujesz do partii, zatrudniasz się jako pomoc biurowa w kwaterze głównej NSDAP – dodajmy, że pracować nie musisz. Jesteś wykształcona, znasz języki, dlatego tłumaczysz artykuły z zagranicznych pism, traktujące o partii. Aż pewnego dnia na twojej drodze, na schodach staje on: Joseph Mefisto Goebbels. Patrzy w twoje oczy, ty w jego, trwa to tylko sekundę, ale co następuje potem! Nie żadna kiczowata love story, a prawdziwa nazi love opera! *Liebesgeschichte!* Kolana ci się uginają, myślisz, że spłoniesz pod wpływem tego spojrzenia, tego piekielnie nieprzystojnego mężczyzny. I, jak to w nazistowskich romansach bywa, już na drugi dzień zaprasza cię do siebie, pożera wzrokiem. I proponuje posadę. Szuka godnej zaufania osoby do prowadzenia tajnego archiwum. Tajnego? Zastanawiasz się, czy się nie przesłyszałaś. Tajnego, kiwa głową. Taka słodka pokusa, tajne archiwum, gdzie będziesz zbierać brudy na temat innych członków partii. Dreszcz przechodzi ci po plecach. Przecież masz wprawę, jakoś musiałaś dotrzeć do świntuszkowatych listów twojego ekszuka. Tajne? Nie wierzysz. „Tak – szepcze – szanowna pani musi się wiele nauczyć, w polityce nie ma cudów. Wiedza to władza". „Władza" – to słowo uderza ci do głowy, „wiedza" – kolana miękną, „tajne" – rozkładasz nogi. No, nie tak od razu. Nazi opera rządzi się swoimi prawami. Formalny on, formalna ty, mijają tygodnie. Liście lecą z drzew, spada śnieg. Pozornie nic się nie dzieje, ale pod powłoką waszych czaszek szaleje pożar, a ty ponad wszystko kochasz pożary. Pożądasz go, ale nie jak namiętna dziewczyna – wszak masz już prawie trzydziestkę, a to w twoich czasach wiek dla kobiety stateczny – otaczasz go niemal matczyną troską. Chcesz się zaopiekować tym biednym, źle ubranym człowiekiem, który wygląda jak wygląda, bo pewnie żadna kobieta się o niego nie troszczy. A on prowadzi swój dziennik, w którym zapisuje: „Wieczorem przyszła Magda Quandt i została bardzo długo. Rozkwita w urzekającej blond słodyczy. Jaka jesteś, moja królowo? (1) Piękna, piękna kobieta! Zapewne będę ją bardzo kochać". (Dla wyjaśnienia: jedynka w nawiasie oznacza, że odbyliście wtedy pierwszy wspólny...). Twój Mefisto dokumentował w ten sposób mapę swych podbojów. A mapa ta jest w istocie ciekawa. „Trochę edukacji po jej i po mojej stronie i będziemy pasować do siebie fantastycznie (4, 5)". (4, 5)?! No nieźle! „Była dla mnie dobra. Odegnała troski. Bardzo ją kocham (6, 7)". Po siódemce przestał notować, już cię nie zawstydzam. Wiemy też, co było dalej: wzięliście ślub, chociaż twoja matka, dwukrotna rozwódka, była temu przeciwna; mówiła, że Joseph wydaje jej się demoniczny, zbyt podejrzany. Że i owszem, jego urok jest bezsprzeczny, ale jest cyniczny, zjadliwy i często ją rani. Ale ona, droga

Magdaleno, nie wiedziała tego co ty. To nie na jej, a na twoich piersiach, po waszych idących już w wartość wykładniczą ujętych w nawias numerkach, leżał i gadał. Każdy mężczyzna musi się wygadać. O czym gadał? O wszystkim. O wszystkim, co uczyniło go silnym, gardzącym innymi ludźmi mężczyzną. O tym, że w dzieciństwie był słabego zdrowia i nie miał przyjaciół; o swojej pierwszej wielkiej miłości, którą po czterech miesiącach spotykania nakrył z innym; o ucieczce w świat książek; o odmowach: od księdza o przyjęcie do zakonu, od wojska w sprawie poboru, od wybitnego profesora literatury o dołączenie do jego elitarnej grupy – Joseph studiował literaturę i filozofię, od licznych redakcji, w których chciał pracować albo publikować. Nie mam pewności, czy wspominał ci o tym, że po studiach bezrobotny i sfrustrowany doktor filozofii wrócił do domu, że był dla rodziny ciężarem, że w pokoju na poddaszu pisał autobiograficzną powieść zatytułowaną *Michael*, w której obwiniał Boga za swój los, szydził z matki, że kochała takiego kalekę. W powieść wsączał rosnącą nacjonalistyczną myśl, która zakwitła na glebie nawożonej żarliwą nienawiścią do ludzi i absolutnym poczuciem niższości. W pamiętniku notował: „Jestem nikim. Wielkie zero". „Teraz nauczyłem się rezygnacji i bezgranicznej pogardy dla kanalii ludzkości". A największymi wśród kanalii byli Żydzi. Bo Żydzi byli właścicielami redakcji, które go nie przyjęły, Żydem był profesor od literatury, który go odrzucił. Na szczęście poznał ciebie, mogłaś gładzić go po głowie i mówić: „Tak, *mein lieber*, oni wszyscy są temu winni, ciii". Ale zanim stanęłaś taranem na jego ścieżce, wcześniej pojawił się na niej ktoś inny. Świadek na waszym ślubie. Absolutnie ekscentryczny umysł. Adolf.

Kiedy staliście na kobiercu, już od dawna byliście oczadzeni wizją, mitem, który zaszczepił w was właśnie on. Ty – znudzona życiem kobieta bez celu, Joseph – frustrat, nienawistnik, miliony innych Niemców – miliony powodów drążących wątrobę. I w odpowiedzi na eskapistyczną potrzebę społeczną pojawił się mit. Mit o pięknej krainie, gdzie na zielonych pastwiskach będą szły pod rękę zdrowe blondwłose dziewczyny z krzepkimi, wysokimi blondynami, a w studniach ich błękitnych oczu odbijać się będzie wdzięczność dla kraju, dla narodu, dla Wiecznej Rzeszy. Zapragnęliście powrotu do Ogrodu, uwierzyliście, że jest to możliwe, uwierzyliście, że możliwe jest urzeczywistnienie mitu. Zupełnie zapomnieliście o tym, że mitu się nie urzeczywistnia, a wyłącznie przeżywa, i to nie całościowo, a ułamkami. Taka jest natura mitu. Pomógł wam w tym Adolf i – oczywiście – twój małżonek. Cały naród, z wyjątkiem kilku drobniaków, uwierzył. A potem ruszyliście po swoje, brunatną masą.

Stojąc na kobiercu, patrzyliście w waszego świadka jak w święty obrazek. Podarował wam sens życia, coś, w co warto wierzyć. I swoją miłość. Joseph kochał go, ponieważ był jednocześnie wielki i skromny. Był też jego przyjacielem, jednym z niewielu, jeżeli nie jedynym. A ty? Tutaj mam zagwozdkę. Kochałaś go, to nie ulega wątpliwości. W końcu imiona wszystkich twoich dzieci zaczynają się na literę H: Helga, Hildegarda, Helmut, Hedwig, Holdine, Heidrun. Poza literką H jak Hitler, łączy je coś jeszcze, coś potwornego, ale do tego przejdziemy w ostatnim akcie. Czy zbliżyliście się fizycznie z Adolfem? Tego nie wiem, mogę tylko snuć brzydkie domysły. W końcu nakazano nazywać cię Pierwszą Damą Trzeciej, w końcu darzył cię specjalnymi względami, w końcu tyle razy interweniował w twoje życie. Ktoś interweniować musiał. Na własne życzenie, głupia, podpisałaś umowę małżeńską, w której Mefisto deklarował, że i owszem, jesteś królową jego życia i chce mieć z tobą dużo dzieci, ale cyrograf zawierał też punkt sankcjonujący przygody pozamałżeńskie, swobodę spotkań Josepha. A Joseph korzystał z tej swobody, oj tak! Zatrudniał dziewczęta w swoim Ministerstwie Propagandy, wkładał liczby w nawiasy, a potem pozbywał się niewygodnych kochanic, iście z klasą. Wyszukiwał młodego, zdrowego chłopca, awansował go, swatał z kochanicą i posprzątane. Wiedziałaś o tym. I nie zaciskałaś zębów. Też miałaś swoje za skórą. Przyznam, że trochę męczą mnie już historie twoich romansów. Ale jednocześnie zastanawiam się, w którym momencie doszło do tego, że szczerze go znienawidziłaś. Kiedy pękłaś. Ty – Pierwsza Dama Trzeciej. Ty – modelowa żona Rzeszy (wizerunek wykreował, rzecz jasna, szanowny niewierny małżonek), która przyjmuje żony zagranicznych delegatów, która jest patriotką i mówi o tym otwarcie, która bierze udział w szkoleniach pielęgniarek Czerwonego Krzyża. Ty – matka SZÓSTKI jego dzieci, matka-fabryka. Jednak zostaje ci coś z nauk byłego męża. Niemiecka myśl przemysłowa w tym czasie przenika nie tylko do obozów, ale również do męskich lędźwi, do plemników, do kobiecych macic. Rodzicie na potęgę. Ktoś w końcu musi zasiedlić ziemię, kiedy podludzie znikną w przemysłowych piecach. Ty – tak oddana Rzeszy, urzeczywistniającemu się mitowi, że nawet nie protestujesz, kiedy twój ojczym, Żyd, trafia do jednego z pieców. Ty, ty, ty. A on co? Kurwi się poza jakimkolwiek nawiasem.

Czarę goryczy przelewa piękniutka, młodziutka aktoreczka z Czech, Lida Baarova. Mąż, jakby nigdy nic przyjeżdża do domu, wręcza kwiaty, jesteś ukontentowana, taki szarmancki, wprowadza Lidę – jesteś nieco zazdrosna: o jej urodę, o jej wiek, o jej w oku błysk – zostają na herbacie. Nie wyczuwasz niczego podejrzanego, wszak czeska aktoreczka odwiedzała was już kilka razy. Instynkt modliszki mówi co innego. Mówi słowami twojego szanownego:

– Muszę omówić z tobą coś ważnego... Pani Baarova i ja kochamy się. Jesteś oczywiście matką moich dzieci i moją żoną. Ale po tylu latach zrozumiesz, że muszę mieć przyjaciółkę... Myślę, że na stałe. – Po takim wyznaniu jesteś wstrząśnięta, nie możesz wymówić słowa. Zupełnie cię zatkało. Joseph bierze cię za rękę i widząc twoje zaniemówienie, kontynuuje. – Wiedziałem, że mogę na tobie polegać, kochana Magdo. – Uśmiecha się do aktoreczki, ona do niego, znowu patrzy na ciebie i szarmanckim tonem dodaje: – Byłaś i będziesz moją dobrą staruszką.

Miał klasę, nie ma co. I wcale się nie dziwię, że chciałaś się rozwieść. Po raz drugi, jak twoja matka. Ciekawi mnie tylko, czy jako rasowy drapieżnik w ataku furii w tamtym momencie rozwaliłaś serwis, czy tę sukę z podrzędnego, podbitego przez Rzeszę państewka oblałaś gorącą herbatą i wreszcie, czy rzuciłaś się na męża z pazurami, w stronę jego twarzy, żeby wydrapać wąwozy ran, poczuć krew i mięso pod paznokciami, urządzić prawdziwą nazistowską awanturę. Źródła milczą na ten temat, a szkoda.

W tym miejscu interweniuje sam Wódz. Jednym zdaniem odsyła Czeszkę do Pragi, a wam każe się pogodzić. Rozwodu surowo zakazuje. Jak by to miało wyglądać? A wy, jak dzieci pociągające nosami, przyjmujecie rodzicielski wyrok bez szemrania. Jesteście mu całkowicie oddani. Bez cienia sprzeciwu wykonujecie każdy rozkaz, wierzycie we wszystko. Twoja wiara w Hitlera jest niezachwiana. Zastanawiam się, czy miewałaś wątpliwości, czy fundament twojej wiary choć trochę się zatrząsnął, kiedy wnętrzności dumnych niemieckich chłopców były rozchlapywane przez pociski po sowieckich ziemiach, po piaskach Normandii. Czy dalej szłaś za nim ślepo w ogień, także pod sam koniec, kiedy schodziliście do bunkra, a twój mąż po klęsce pod Stalingradem przygotowywał naród do wojny totalnej. Wódz wie, że polegniecie. Każe ci wyjechać z rozpadającej się mitycznej Rzeszy, uciec z dziećmi na zachód. I wtedy po raz pierwszy mu się sprzeciwiasz. Mówisz: „Nigdy. Zostajemy z tobą do końca". Z wdzięczności użycza tobie i twoim dzieciom swojej osobistej łazienki z wanną.

Patrzysz na tego starca – bo w ostatnich dniach wygląda grubo ponad kreskę swojego wieku – i myślisz, że to przez zmartwienia, ciężar, jaki Wódz nosi na swoich barkach. Ale prawda wydaje się nieco inna.

Jak wszyscy blisko związani z Hitlerem, znasz jego osobistego lekarza, grubego, śmierdzącego Theodora Morella. Theodor, nazywany „Mistrzem zastrzyków Rzeszy", jest połączony nierozerwalną pępowiną z Wodzem. Tak naprawdę ten wybitny, w mniemaniu Adolfa, lekarz jest zwykłym konowałem. I dilerem. Wódz ma wiele wstydliwych sekretów. W obsesyjnym dążeniu do wizerunku człowieka o ponadprzeciętnej witalności, o zawsze szczupłym wyglądzie bierze środki przeczyszczające. Powodują one bóle żołądka. Morell, żeby uśmierzyć jego katusze, podaje mu środki przeciwbólowe. Dla żołądka cierpiętnika to mieszanka piorunująca. Środki na przeczyszczenie powodują rozkurcz żołądka, a painkillery jego skurcz, wskutek czego *Übermensch* cierpi na gazy, nad którymi nie potrafi zapanować. Jeżeli kiedykolwiek wyczuwałaś wokół Wodza niezdrową aurę, niniejszym rozwiewam twoje wątpliwości – to nie siarka piekielna, a gazy. To nie wszystko. Hitler, wiecznie pobudzony, wiecznie egzaltowany optymista, który swoją nadludzką charyzmą poruszał tłumy, zawdzięcza ten stan zastrzykom podawanym przez konowała. Morell nazywa sekretną mieszankę podawaną pacjentowi co rano, a czasem i dwa lub więcej razy dziennie, mianem Vitamultin. To same witaminy, tłumaczy. Jak się później okazuje, to prawie prawda. Do witaminek dodaje popularny w twoich czasach Pervitin, tabletki potocznie nazywane Panzerschokolade. Po jednej takiej czołgowej czekoladce nie trzeba spać dwanaście godzin, po dwóch – cały dzień. Ich głównym składnikiem jest feta. Twój Wódz jest, muszę cię rozczarować, zwykłym ćpunem. Ale to nie wszystko. Jest chory na Parkinsona; z pewnością zauważyłaś, jak drżą mu dłonie, jak powłóczy nogami, jak w ostatnich dniach się garbi. Kiedy nie bierze Vitamultinu, cierpi na bóle głowy, wpada w stany depresyjne. Typowe oznaki odstawienia. Ale od czego jest jego lekarz! Aplikuje zastrzyk i znów moc napełnia wodzowskie ciało, ciało zniszczone, zdegenerowane przez drążący go nałóg. A na deser kiła. Syfilisem podobno zaraził się za młodu od prostytutki. Żydowską chorobą, jak zapewne wiesz ze stron *Mein Kampf*, z którą naród niemiecki musi walczyć. Rozczarowujące jest, że losy narodu znajdują się w rękach tak zniszczonego organizmu, prawda?

Czy powyższe fakty są ci wiadome, czy nie – dalej jesteś mu oddana. Dalej chcesz być kobietą *nummer eins* w rozsypującej się Trzeciej Rzeszy. No, ale jest jeszcze ona. Ta nieszczęsna modelka, Ewa Braun, ta słabiutka dziewczyna z wielkimi zderzakami na przedzie, która na samym początku związku z Wodzem dwukrotnie próbowała się zabić, ta od której na pół metra zawsze czuć papierosami. Może roztacza wokół siebie tę tytoniową aurę w obecności ukochanego, żeby nie czuć innej woni? Kto wie.

Wydaje mi się, że nie lubisz Ewy. Trochę ci się nie dziwię. W końcu usuwa cię w cień, już nie jesteś do końca Pierwszą Damą Trzeciej. Mimo to, kiedy siedzicie zamknięci w bunkrze, kiedy nazistowski świat się wali, a dochodzi do ciebie prośba młodej, że ma „te dni", że w całym bunkrze sami żołnierze, a żadnej waty, przesyłasz jej zawiniątko. Łączy was solidarność menstruacyjna.

Dni spędzone w bunkrze muszą napełniać cię marazmem. Jednocześnie jest to szansa na odbudowanie więzi z Mefistem. Wiecie, że tam na zewnątrz nic już nie będzie takie samo, a tu w środku Josephowi nie w głowie psoty. Ciasne powierzchnie sprzyjają zbliżeniu. Chyba nawet godzicie się, nie formalnie, a jak mąż z żoną. Nie zmienia to faktu, że atmosfera pod ziemią jest gęsta, przytłaczająca. Jedynym promykiem radości wydaje się wesele pana młodego z panną młodą, oblubieńca z oblubienicą, Adolfa z Ewą. Następuje zamiana ról, teraz to Joseph jest świadkiem, a Adolf stoi na kobiercu. Jest ceremonia, skromne przyjęcie i szampan. Nikt jednak nie potrafi się przemóc, żeby życzyć młodej parze szczęśliwego życia. Przeważają tematy rozmów stanowczo niezarezerwowane dla wesela. Dyskutuje się o różnych metodach popełnienia samobójstwa, a cyjanek, gorzko-migdałowy morderca, wydaje się najbardziej właściwym sposobem rozstania się z żywotem. Niech żyje młoda para!

Dwa dni po ślubie następuje chyba najczarniejszy dzień. Wszyscy wiedzą, co ma się wydarzyć, wszyscy się na to godzą. Poza tobą. Biegniesz przez korytarze bunkra, wydrążone jak korytarze termitów, jesteś zrozpaczona, myślisz o jednym: żeby tylko zdążyć! W końcu trafiasz przed oblicze metalowych drzwi, walisz w nie rękami, żołdak Wodza każe ci odejść, ale ty nie chcesz, nie pozwalasz, jesteś waleczna, drapieżna. Nie pozwolisz, by odszedł twój Wódz, sens życia. Żołdak każe ci poczekać, wchodzi i pyta przełożonego o instrukcje. Wykorzystujesz moment, wpadasz do środka, chcesz objąć go za nogi, błagać, prosić, ale nie jest ci to dane. W ciągu kilku sekund zostajesz wywleczona na zewnątrz. Tego samego dnia słychać dwa strzały. Dwa samobóje.

Znowu czujesz się opuszczona i samotna, jak wtedy, kiedy mieszkałaś w rezydencji żuka. Ryczysz jak mała, zasmarkana dziewczynka. Nie wiesz, co masz robić. Idziesz do męża. Mefisto beznamiętnym tonem oświadcza, że nie jest już zainteresowany życiem. Zgadzasz się z nim. Już dawno podjęłaś decyzję, kilka dni temu wysłałaś list do Haralda, pierworodnego przetrzymywanego w obozie jenieckim w Bengazi, w którym zdałaś relację ze swojego pobytu w bunkrze. I ze swoich wyborów.

Treść tego listu napawa mnie odrazą do Ciebie. Każdy w tej historii ma fabularny przydomek: Mefistofeles, Żuk, Konował, Ćpun. Ty uosabiasz aż dwie postaci: Lady Makbet i Medeę.

Kiedy Joseph dyktuje testament sekretarce denata z wąsikiem, kiedy Traudl go zapisuje, sprawa jest już przesądzona. Traudl w tej historii jest mi trochę żal. Jeszcze niecałe kilkadziesiąt godzin temu jadła posiłek z twoimi dziećmi (które musiały dwukrotnie podskoczyć, kiedy usłyszały dwa strzały), a już niedługo zostanie pojmana przez Sowietów podczas próby ucieczki. Zostanie uwięziona i wielokrotnie zgwałcona. Ale wtedy, w trakcie posiłku, liczył się porządek jedzenia: zupy łyżką, a drugiego widelcem i nożem. Te małe rytuały stanowiły ostatni bastion cywilizacji, zanim ucieknie w stronę dżungli, w kierunku czerwonego jądra ciemności.

Dochodzimy do najbardziej potwornego momentu twojej historii, do wykonania testamentu Josepha, do urzeczywistnienia zdań, które zawarłaś w liście do syna. Idziesz korytarzem, prowadzisz piątkę swoich dzieci, najmłodszą, Heidi, niesiesz na rękach. Wszystkie ubrane są w długie białe koszule, w końcu idą do łóżeczek. Wcześniej kakao, które czeka na nie w pokoju. Dzieci nie wiedzą, że napój zadziała podwójnie usypiająco – po pierwsze z uwagi na usypiającą moc kakao, po drugie przez dodany środek nasenny. Prowadzisz niewinne, ufające tobie – swojej matce – dzieci. Sam widok tego małego pochodu ma w sobie coś onirycznego. Bose stopy, długie białe szaty, wzorowo rozczesane włosy. Kiedy mała Heidi widzi żołnierza nazwiskiem Misch, uśmiecha się do niego i zaczyna śpiewać swoją dziecięcą rymowankę: *Misch, Misch, du bist ein Fisch*. Żołnierz uśmiecha się, a potem rozpływacie się za schodami, jak pochód zjaw.

Podobno sowieccy żołnierze, kiedy już zdobyli bunkier i wtargnęli do pokoju dzieci, znaleźli szóstkę małych istot leżących w łóżeczkach w koszulach nocnych. Dziewczynki miały we włosach kokardy. I jak bardzo musieli być zdziwieni ci wszyscy Dymitrowie, Aleksiejowie i Fiodorowie, kiedy odkryli, że dzieci nie śpią. Że są martwe.

Zastanawiam się, kiedy straciłaś ostatnie połączenie ścięgnem albo tętnicą z istotą ludzką. Przecież ten cały pochód, to uczesanie, kokardy, numer z kakao musiałaś obmyśleć już wcześniej, to trzeba było zaplanować! I raz po raz odtwarzać w pamięci, zastanawiać się, czy po podaniu kakao faktycznie powinnaś śpiącym już pociechom włożyć do ust kapsułki z cyjankiem i pomóc im zagryźć. Czy to twoim zdaniem był najlepszy sposób uśmiercenia własnych dzieci? Dlaczego od razu ich nie rozstrzelać? Widocznie wiele musiało zmienić się w twoim wnętrzu, wiele razy musiałaś upadać na dna własnych otchłani, że sposób z cyjankiem uznałaś za „najbardziej godny dla własnych dzieci". Dzieci, które musiałaś urodzić w bólach, którym zmieniałaś pieluchy, które karmiłaś piersią, które – kiedyś – musiałaś kochać. I te kokardy! Wyraz matczynej miłości? Raczej marna propaganda. Wydaje mi się, że decyzję tę podjęłaś na długo, zanim Hitler prosił cię, żebyś uciekła z dziećmi na zachód. Twój sprzeciw był zdecydowany, przemyślany. Pewnie przez wiele tygodni, jeżeli nie miesięcy, topiłaś w wodach swoich myśli własne dzieci, jak topi się małe kociaki. W imię czego? Ofiary? Twój demonizm najklarowniej objawił się, kiedy z pozornym spokojem wkładałaś śmiercionośne kapsułki w usta każdego z dzieci, pewnie w kolejności, pewnie od najmłodszej do najstarszej. Zajęcie to trudne. Po pierwsze dłonie – nie mogą drżeć. Kapsułkę należy włożyć między zęby i zagryźć zdecydowanym ruchem żuchwy. Po drugie, kiedy będziesz już przy, powiedzmy, środkowym dziecku, kiedy usłyszysz, jak pierwsze zaczyna się dusić, nie możesz spanikować. Musisz skończyć, co zaczęłaś. Po trzecie, kiedy dzieci już się uduszą, należy – jak Pierwszej Damie Trzeciej Rzeszy przystoi – ułożyć je w godnej pozycji: rączki wzdłuż ciała, otrzeć ślinę z koniuszków ust, przykryć kołderką. I wreszcie, po czwarte, kiedy najstarsza, dwunastoletnia Helga, to nieposłuszne ziółko, które nie przepadało za wujkiem Hitlerem, wybudzi się znienacka, należy je zamordować, gwałtem wepchnąć cyjanek do ust, może nawet uderzyć w twarz, kiedy ugryzie cię w palec albo zaciśnie zęby i będzie się szamotać. Siłą wciśniesz jej w usta kapsułkę, zmusisz do przegryzienia – tak, w tym jesteś dobra, drapieżna modliszka, siła jest ci nieobca – kolanem przyciśniesz klatkę piersiową, jedną dłonią przytrzymasz odpychającą cię rękę, a drugą zasłonisz usta. I będziesz patrzeć, jak nieposłuszna Helga się rzuca, coraz słabiej, jak oddycha ciężko, jak patrzy na ciebie przerażonymi, załzawionymi oczami, a jej spojrzenie krzyczy: „Mamo! Chcę żyć!". A w tle będzie jej wtórować chórek pięciu innych gasnących oddechów. Ciekawe, czy w tej chwili zastanawiasz się, na kogo by wyrosła? Silna, sprytna piękność, geny po matce. Ale geny się rozpadają, ciało się rozpada, przestaje się rzucać, jakby prąd przez nie przechodził, oddech cichnie. Następuje cisza. Pora tu posprzątać.

Po wszystkim schodzisz na dół, płaczesz i stawiasz pasjansa. Przypuszczam, że myślisz o fatum, o wróżbie pani Kowalsky. „Zostaniesz królową życia, a koniec będzie straszny". Przychodzi Joseph. Już nie przypomina Mefista. Raczej złamanego człowieka. Wszystko w co wierzył, upadło. Skąd ma mieć pewność, że te bajki o życiu po drugiej stronie nie okażą się prawdziwe. Że eschatologia to nie stek bzdur, a prawda. Wybitnie nienazistowska.

Już czas. Idziecie na powierzchnię, do ogrodów Kancelarii Rzeszy. Joseph o wszystko zadbał, żołdacy dostali rozkazy. Wasze ciała mają zostać spalone i pochowane. Oczywiście nie wiesz, że mimo jednego życia czekają cię dwa pogrzeby. Pierwszy w roku 1945, drugi w 1970, kiedy ciała twoje i całej twojej rodziny zostaną wykopane, zwłoki ponownie spalone, a prochy rozsypane w Łabie. Widać sumienie narodu pozostanie zabrudzone, należy je więc wyprać w rzece.

Dwa pogrzeby, bo i dwa samobójstwa.

„Świat, który nadejdzie po Führerze i narodowym socjalizmie, nie jest już wart, aby w nim żyć", pomyślisz o zdaniu, które napisałaś w liście do syna przebywającego w niewoli. Jedynego twojego dziecka, które przeżyje.

Idziecie w milczeniu przez zniszczony ogród. W ogrodzie Kancelarii Rzeszy umiera mit Rzeszy.

Zagryzasz kapsułkę. Czujesz gorzki smak migdałów, upadasz.

Joseph Mefistofeles naciska spust.

I wtedy mógłbym rzec: „Zakończ się, chwilo".

Kropka.

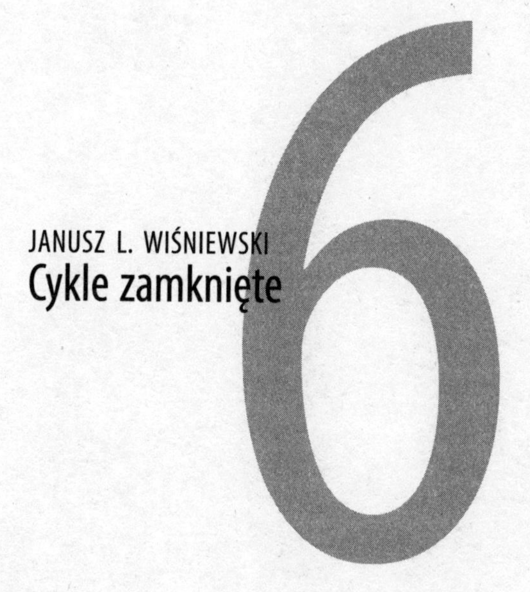

JANUSZ L. WIŚNIEWSKI

Cykle zamknięte

A.J. GABRYEL

Zła kobieta

Cykle zamknięte

Wyszli w morze z Halifaksu tuż po trzeciej nad ranem. Po sześciu godzinach i piętnastu minutach postoju.

Miał pecha. Losowali, wybierając numery z czapki drugiego oficera, kto może zejść na ląd. Przegrał. Ktoś musiał przegrać. Inaczej do obsługi całego trawlera zostaliby tylko bosman i praktykant, który był tak mało ważny, że nawet nie miał swego numeru w czapce. Przegrał już drugi raz. Od dziewięciu miesięcy i czterech dni nie dotykał stopami ziemi. Bosman też nie brał udziału w losowaniu. Po prostu podszedł do Drugiego, bez słowa wyjął swój numer z czapki i zszedł do kabiny pod pokładem. Bo bosman nie lubił przegrywać.

Wzięli ropę, wodę, lód i żywność. Wymienili zepsuty silnik windy trałowej. Lekarz uzupełnił w kapitanacie portu zapas morfiny, całkowicie zużyty przez ostatnich sześć miesięcy, oraz jodyny i aspiryny. Morfina, aspiryna, jodyna. Kanadyjski lekarz portowy tylko kiwał głową.

Zaspany przedstawiciel polskiego armatora przyszedł tuż po północy z przedstawicielem Lloyda, ubezpieczyciela statku, aby oficjalnie odebrać od lekarza odciętą przez windę lewą nogę Jacka. Lekarz czekał przy trapie i gdy pojawił się ten z Lloyda, kazał bosmanowi wysłać praktykanta do chłodni. Chłopak w charakterystycznej czarnej pilotce zbiegł po schodach i po kilku minutach wyszedł z zarzuconą na ramię zamarzniętą i pokrytą lodem kończyną. W czarnym, dziurawym nad piętą kaloszu, z odbijającymi się w świetle latarni na kei napisanymi koślawo srebrnym mazakiem inicjałami *JBL*, w poplamionej krwią jasnogranatowej nogawce drelichowych spodni. U góry, tak mniej więcej w połowie uda, tuż przy miejscu, gdzie stalowa lina windy odcięła nogę od korpusu Jacka, bosman skręcił postrzępione resztki drelichu stalowym drutem, zamykając ciało, jak zamyka się kawę w torebce, żeby nie uleciał aromat. Ubezpieczyciel wepchnął zamrożoną nogę do długiego foliowego worka, podpisał papier podsunięty przez lekarza i zszedł. Przedstawiciel polskiego armatora poszedł za nim. Idąc betonowym nabrzeżem wzdłuż ich trawlera, znaleźli się na wysokości mostka kapitańskiego, na którym stał i obserwował całe zdarzenie. Ubezpieczyciel zatrzymał się, podał foliowy worek drugiemu mężczyźnie, wyjął papierosy i zapalił. W tym momencie ten drugi powiedział coś i obaj roześmiali się głośno. Patrzył na to z mostku i chciało mu się wymiotować.

Pamięta dokładnie, jak to się stało. To było trzy tygodnie temu. W niedzielę. Tuż przed północą. Od rana wiało z północnego zachodu, ale nie na tyle mocno, aby nie łowić i mieć wolną niedzielę. Czwarty raz tego dnia wyciągali sieci. Hamulec windy nagle przestał działać. Szef trzeciej zmiany, który obsługiwał windę, krzyknął coś, ale zagłuszył go wiatr. Musieli zahaczyć o coś na dnie. Jacek stał najbliżej. Przez nieuwagę w rozkroku nad stalową liną prowadzącą od sieci poprzez slip do prowadnic i dalej do windy. Gdy sieci pociągnęły przeszkodę lub po prostu się na niej rozdarły, napięcie lin nagle gwałtownie spadło, opór stawiany windzie zniknął. Hamulec zaskoczył, gdy odcięta noga Jacka odleciała pod lewą burtę jak wycięta dorszowi wątroba. Pamięta, że bosman rzucił się w kierunku windy i wyciągnął Jacka tuż przed nakręceniem na bęben. Dopiero wtedy winda stanęła. Nie zapomni nigdy histerycznych wrzasków bosmana:

– Kurwa, Jacek! Coś ty zrobił?! Jacuś, co ty, Jacuś, nie uważałeś... Kurwa, Jacuś, nie uważałeś, Jacuś!!!

Z postrzępionej nogawki spodni Jacka wypływała pulsacyjnie krew, oblewając gumowy, oklejony łuskami fartuch bosmana. Bosman niósł Jacka na rękach, idąc tyłem w kierunku schodów prowadzących do mesy na rufie. Jacek obejmował jego szyję jak dziecko niesione na rękach po tym, jak przewróciło się i stłukło kolano, ucząc się jeździć na rowerze. W pewnym momencie bosman, nie mogąc utrzymać Jacka, podszedł do burty i oparł się o nią plecami.

– Jacuś, wszystko będzie dobrze. Zobaczysz, kurwa, Jacuś, wszystko będzie dobrze – mówił, patrząc na twarz Jacka. – Jacek, nie zamykaj oczu, proszę cię. Jacuś, nie rób mi tego i nie znikaj!

Podniósł głowę, spojrzał na zszokowanego i oniemiałego szefa trzeciej zmiany, stojącego cały czas przy drążkach windy trałowej, i wrzasnął:

– Do kurwy nędzy, rusz wreszcie dupę i przywlecz tu lekarza!!!

Szef schylił się, przeczołgał pod opuszczonymi dźwigniami i popędził na dziób, gdzie znajdowała się kabina lekarza okrętowego. Bosman dotknął ustami czoła Jacka i zaczął go delikatnie całować. Tuż przy nasadzie włosów. Delikatnie przesuwał wargi po czole Jacka i od czasu do czasu przyciskał je, zamykając oczy.

Bosman całował Jacka! Ten bosman, który nie tak dawno nie potrafił podzielić się z nimi w Wigilię opłatkiem, wstydząc się wzruszenia, i milczał, nie wiedząc, jak odpowiadać na życzenia i co zrobić z rękami, gdy inni go obejmowali, składając życzenia. Bosman, o którym nikt nie wiedział nic poza tym, że ma tatuaż z imieniem „Maria" na prawym przedramieniu, że spędził kilka lat w więzieniu w Iławie i że urodził się w Kartuzach. Tylko jedna osoba na statku mówiła do niego po imieniu. Reszta zawsze mówiła po prostu „Bos". Po imieniu mówił kapitan. Mimo to on zawsze odpowiadał mu: „Panie kapitanie".

Bosman należał do tego statku jak kotwica lub ta nieszczęsna winda trałowa. Był tutaj zawsze. Tak samo funkcjonalny jak kotwica. Wiedziało się o niej, że jest podwieszona pod burtą na dziobie i myślało się o niej tylko, gdy była potrzebna. O bosmanie myślało się jeszcze rzadziej. Był bardziej samotny, niż samotna może być kotwica i czasami wydawało się, że nawet ona ma w sobie więcej emocji niż bosman. I dlatego teraz, gdy z taką czułością całował czoło Jacka, wszyscy patrzyli na to jak na coś, co ich zdumiewało, peszyło lub wprawiało w zakłopotanie. To tak jak gdyby kotwica miała nagle wargi. Sam był zdumiony.

– Jacuś, kurwa, nie rób mi tego. Nie znikaj! – krzyczał bosman, patrząc w twarz Jacka.

Raz tylko podniósł oczy i spojrzał na wszystkich, którzy zgromadzili się przy nim, i powiedział spokojnym głosem, nieomal szeptem:

– Jeśli lekarz nie będzie tutaj za minutę, to przepuszczę go przez tę windę. Zmielę skurwysyna na mączkę rybną i spłuczę do morza. – Gdzie on jest?!

W tym momencie pojawił się lekarz, a zaraz po nim kapitan.

Lekarz boso, w białych kalesonach i szarym podziurawionym podkoszulku, wypchniętym przez brzuch. Miał w dłoni strzykawkę. Bez słów podniósł resztkę nogawki tuż nad miejscem, gdzie lina oderwała nogę, i wbił igłę. Bosman przytulił Jacka z całych sił do siebie. Tak jak przytula się dziecko przy szczepieniu. Żeby mniej bolało. Po chwili przyniesiono nosze i bosman zaczął delikatnie układać Jacka na szarym brezencie. Jacek nie chciał puścić go z objęć.

– Jacuś, puszczaj. Jacuś, musisz przemyć to jodyną. Jacuś, naprawdę musisz. Jacuś puść, kurwa. Musisz to przemyć – powtarzał bosman.

– Bos... – Jacek obudził się nagle – ona mnie zostawi. Teraz już na pewno.

Kapitan stanął za plecami bosmana i rozwarł ściśnięte na jego szyi dłonie Jacka; we dwóch ułożyli go delikatnie na brezencie noszy. Jacek wpatrywał się w oczy bosmana i powtarzał płaczliwym głosem:

– Bos, ona mnie zostawi...

Lekarz poszedł szybkim krokiem w kierunku mesy, z trudem utrzymując równowagę na zmytym lodowatą wodą pokładzie. Tuż obok mesy, w przerobionym z magazynku na żywność niskim, wilgotnym i chłodnym pomieszczeniu znajdował się prymitywny gabinet lekarski. Szef trzeciej zmiany i kapitan podążali za nim, dźwigając nosze.

Bosman usiadł na pokładzie, opierając się plecami o burtę. Schował głowę w dłoniach i siedział, milcząc. Wszyscy rozeszli się powoli, zostawiając go samego. Sieci musiały być wyciągnięte na pokład.

Pamięta, że po kilku minutach bosman wstał, otworzył metalową szafkę wiszącą tuż obok drzwi magazynku z rakietnicami sygnalizacyjnymi, wyciągnął brunatny zwój i odciął nożycami do metalu pół metra zardzewiałego drutu. Podszedł do burty, gdzie leżała odcięta noga Jacka, podniósł ją, przeciągnął drut przez drelich spodni i skręcił materiał na drucie, tak jak folię z opakowania czegoś sypkiego nakręca się na pasku z tektury lub tworzywa, aby zabezpieczyć przed zepsuciem albo rozsypaniem. Skręcając materiał na drucie, wyciskał z niego krew na swoje dłonie. Gdy skończył, wytarł je w fartuch i trzymając nogę Jacka przed sobą, poszedł do chłodni.

Jacek zawsze kochał złe kobiety.

Właśnie tak. Złe. I okrutne. Ale ta ostatnia, ta „która go na pewno zostawi" po tym, jak winda oderwała mu nogę, była z nich najgorsza. Wiedzieli to wszyscy. Nawet praktykant. Tylko Jacek nie. Ona traktowała go jak gdyby miał wieczną ospę lub różyczkę, a on przynosił jej za to róże.

Poznał ją w pociągu z Gdyni do Świnoujścia. Odwiedził matkę w Malborku i wracał przez Gdynię, aby następnego dnia wieczorem zamustrować na trawler wychodzący w morze.

Jacek robił się niesamowicie nerwowy, gdy nie miał kogoś, za kim mógłby tęsknić przez sześć miesięcy na morzu. Taki już był. Po tym, jak ostatnia kobieta uciekła od niego, nie zostawiając ani swojego adresu, ani złotówki na wspólnym koncie, Jacek wytrzymał tylko dwa rejsy bez „swojej kobiety" na lądzie. W trakcie pierwszego któregoś wieczoru zaczął po pijanemu wydzwaniać do matki, aby odnalazła mu za wszelką cenę tę kobietę, która opróżniła mu konto, i powiedziała jej, „że on to rozumie, że to w końcu tylko pieniądze i że on jej wybacza". Bo na statku, po sześciu miesiącach i tęsknocie, która jest u niektórych jak szkorbut, od którego wypadają zęby, można w nagłym ataku rozczulenia zapomnieć nawet największe zdrady. Na szczęście matka Jacka kochała go na tyle rozsądnie, aby skłamać, że mimo starań nie może odnaleźć tej kobiety, bo „na pewno jest w jakimś więzieniu".

W czasie drugiego rejsu „bez nikogo na lądzie" Jacek po prostu pił. Gdy tylko nie pracował, pił.

Wtedy w tym pociągu z Gdyni siedziała naprzeciwko i czasami spoglądała na niego ukradkiem. Była blada, smutna, milcząca, z cierpieniem wypisanym na twarzy; wydawało się, że potrzebuje pomocy. Była dokładnie taką kobietą, jakiej szukał Jacek. Uważał bowiem, że cierpiące kobiety przywiązują się do człowieka szybciej, mocniej i na dłużej. Tak jak jego matka, którą ojczym lał po pijanemu kablem od żelazka tak długo, aż wyszły na nią wszystkie kolory, a ona i tak trwała przy nim i szukała go po melinach, gdy nie wracał na noc.

Zanim dojechali do Świnoujścia, opowiedział jej wszystko o sobie i o tym, jak bardzo jest samotny. Wzięli wspólną taksówkę z dworca. Zatrzymał się niby tylko po to, by pomóc jej zanieść walizkę na górę. Po chwili zbiegł, aby powiedzieć taksówkarzowi, że dalej nie jedzie. Został na noc. Tego wieczoru nie zastanowiło go to, że w łazience wisi męski szlafrok i leżą przybory do golenia na półce nad pralką. Pierwszy raz kochał się z kobietą, którą poznał w pociągu przed kilkoma godzinami i pierwszy raz z taką, która akurat miała menstruację. Tamtej nocy po dwóch rejsach bez tęsknoty i tuż przed trzecim Jacek pomylił spełnione pożądanie ze spełnioną miłością. Rano obudziła go pocałunkiem i przez kilka minut tak nieprawdopodobnie czule gładziła jego włosy. Potem wzięła go do łazienki po drugiej stronie korytarza. Z ręcznikami w dłoniach, nago, przemykali się przez korytarz na klatce schodowej. Zamknęli drzwi na klucz i weszli oboje pod prysznic, gdzie robiła z nim rzeczy, jakie widział tylko na filmach wideo, które puszczał im czasami elektryk w swojej kabinie na statku. A potem dała mu swoje zdjęcie i książkę z wierszami. Przy pożegnaniu całowała jego dłonie i powtarzała szeptem, że będzie czekać.

Ale najbardziej poruszyło go to, że jest studentką. Bo Jacek miał niespełnione marzenie, że kiedyś skończy studia i będzie taki mądry jak brat jego ojca, do którego studentki i studenci mówią „panie doktorze". Poza tym był pewny, że jeśli studentka klęka przed nim pod prysznicem i robi to, co widział na filmach w kabinie elektryka, to… to musi być prawdziwa miłość. I to było takie cholerne wyróżnienie dla niego. Prostego rybaka. Ze studentka i że właśnie przed nim klęczy pod prysznicem. Wziął jej fotografię w kopercie, książkę z wierszami i już w taksówce czuł, że wróciła tęsknota i że teraz może spokojnie wypływać i łowić wszystkie ryby tego świata. Miał wreszcie „swoją kobietę" na lądzie. Na całe sześć miesięcy tęsknoty.

Było dobrze po północy, gdy zamówił rozmowę u radiotelegrafisty. Ledwie kilka godzin po wyjściu w morze. Nie było jej w domu. Już pierwszej nocy. Wrócił do kabiny, oprawił książkę w gruby papier, aby się nie poplamiła, i zaczął uczyć się wierszy na pamięć.

Po trzech tygodniach umiał wszystkie. I tęsknił. Tak, jak należy tęsknić „na rybaku" za swoją kobietą. Z uroczystym zrywaniem kartki z kalendarza wieczorem, gdy minął kolejny dzień, z dotykaniem fotografii przypiętej pinezkami do ściany kabiny nad koją i z fantazjami na jej temat, gdy gasło światło w kabinie lub wyłączało się lampkę nocną nad koją. On zawsze fantazjował o tym prysznicu rano i o jej krwi na nim, kiedy kochali się w pierwszy wieczór, gdy ona miała menstruację. Nie o jej włosach, nie o jej piersiach, nie jej ustach i nawet nie o jej podbrzuszu. Fantazjował o jej krwi. Wydawało mu się, że dopuszczenie go do uczestnictwa w tym zdarzeniu, i to w taki sposób, jest jak odrzucenie absolutnie wszelkich granic. Taka ostateczna, nieskończona, bezgraniczna intymność. Nigdy nie pomyślał, że mógł to być po prostu przypadek i że takie coś normalnie jest przez mężczyznę i kobietę negocjowane, zanim nastąpi, i że z intymnością to ma raczej mało wspólnego, już raczej z higieną. Ale Jacek po tej nocy odjechał taksówką z książką pełną wierszy i marzeniami „o swojej kobiecie" na lądzie na następnych ponad sześć miesięcy samotności. I ta jej krew na jego ciele stała się dla niego symbolem. Najpierw nieprawdopodobna rozkosz, a zaraz potem krew. Nie jakaś tam nieistotna krew jak z rozciętej ręki. To zestawienie było dla Jacka czymś zupełnie nowym. Miało coś z grzechu i świętości ofiary jednocześnie. Poza tym było niesamowitym tematem do marzeń.

Gdy przypomni sobie, jak Jacek opowiadał mu o tej krwi, wraca myśl o tym, że gdyby Freuda lub Junga można było w tamtych czasach wysłać z rybakami w rejs na dziewięć miesięcy pod Nową Fundlandię lub Wyspy Owcze, to po powrocie napisaliby zupełnie inne teorie.

To, co przeżywał Jacek, martwiło go bardzo, Jacek bowiem był jego przyjacielem i opowiadał mu to kiedyś w najdrobniejszych szczegółach, gdy sztormowali w jednej z zatok przy Nowej Fundlandii. Stali ukryci za skałami i czekali, aż uspokoi się wiatr, który przegonił ich i wszystkie inne statki z łowisk. Od trzech dni pili, nie wiedząc, jak poradzić sobie z czasem, który bez ryb i wyznaczającego rytm życia wyrzucania i wybierania sieci nagle tak boleśnie zwolnił swój upływ. W czwartym miesiącu rejsu najlepiej pomagają na to wszystko etanol i sen. Należy się upić i iść spać lub zasnąć tam, gdzie się piło.

Jacek znał już wtedy na pamięć wszystkie wiersze z książki od niej. Doznał już tylu rozczarowań, dzwoniąc do niej i jej nie zastając lub zastając ją i nie doznając od niej żadnej czułości. Pewnego dnia te rozczarowania przekroczyły wartość progową i Jacek przyszedł do niego z butelką wódki i opowiedział wszystko od początku do końca. O tej krwi także. Pamięta, że powiedział mu wtedy:

„Jacek, to, że kobieta ma okres i pozwala ci wejść w siebie, wcale nie znaczy, że jest stworzona dla ciebie i trzeba myśleć o ślubie z nią. Zaczekaj, aż wrócimy. Upewnij się, że czekała".

Dwa miesiące później Jacek upewnił się, że faktycznie czekała. Odebrała go taksówką spod statku. Okazało się, że nie mieszka już w tym mieszkaniu z łazienką przez korytarz, bo „właściciel wyrzucił ją za to, że późno wracała z biblioteki". Jacek uwierzył i wynajął jej nowe mieszkanie, i zapłacił za pół roku z góry. Na czas jego pobytu na lądzie zamieszkali razem. Prawie każdego wieczoru gdzieś wychodzili. Gdyby on nie gotował, czekając na nią, chyba nigdy nie zjedliby wspólnego obiadu. W dzień prawie jej nie było; tłumaczyła się zajęciami na uczelni. Nawet w soboty. Nie czuł wcale, że ma „swoją kobietę". Tylko seks mieli wciąż tak niezwykły jak pierwszej nocy. Pewnego razu poprosił ją, aby poszła z nim pod prysznic. Gdy wrócili do sypialni i leżeli w łóżku, paląc papierosy, opowiedział jej o swoich fantazjach i o krwi. Tak delikatnie, jak tylko potrafił. Parsknęła histerycznym śmiechem i powiedziała:

– Słuchaj, rybaku! Ty jesteś normalny perwers.

Pierwszy raz poczuł, że go zraniła. Po dwóch tygodniach wyjechała na obóz studencki. Został sam. Zdarzały się dni, że nawet nie dzwoniła do niego.

Zaczął tęsknić za statkiem. Siedział wieczorami w pustym mieszkaniu przed telewizorem, słuchał ludzi, których nie znał, i historii, które w ogóle go nie obchodziły, bo były dla tych z lądu, pił wódkę i myślał o tym, co kiedyś powiedział mu jego zupełnie pierwszy bosman, gdy mieli nocną psią wachtę. To był statek szkolny, łowili u wybrzeży Chile. Bosman powiedział, że rybak zawsze tęskni. Nieustannie. Tęskni w cyklu zamkniętym. Tak to nazwał. Na statku tęskni za domem, kobietą lub dziećmi, na lądzie za statkiem, który jest dla prawdziwego rybaka „jedynym miejscem, w którym ma się jeszcze jakieś znaczenie".

Ten bosman już dawno nie żyje, ale Jacek ciągle pamięta, jak przysłuchiwał się mu, gdy stał odwrócony twarzą do echosondy, rzucającej zielonkawy odblask na jego porytą zmarszczkami chudą twarz.

– Bo widzisz, synku – mówił spokojnym głosem – wraca człowiek po miesiącach do domu i przez tydzień jest tak, jak gdyby każdego dnia była Wigilia. Tyle że bez choinki i kolęd. Jest odświętnie, wszyscy są dla ciebie dobrzy, chcą ci sprawić jakąś radość i traktują cię jak prezent, który znaleźli pod choinką. Ale potem Wigilia się kończy i po kilku dniach świąt wraca normalny dzień. Dla nich normalny. Ale nie dla ciebie. Ty masz tak cholernie duże zaległości z tak zwanego życia codziennego, że zaczynasz to łapczywie, w pośpiechu nadrabiać. Sprawdzasz nieproszony dzieciakom zeszyty, wyciągając je bez pytania z tornistrów, chodzisz do nauczycielek do szkoły, mimo że nikt cię tam nie chce oglądać, a tym bardziej z tobą rozmawiać, i chcesz koniecznie grać w piłkę na podwórku z synem, mimo że to jest na przykład koniec stycznia. Poza tym chcesz każdego wieczoru wychodzić z kobietą do świata albo wchodzić z nią do łóżka. Nie możesz zrozumieć, że ją boli podbrzusze, bo ma dostać swoje dni, że wraca skonana z pracy, że jest na kolejnej diecie, przyzwyczajona do szklanki zielonej herbaty z cytryną i jogurtu bez tłuszczu zamiast wystawnej kolacji, serialu wieczorem w telewizji i spokojnego snu bez chrapania w dużym, pustym łóżku przy otwartym oknie w sypialni z szafą, w której nie ma żadnej półki, na której ty mógłbyś położyć swoje piżamy i swoją bieliznę.

Odpakowali cię, synku, jak prezent spod choinki, pocieszyli się tobą trochę i odstawili w kąt, bo mają ważniejsze sprawy na głowie. Kochają cię, ale tego nieobecnego. Tego, który dzwoni od czasu do czasu, przyjeżdża z prezentami, wysyła kolorowe widokówki z Makao koło Hongkongu i jest w ich życiu z krótką wizytą. Gdy wizyta się przedłuża, zaczynasz im po prostu przeszkadzać. Ale ponieważ ty, synku, nie jesteś normalnym gościem, co to się z wygody lub wyrachowania zapomina i zostaje zbyt długo, tylko ojcem, mężem lub narzeczonym, trudno ci powiedzieć to prosto w oczy. Jednakże ty to widzisz i tak jak oni w tajemnicy przed tobą czekają na twój wyjazd, tak ty w tajemnicy przed nimi czekasz, aby wrócić na statek. I tęsknisz. Tym razem za twoją kabiną, za kucharzem, co przypala jajecznicę w dwudziestym pierwszym tygodniu rejsu, kiedy statystycznie najwięcej rybaków wychodzi nad ranem za burtę, za napięciem i ciekawością, co wyciągnie winda trałowa z morza, ale także za radością zrywania kartki z kalendarza wieczorem. I gdy myślisz o tej kartce z kalendarza już tam, w swoim domu, ciągle jeszcze będąc na lądzie lub leżąc w łóżku przy swojej śpiącej kobiecie, to zamknąłeś w tym momencie cykl.

Ale ty jesteś młody, synku. Ty wcale nie musisz łowić ryb. Możesz wyjść z tego cyklu, nie jest jeszcze za późno.

Jacek jednak nie opuścił tego cyklu. Tak samo zresztą jak on. Bo każdy prędzej lub później spotka swojego mądrego bosmana od teorii zamkniętego cyklu. Ale mimo to uwierzy w nią dopiero całe lata później. I wtedy bardzo często jest już za późno, aby przerwać ten zamknięty cykl.

Jacek zawsze kochał złe kobiety.

Praktykant opuścił jeden rejs, bo złamał nogę. Miał przeczekać na lądzie i gdy noga mu się zrośnie, pływać tymczasem na pilotówkach wprowadzających statki do portu. A potem wrócić na trawler i zamustrować być może już nie jako praktykant, ale jako młodszy rybak. Poznał kobietę Jacka któregoś wieczoru, gdy po pijanemu zadzwonili z kolegą do agencji towarzyskiej w Świnoujściu. Taksówką przyjechały dwie dziewczyny. Pamiętał jej twarz z fotografii przypiętej nad koją Jacka. Pamiętał też wiersze, które Jacek czasami recytował, gdy się upił. I pamiętał, że Jacek nieraz nawet przy tym płakał. Bo praktykant „na rybaku" jest tak mało ważny, że nie tylko nie ma swojego numeru w kolejce do zejścia na ląd, ale nawet płaczą w jego obecności starsi rybacy.

Skłamał, że się źle czuje. Obie dziewczyny poszły do łóżka kolegi, który mamrotał coś po pijanemu. Dopił swój kieliszek wódki, zostawił swoją część zapłaty i wyszedł.

– Bos, ona mnie zostawi... Bos!!!

Wyszli w morze z Halifaksu tuż po trzeciej nad ranem. Po sześciu godzinach i piętnastu minutach postoju.

Obudził się około ósmej. Odkąd Jacka po tym wypadku zdjął z pokładu helikopter kanadyjskiej straży przybrzeżnej i przewiózł do szpitala w Halifaksie, był sam w kabinie. Wstał, wziął swój koc, koc z koi Jacka, włożył ciepłe granatowo-zielone skarpety, które zrobiła na drutach Alicja, wsunął do kieszeni paczkę papierosów i poszedł na dziób. Było jasne, że nie dotrą na łowiska i nie rzucą sieci przed południem.

Usiadł na pokładzie za windą kotwiczną, osłaniającą go od wiatru. W tym miejscu nie mogli go widzieć z mostku. Spojrzał na horyzont. Kompletna szarość. Zapalił papierosa. Ocean był czarnosiwy, połyskiwał martwym metalem, jak rtęć. Nad nim wisiał gigantyczny klosz z chmur. Było mroczno i ciemno. Wszystkie odcienie szarości. Wiatr namawiał do samobójstwa. Jedynie silnik przeszkadzał. Bywają takie momenty, najczęściej po sztormie i najczęściej na Atlantyku, przy martwej fali. Po południu. Klosz chmur odgradza słońce. Szarość wody niezauważalnie przechodzi w szarość powietrza. Gdyby wychylić się przez burtę, oderwać ręce od relingu, poddać się opadaniu i wznoszeniu na martwej fali i nie słyszeć silnika, to można mieć w tej szarości uczucie nieważkości. Tak jak gdyby czas się zatrzymał i przestrzeń nie miała punktu odniesienia. Wielu wychodzi w tę pustkę przez burtę i zatapia się w tej szarości. Robią to szczególnie chętnie, gdy ból życia zabija radość życia. Niby mimochodem, bo to przecież porażka dla rybaka, tak odchodzić, wychylają się trochę za bardzo i z pluskiem wpadają w tę szarość. Na zawsze. Nie nazwano jeszcze tego fenomenu ani tego stanu ludzkiego ducha, gdy po martwej fali przychodzi szarość. Nie nazwano tego ani w psychologii, ani przy wódce w kabinach na statku. Pewnie dlatego, że mało naukowców jest rybakami. Dopiero potem, wieczorem, przy kolacji w mesie zauważa się, że kogoś brakuje. Nawet nie wiadomo, gdzie szukać. Dlatego przeważnie nie zawraca się, zapisuje tylko w dzienniku pokładowym, że „liczebny stan załogi zmniejszył się" i wysyła faks do armatora z prośbą o powiadomienie rodziny.

Czasami też myślał o samobójstwie. Ale nie zrobiłby tego, wychodząc tak po prostu za burtę. Może przy Kapsztadzie, Mauretanii lub Wyspach Kanaryjskich. Ale nie tutaj. Przy

Fundlandii. Tutaj bardzo zasolona woda ma najczęściej temperaturę poniżej zera stopni, a on po prostu nie znosi zimna. Alicja budziła się w nocy i okrywała go szczelnie kołdrą, żeby nie było mu zimno. Czasami wyrywało go to ze snu, otwierał oczy, przytulał ją i całował. A potem brał w dłonie jej zawsze zimne stopy. I tak często zasypiali. Bo bardzo dbali, aby żadnemu z nich nie było zimno. Ani w łóżku, ani w sercu. Więc on z pewnością nie wychyli się za bardzo nad zimną wodą przy Fundlandii. Jeśli już umierać, to gdy jest przyjemnie i w ogóle tak, jak się to lubi najbardziej. Przecież to byłoby ostatnie wspomnienie.

Myślał o samobójstwie głównie wtedy, gdy wracali na ląd. Wszyscy czekali uroczyście podnieceni, palili papierosy jeden po drugim, golili się drugi albo trzeci raz w ciągu ostatnich dwóch godzin, sprawdzali, czy prezenty zapakowane, choć były zapakowane i leżały równo ułożone w szafkach już od wejścia na Bałtyk w cieśninach duńskich – a jemu było przykro, że ten rejs się kończy.

Cztery lata temu też golił się dwa razy w ciągu dwóch godzin. I także dotykał prezentów od dawna zapakowanych. I żuł cztery gumy, aby Alicja nie wyczuła przy pocałunku, że pił z Jackiem wódkę po śniadaniu. Przybili do kei, a jej nie było. Po tumulcie powitania wszyscy się rozjechali, a jej nie było. Zadzwonił do jej matki do Poznania. Nikt nie odbierał. Po sześciu godzinach taksówką przyjechał jej brat.

Pożyczyła od niego samochód. Chciała zrobić miłą niespodziankę i ze Świnoujścia zabrać go samochodem i pojechać prosto do Gdańska, aby przedstawić go ojcu. Mieli wziąć ślub w Gdańsku. Pod Piłą ciężarówka z przyczepą, nie chcąc wjechać na nieoświetlony wóz z pijanym woźnicą, zaczęła gwałtownie hamować. Przyczepa stanęła w poprzek drogi, ale zanim się zatrzymała, zepchnęła skodę Alicji na wiadukt. Policjanci mówili, że zgniecione było wszystko, nawet obie tablice rejestracyjne, więc na pewno nie cierpiała.

Znali się pięć lat, zanim poprosił ją o rękę. Zamieszkali ze sobą w Poznaniu już po roku. Miesiąc po tym, jak zobaczył ją pierwszy raz nagą. Zabrała go na wystawę Warhola do Warszawy. Wynajęli pokój w hotelu. Zupełnie po ciemku weszła do łazienki, a gdy wróciła, on szukał zegarka, chcąc sprawdzić, która jest godzina, i zapalił lampkę na stoliku. Stała przed nim zaczerwieniona ze wstydu, a on, nie mogąc ukryć zażenowania, spuścił głowę i nie patrzył. Od tego wieczoru tak naprawdę czuł, że jest jego kobietą.

Nikt nie potrafił czekać tak jak ona. Nikt. On wypływał na miesiące, a ona czekała. Zrywali kartki z kalendarza razem. Umówili się, co do godziny. Ona wieczorem w sypialni w wynajętym maleńkim mieszkaniu na poddaszu, a on koło Islandii, Labradoru lub Wysp Owczych. Dlatego jego dzień kończył się przeważnie zaraz po południu.

Oprócz tych samych tekstów po drugiej stronie kartki z kalendarza czytali także te same książki. Nauczyła go je czytać. Potem nauczyła je kochać. Z zazdrością mówiła o całym tym czasie, który on ma na trawlerze, i przeliczała te miesiące na książki, które przeczytałaby. Zrobiła całą listę książek, które „prawdziwy mężczyzna musi przeczytać przynajmniej raz w życiu". Opowiadała mu niby żartem, że rybacy mają wiele wspólnego z literatami. Tak samo często są alkoholikami jak prozaicy i tak samo często samobójcami jak poeci. Opowiadała z przejęciem swoje sny, w których mieszkała w małym domku z bujanym fotelem i kominkiem, z książkami Marqueza, Kafki, Camusa i Dostojewskiego na półce. Bo Alicja chciała, aby jej mężczyzna był dobrym i mądrym człowiekiem. I aby mogła być z niego dumna. I wierzyła, że rybak także może być mądry. Bo przecież „dobry to on jest z definicji".

Kupowała mu książki, pakowała w tajemnicy przed nim do walizek, torby i jego worka marynarskiego. Potem odnajdował je w złożonych spodniach, pomiędzy skarpetami i bielizną, zatopione w foliowej torbie pod kilogramami krówek, które tak lubił, lub w kartonach z butami, które mu kupiła. W portach lub gdy przybijali do statku bazy, aby wziąć lód, wodę, wymienić sieci czy usunąć awarię, zawsze czekały na niego listy i przesyłki z książkami. Nie miał gdzie ich trzymać w ciasnej kabinie dzielonej z Jackiem. Kiedyś zapytał stewarda, czy może postawić je na tej pustej półce nad telewizorem zaraz przy wejściu do oficerskiej mesy.

– Oczywiście, że możesz. Książek ta banda nie czyta, więc ci nie ukradną. Oni wolą pornosy u elektryka.

Steward się mylił. Bardzo się mylił. Już po tygodniu książki zaczęły znikać z półki. Po kilku dniach wracały. Oficjalnie nikt w rozmowach przy posiłkach, w kabinach przy wódce albo przy pracy na pokładzie nie przyznawał się, że czyta książki z półki w mesie. Po miesiącu półka stała właściwie cały czas pusta. Co kto położył tam książkę, znikała. Sprawa nagłośniła się, gdy wyszło na jaw, że trzeci mechanik trzyma książki tygodniami w swojej kabinie i na dodatek podkreśla długopisem całe fragmenty tekstu. Rozpoznał to lekarz, u którego mechanik kwitował tym samym długopisem odbiór apteczki dla maszynowni.

Kiedyś przy kolacji lekarz, jak zawsze podniecony – niektórzy twierdzili, że regularnie wykrada morfinę z przeszklonej szafki w gabinecie i tylko dla niepoznaki wypija pół butelki piwa, aby cuchnąć alkoholem – zaczął dyskutować o polityce z radiowcem. Jak zawsze przy tym temacie zaczynała się najprawdziwsza uliczna pyskówka. W pewnym momencie trzeci mechanik, siedzący po przeciwnej stronie stołu, poparł radiowca. I wtedy lekarz wrzasnął na całą mesę:

– A ty kurwa co? Myślisz, że książki to twoje zaświadczenie o poczytalności, na którym możesz sobie podkreślać fragmenty, z których wynika, że nie masz jeszcze szajby? Poza tym już dwa tygodnie trzymasz „Bębenek..." Grassa pod swoją obślinioną poduszką. Co ty, onanizujesz się do tego Grassa?! Pornos u elektryka już ci nie wystarcza?!

W ten oto sposób wyszło na jaw, że rybacy w wolnych chwilach, nawet jeśli niechętnie się do tego przyznają, czytają Grassa, Hemingwaya, Dostojewskiego, Remarque'a, ale także Ankę Kowalską i Chmielewską. Alicja śmiała się, gdy po powrocie z tego rejsu opowiedział jej tę historię.

Ona tak cudownie się śmiała. Ostatnio myślał, że najgwałtowniej pożądał jej, właśnie gdy się śmiała. Ona chyba rozpoznała ten mechanizm, być może podświadomie, często bowiem najpierw prowokowała go, aby ją rozbawiał, a potem trafiali zaraz do łóżka.

Nigdy nie wątpiła w jego wierność. Zawsze broniła swojego prawa do tej wiary. Nigdy nie zapomni, gdy kiedyś przy wódce jej brat z dumą w głosie powtórzył mu to, co Alicja odpowiedziała kiedyś zapytana zgryźliwie przez zawistną koleżankę, czy ona naprawdę wierzy, że jej rybak jest wierny przez te wszystkie długie miesiące: „Moja droga, oczywiście, że jest mi wierny. Ale mimo to się martwię. Bo jak pomyślę, że jakaś kurwa bierze mu go do ust i robi to nie tak, jak on to lubi, to po prostu jako normalna kobieta się wściekam".

Opowiadano mu później, że ta pytająca koleżanka zakrztusiła się ciastem, słysząc odpowiedź, a to jej „jako normalna kobieta" rozniosło się wkrótce po Poznaniu i było opowiadane na niektórych przyjęciach jako anegdota.

Bo Alicja taka była. Niezależna. Mądra. Piękna. Kochająca życie. I kochająca jego. I dlatego on nigdy nie popełni samobójstwa. Ani tu, ani u brzegów ciepłej Mauretanii, ani nigdzie indziej. Bo wtedy przecież skończyłyby się mu wspomnienia. Takie jak na przykład to, gdy mówiła: „Bo gdy ty jesteś, to dni tak uciekają, jak ziarnka maku z dziurawego wiadra. A potem wyjeżdżasz i to wiadro się nagle zatyka, i mam wrażenie, że ktoś w nocy w tajemnicy przede mną przychodzi tutaj i dosypuje mi maku do tego wiadra".

Dla takich wspomnień warto żyć, nawet jeśli nie ma z kim zamykać cyklu. I dlatego, że wspomnienia zawsze będą nowe. Wprawdzie nie można zmienić przeszłości, ale można zmienić wspomnienia.

„Bo gdy ty jesteś, to dni tak uciekają, jak ziarnka maku...".

Usłyszał kroki za sobą. Ktoś wchodził metalowymi schodami na pokład dziobowy. Pośpiesznie wytarł łzy nasadą dłoni, w której trzymał papierosa. Dym dostał mu się do oczu, przez co stały się jeszcze bardziej czerwone. Bosman przeszedł obok szalupy. Nie zauważył go. Poszedł na dziób, usiadł na odrapanym słupku cumowniczym i zapatrzył się w morze. Był w roboczych granatowych spodniach podtrzymywanych przez elastyczne, postrzępione na krawędziach gumowane szelki, skrzyżowane na plecach. Oprócz spranego podkoszulka nie miał na sobie nic więcej. A było z dziesięć stopni mrozu i wiał silny wiatr.

Obserwował bosmana, ukryty za szalupą. Gdyby miał opisać go jednym zdaniem, powiedziałby, że bosman jest po prostu ogromny. Jak dotąd nie spotkał – a pływał na wielu statkach – tak dużego i silnego mężczyzny. Miał ogromne ręce. Tak duże, że nie mógł nosić zegarka, paski bowiem były zbyt krótkie, aby którykolwiek z nich dało się zapiąć na najbardziej ostatnią dziurkę. Jacek zamówił kiedyś dla niego, gdy zatrzymali się na jedną dobę w Plymouth w Anglii, specjalny pasek w sklepie jubilerskim, i podarował mu zegarek na urodziny. Bosman był tak rozczulony faktem, że ktoś pamiętał o jego urodzinach, że miał łzy w oczach, gdy odbierał ten zegarek od Jacka; nosił go potem zawsze i wszędzie. Patroszył w nim ryby, zalewając krwią, chodził z nim pod prysznic, miał go przy wyciąganiu sieci. Któregoś dnia pasek po prostu pękł i bosman zgubił zegarek. Przez dwa dni go szukał. Na kolanach przesuwał się metr po metrze po pokładzie od dziobu do rufy i od rufy do dziobu i szukał. Był nawet w maszynowni, do której nigdy nie zaglądał. Kiedyś po pijanemu odważył się i przyszedł do ich kabiny przepraszać Jacka, że on, „kurwa, taki dobry był dla niego i dał mu ten zegarek, a on go jak szczeniak posiał". Bo Bos czuł, że należy być wdzięcznym za dobroć.

Patrzył teraz na bosmana siedzącego bez ruchu jak posąg i zastanawiał się, czy jego też na ten słupek cumowniczy przygnała myśl o jakiejś kobiecie. Gdy tak się zastanowić, to w tym pływającym więzieniu, którego lokatorzy mają umowę o pracę, prawo do strajku i minimum czterech godzin snu na dobę, a do swojej dyspozycji kucharza i stewardów, telewizję, elektryka udostępniającego kasety i swój odtwarzacz, najwięcej napięć i smutku generowały kobiety. Kobiety, których tutaj wcale nie było. Jak pamięta, najwięcej zła rybakom wyrządzały kobiety. Te nieobecne.

Pierwszy raz odczuł to, kiedy jeszcze był w technikum. Dawno temu, kiedy fortuny w rybołówstwie rodziły się nie ze sprzedaży dorszy lub morszczuków, ale ze sprzedaży parasolek automatycznych dla tych wylęknionych w Polsce i kokainy w Rotterdamie dla tych, którzy poszli na „całą całość". To była Wigilia. Miał siedemnaście lat. Nawet nie był jeszcze praktykantem. Dopływali do przetwórni zakotwiczonej na Morzu Barentsa, aby opróżnić swoje ładownie. Stał na mostku i trzymał ster. Przez osiem godzin Wigilii, od pierwszej gwiazdki do pasterki wpatrywał się w żyrokompas, aby nie zboczyć z kursu o więcej niż plus minus cztery stopnie. Odkąd rozpoczął wachtę, na mostek przychodzili rybacy. Jeszcze we wrześniu, tuż po wyjściu w morze z Gdyni, zamówili u radiooficera rozmowę z Polską w Wigilię. Każdy nie więcej niż trzy minuty. Bez gwarancji połączenia, bo „to zależy, gdzie będą w Wigilię". Mieli szczęście, bo znaleźli się w miejscu, gdzie był odbiór. Radiostacja jest tuż przy radarze, prawie w samym centrum mostku. Na mostku jest Pierwszy, Kapitan, bo to Wigilia, radiooficer i „ten szczeniak przy sterze". Odbiór jest tak zły, że przypomina zakłócany odbiór Radia Wolna Europa, w czasach gdy Europa nie była jeszcze wolna.

Na mostek przychodzi rybak. Jest trochę zdenerwowany. Ma swoje trzy minuty, na które czekał od Zaduszek, i ma przy kapitanie, radiooficerze i „tym szczeniaku przy sterze" między trzaskami radia powiedzieć, że tęskni, że jest mu źle, że to ostatnia Wigilia bez nich lub bez niej, że ma już wszystkiego dosyć, że chciałby przytulić ją i martwi się, bo długo nic nie pisała. Ale najbardziej chce jej lub im powiedzieć, że jest lub są dla niego najważniejsi. I chce usłyszeć, że on także jest najważniejszy. W zasadzie tylko to jedno jedyne zdanie chce usłyszeć. I wcale nie musi być tak wprost. A tymczasem w ciągu swoich trzech minut, na które czekał od Zaduszek, dowiaduje się, że „mama już nie chce tej halki, o którą go prosiła", że „nie ma kupować tych kremów, bo dostała je w Polsce" i że „gdyby przez Baltonę przysłał pomarańcze, to chłopcy by się cieszyli". Wychodzi rybak po swoich trzech minutach na wiatr w wieczór wigilijny i ma tak potłuczoną duszę, że nie pomaga mu ani etanol, ani sen. I pozostaje dla pewności w kabinie i nie wraca na wiatr, aby nie dostać znowu jakichś głupich myśli. Bo tak naprawdę po zejściu z tego mostku chciał iść na sam koniec rufy trawlera. Albo jeszcze dalej.

To było bardzo dawno. Teraz już na szczęście tak nie jest, żeby rozmawiać ze swoimi kobietami o pomarańczach i kremach przy „szczeniakach" stojących przy żyrokompasie. Teraz dba się o prywatność i stosunki międzyludzkie. Mają przecież na statku związki zawodowe. Poza tym świat zmienił się na lepsze. Ostatnio nawet widział, jak pierwszy oficer kupił sobie w Bremerhaven telefon komórkowy z satelitarnym GPS i mógł rozmawiać, z kim chciał i jak długo chciał z pokładu na dziobie. Tyle tylko że pierwszy oficer i tak nie miał z kim rozmawiać.

Jeśli się nie mylił, ostatnią kobietą, z którą rozmawiał bosman, była sędzia sądu rejonowego w Elblągu. To nie była długa rozmowa. Ona spytała go na sali sądowej pełnej ludzi, czy przyznaje się do winy. On cichym głosem odpowiedział: „Oczywiście" i wtedy ona skazała go na pięć lat więzienia za „ciężkie pobicie z trwałym uszkodzeniem ciała".

Bosman przed wielu laty pobił męża kucharki ze stołówki w Domu Rybaka w Gdańsku Wrzeszczu, gdzie mieszkał przez dziewięć miesięcy, gdy lekarz zakładowy nie podpisał mu książeczki zdrowia po tym, jak stwierdził migotanie przedsionków i arytmię serca.

Bosman miał migotanie i arytmię serca, kiedy go pierwszy raz lekarze dokładniej zbadali w domu dziecka, tyle tylko że i migotanie, i arytmia były incydentalne. Ostatnio przychodziły i odchodziły po kilkunastu godzinach, jeśli powstrzymał się od picia. Traf chciał, że miał długi incydent akurat w trakcie obowiązkowych badań lekarskich. Ponieważ rybak musi być zdrowy i silny, przenieśli go tymczasowo na ląd. Miał pracować w przetwórni „na taśmie" i leczyć sobie serce. I wtedy dopiero bosman zachorował na serce.

Nawet „na taśmie" wszyscy mówili do niego „Bos". I w Domu Rybaka także. I ona mówiła do niego „Bos". Stała za szybą w okienku w stołówce i wydawała obiady. Miała nienagannie czysty biały fartuch, usta pomalowane krwistoczerwoną szminką, włosy związane jedwabną chustką i miała na imię Irena. Tak jak jego matka. Zawsze dawała mu podwójne porcje i zawsze uśmiechała się do niego, czerwieniąc się, gdy dłużej patrzył w jej oczy. Czasami znikała na kilka dni; wtedy wypatrywał jej i było mu smutno. Potem wracała za szybkę i często miała siniaki na rękach lub twarzy. Pewnego wieczoru czekał na nią przy śmietnikach, gdzie było tylne wyjście z budynku stołówki. Odprowadził ją do autobusu. Poszli dokoła parku, żeby było dalej. Potem czekał przy śmietnikach już każdego wieczoru. Po kilku tygodniach nie wsiadała w ogóle do autobusu. Całą drogę do jej domu szli pieszo i rozmawiali. Wracał sam, tą samą drogą, do Domu Rybaka i przypominał sobie każde jej słowo.

Po pewnym czasie zauważył, że jedyne, co ma dla niego sens, to czekanie najpierw na obiad, a potem na wieczór. Po kilku tygodniach Irena zniknęła. Bez słowa. Czuł się wtedy dokładnie tak samo, jak czasami czuł się w domu dziecka, gdy zostawał sam, jeden jedyny, na ławce w holu i pani kierowniczka zabierała go do gabinetu, dawała kredki i papier do rysowania, aby się czymś zajął i nie było mu smutno. A on miał wtedy ochotę rysować tylko cmentarze.

Gdy wróciła po tygodniu z bandażem na ręce i opuchniętą wargą, odważył się i zapytał. Opowiedziała mu o swoim mężu. Słuchał jej i przypominał sobie, że najgorsze, czego nie mógł znieść w domu dziecka, to gdy wytatuowany gnojek zupełnie bez powodu tłukł malucha, który sięgał mu do łokcia. Przechodzili przez park. Przytulił ją. Drżała. Była taka mała. Taka krucha.

Uczył się, jak jej to powie. Cały tydzień się uczył. Wracał z taśmy, zmywał smród ryb z siebie, zamykał pokój na klucz, aby mu nikt nie przeszkadzał, golił się, ubierał się w garnitur, który dał sobie uszyć, bo jego rozmiaru nie było w żadnym sklepie, wkładał krawat, stawał przed lustrem i uczył się, jak powiedzieć, że ją bardzo prosi, że już nigdy nikt jej nie uderzy i żeby ona… no, żeby ona jego… no, żeby chciała…

To nie był żaden szczególny dzień. Po prostu nie poszedł do przetwórni. Włożył garnitur i krawat. Czekał z kwiatami, jak zawsze przy śmietnikach. Nie zdążył jej powiedzieć. Dochodzili do parku, gdy podjechała taksówka i zahamowała z piskiem opon. Wyskoczył z niej mężczyzna, podbiegł i pięścią uderzył ją w twarz. Osunęła się bez słowa na trawnik. Mężczyzna zamierzył się, by ją kopnąć. Bosman rzucił kwiaty i złapał mężczyznę, tak jak łapie się dużego dorsza przed wbiciem mu noża i rozcięciem podbrzusza. Potem uderzył jego twarzą o swoje kolano. I jeszcze raz. I jeszcze. Spojrzał na jej zakrwawioną twarz i rzucił nim o trawnik. Podbiegł do niej i wziął na ręce. Nawet nie płakała. W tym momencie podjechał radiowóz wezwany przez taksówkarza.

Jej mąż miał połamaną szczękę i obojczyk, złamany nos, wstrząśnienie mózgu, rany tłuczone czaszki i złamane żebro z przebiciem prawego płuca.

Bosman wyszedł po trzech latach. Ona nie odwiedziła go

w więzieniu ani razu. Rok po wyjściu z Iławy przypadkowo spotkał kapitana, który jechał z Gdańska do Świnoujścia przejąć statek, i zatrzymał się, czekając na przesiadkę, w Słupsku. A właściwie to kapitan go spotkał. To było w dworcowej hali około piątej rano. Po ścianą dworca tuż przy zamkniętym kiosku „Ruchu" siedziała grupa bezdomnych. Pijana kobieta w zaszczanych spodniach klęła i wyzywała od najgorszych ogromnego mężczyznę z krwawym opatrunkiem na nosie, z butelką piwa w dłoni i papierosem w ustach. Kobieta podbiegała do mężczyzny, kopała go, uderzała pięściami i natychmiast uciekała. Gdy podbiegała, aby kopać olbrzyma, inny mężczyzna – niski, w czarnej ortalionowej kurtce z napisem Unloved na plecach – wbiegał między nich, nieporadnie próbując ich rozdzielić. W pewnym momencie kobieta stanęła i powiedziała coś niewyraźnie, mężczyzna w kurtce odsunął się, olbrzym wyjął papierosa z ust i podał kobiecie. Ta zaciągnęła się głęboko. Przez chwilę patrzyła na papierosa, a potem oddała go olbrzymowi i jak gdyby nic się nie stało i nie było tej przerwy, z okrzykiem „Ty skurwysynu jeden" podbiegła, aby go dalej kopać. Kapitan podniósł walizkę i podszedł bliżej, by przyjrzeć się tym ludziom. Wtedy go poznał.

– Andrzej, no co ty... Z kobietą się tłuczesz? Bos, no co ty... Kurwa. Bos!!!

Mężczyzna z opatrunkiem na nosie odwrócił głowę. Kobieta wykorzystała moment jego nieuwagi, podbiegła i z całej siły uderzyła go otwartą dłonią w twarz, przesuwając opatrunek z nosa. Olbrzym zignorował cios. Stał ze spuszczoną głową jak przyłapany na kłamstwie mały chłopiec.

– Panie kapitanie... Ja jej nie dotknę. Przecież pan wie, że nie. Ona tak zawsze. Nad ranem wpada w szał, to pozwalam jej, aby się na mnie rozładowała.

Kapitan zabrał bosmana z hali dworcowej w Słupsku i przywiózł pod statek. Kazał mu się najpierw wykąpać, a po kąpieli lekarz zmienił mu opatrunek na złamanym nosie. Potem kapitan opóźnił dobę wyjście w morze, aby bosman mógł załatwić wszystkie formalności związane z zamustrowaniem go na statek i przyjęciem do pracy. Tak naprawdę to wszystko było załatwione, gdy kapitan zadzwonił do jednego z dyrektorów u armatora – kolegi ze studiów w szkole morskiej – i powiedział, że bez bosmana to on „wyjdzie na spacer, a nie w morze" i że on to „pierdoli, że Bos jest karany, bo rybom to spływa równo po skrzelach, czy wyciągają je z morza karani czy ministranci".

Odtąd bosman jest jak kotwica na tym statku. I wie już raz na zawsze, że kobiety to ból. Najpierw przy tatuowaniu ich imion na przedramieniu, a potem przy wspominaniu.

W końcu bosman podniósł się ze słupka cumowniczego, stanął przy burcie i patrząc w horyzont, przeżegnał się. Po chwili wrócił schodami na śródokręcie.

Pływał z bosmanem już tyle lat, ale dopiero teraz, ukryty za szalupą, dowiedział się, że ma on coś wspólnego z Bogiem.

Wiatr powoli cichł.

Zapalił kolejnego papierosa, wsunął się głębiej pod windę i okrył szczelnie kocem.

Na statkach, na których pływał, było mało Boga. Rybacy są raczej zabobonni niż religijni. Mimo skrajności warunków życia, stałego niebezpieczeństwa i poczucia zagrożenia oraz swoistego pustelnictwa, za które, nie bez racji, uważał pływanie – po siedmiu miesiącach rejsu osiemdziesięciu facetów na statku traktuje się raczej jako współwięźniów lub braci z zakonu niż towarzyszy podróży – nie zetknął się z wyrazistymi przejawami religijności na statkach. Owszem, wiszą krzyże w mesach, niektórzy mają książeczki do nabożeństwa w szafkach, wielu nosi medaliki i krzyżyki na łańcuszkach, ale sam Bóg i wiara nie są prawie nigdy tematem rozmów i nie ma demonstrowania uczuć religijnych. Ale one są i nieraz religijność miesza się z instynktami i jeśli stanie się tak na statku, z którego nie ma jak uciec, często zdarzają się tragedie.

Łowili pod Alaską. Po siedemdziesięciu dniach weszli w nocy na krótko do Anchorage, aby zostawić w szpitalu chorego z podejrzeniem zapalenia wyrostka robaczkowego. Na zastępstwo armator znalazł czekającego na jakiś statek Filipińczyka. Wprawdzie od pewnego czasu pływali na statkach z polskimi załogami także cudzoziemcy, więc nie było to aż tak bardzo dziwne, niemniej często zdarzały się konflikty i armator amerykański wiedział, że „Polacy najbardziej lubią kłócić się ze swoimi".

Filipińczyk był drobny i niski. Nosił okulary i z daleka, gdy stał na kei, ubrany w granatowy garnitur i białą koszulę, wyglądał jak chłopiec idący do pierwszej komunii. Nikt nie chciał go przyjąć do swojej kabiny, więc zesłali go do praktykantów na dziobie. Wszyscy wiedzieli, że to straszna niesprawiedliwość, bo kabina praktykantów była najmniejsza na statku. Miała wprawdzie trzy koje, ale ta trzecia zastępowała praktykantom szafę, na którą nie starczyło miejsca. Pamięta, jak kiedyś młody motorzysta, który przez miesiąc mieszkał w tej kabinie, żartował przy obiedzie:

„Ta kabina jest tak mała, że gdy miałem erekcję, musiałem otwierać drzwi na korytarz".

Praktykanci zdjęli swoje rzeczy z najwyższej koi, poupychali gdzie się dało i Filipińczyk mógł pójść spać. Następnego dnia, gdy praktykanci jedli obiad, Filipińczyk, nie pytając nikogo o zgodę, zdjął wieżę stereofoniczną jednego z nich i na jej miejscu, tuż przy umywalce, ustawił ołtarzyk. Normalny zminiaturyzowany kościelny ołtarz. Ze schodami, z krzyżem, na którym wisiał miniaturowy Chrystus z przerobionej lalki Kena, przybity miniaturowymi gwoździami i w miniaturowej koronie cierniowej, zrobionej z cienkiego sznurka usztywnionego pastą do butów i kawałków wykałaczek. Wokół krzyża zwisał czarny przewód z czerwonymi i oliwkowymi diodami, które migotały nieregularnie. Bateria zasilająca diody leżała przy figurze klęczącej Matki Boskiej, zrobionej z lalki o skośnych oczach. Lalka była owinięta skrawkiem białego płótna spiętego agrafką na plecach i w miejscu, gdzie sterczały nieproporcjonalnie duże piersi, namalowane zostało czerwoną farbą duże serce przebite cierniami.

Gdy praktykanci wrócili z obiadu, Filipińczyk klęczał i modlił się na głos, kolorowe diody migotały na miniaturowym ołtarzyku, a cała kabina wypełniona była dymem kadzidła, które tliło się w szklance do płukania ust stojącej na umywalce.

Filipińczyk okazał się ortodoksyjnym katolikiem – popołudniowa modlitwa należała do rytuału dnia powszedniego. Nie mógł zrozumieć, że oni inaczej wyobrażają sobie wiarę w Boga. Wyciągał z kieszeni portfel, w którym nosił zdjęcie papieża, i całował je przy nich.

Gdy wiadomość rozniosła się po statku, wszyscy przychodzili do kabiny praktykantów i tylko kiwali głowami, a Filipińczyk siedział na najwyższej koi pod sufitem i uśmiechał się dumny, i składał ręce do modlitwy.

Filipińczyk był dobrym rybakiem. Potrafił jak oni godzinami patroszyć dorsze, zawsze chętnie przynosił, zapalał i wkładał w usta papierosy i zawsze śmiał się, gdy inni się śmiali.

Po trzech tygodniach umiał we właściwym momencie powiedzieć „kurwa" i na prośbę praktykantów zrezygnował z palenia kadzidła w kabinie. Zaczęto go nawet lubić i zapraszać na pornosy do kabiny elektryka. Ale po tygodniu zrezygnowano, bo w trakcie projekcji dyszał z podniecenia tak głośno, że robiło się jakoś tak nieswojo.

Po sześciu tygodniach elektryk przyłapał Filipińczyka na dziobie.

To wtedy przyszedł do kabiny, wywołał go na korytarz i powiedział:

– Słuchaj, Żółty chodzi po dziobie ze spuszczonymi spodniami i pokazuje światu swoją fujarę! Jak Boga kocham. Naprawdę. Właśnie wracam z dziobu. Normalny exi! Tego tylko nam brakowało.

To było oczywiście absurdalne. Ekshibicjonista na „rybaku"! Steward, który dzielił kabinę z elektrykiem, zaraz dodał: „Katolicki ekshibicjonista na rybaku". Z drugiej strony, dlaczego akurat wszyscy spośród przypadkowo zebranych ponad osiemdziesięciu mężczyzn odsuniętych na długie miesiące od normalnego seksu mają być heteroseksualni i jak to mawiała Alicja, „katolicko-heteroseksualnie poprawni?".

To, że elektryk nie zareagował natychmiast i udawał przy Filipińczyku, że przygląda się jego fujarze, zachęciło go do powtórki.

Czyhali na niego. Prosił, aby tego nie robili. Nie usłuchali. Polowali na niego. Tego dnia jak zwykle zaczaili się po kolacji. Było już ciemno. Elektryk wyszedł z papierosem w ustach na dziób. Filipińczyk wyłonił się w pewnej chwili z ciemności i stanął przy windzie. Wtedy zapalili wszystkie reflektory na dziobie, łącznie z tym najsilniejszym przy bomie ładunkowym, i skierowali na Filipińczyka, stojącego z opuszczonymi do ziemi spodniami. Pierwszy mechanik włączył syrenę alarmową, a praktykanci zaczęli krzyczeć po angielsku przez megafony. Filipińczyk był tak przerażony, że zaczął oddawać mocz. Stał ze sterczącym prąciem i sikał, trzęsąc się przy tym jak epileptyk. Niespodziewanie podniósł spodnie, podbiegł do burty i skoczył.

Gdy wciągnęli go na pokład, był tak wychłodzony, że lekarz wątpił, czy przeżyje. Przeżył. Odstawili go pośpiesznie do Anchorage. Dwaj sanitariusze amerykańskiego Blue Cross znieśli go na noszach do szpitalnego ambulansu, który podjechał pod statek. Praktykanci taszczyli za nim zapakowany w karton miniaturowy ołtarzyk. Kapitan wystąpił do izby morskiej, aby pierwszego mechanika ukarać odebraniem licencji za „bezzasadne, narażające życie członka załogi użycie syreny alarmowej". Do elektryka już nikt do końca rejsu nie przyszedł na pornosy.

Chociaż o incydencie z Filipińczykiem wszyscy chcieli jak najszybciej zapomnieć i nie wracali do tego, to właśnie po tym rejsie pierwszy raz tak prawdziwie głęboko i poruszająco rozmawiał na temat Boga.

Wracał z łowisk do Polski. Siedział w samolocie z Anchorage do Moskwy – ostatnio często wynajmuje się całe załogi obcym banderom i transportuje się je na statek samolotami – w pierwszej klasie, obok kapitana, którego znał jeszcze z rejsów szkolnych. Prawdziwa legenda polskiego rybołówstwa. Po Królewskiej Szkole Morskiej w Szkocji, ponad czterdziestu latach pływania i po krótkim epizodzie rektorowania w Polsce szkole morskiej, w której bez morza wytrzymał tylko dwa lata.

Rozmawiali prawie całą drogę. O Bogu i religii też.

– Bo widzi pan, panie oficerze – kapitan miał zwyczaj zwracać się do wszystkich „per panie oficerze", nawet do praktykantów – ja zacząłem wierzyć w Boga dopiero dwa lata temu, po tym, jak zmarła moja żona – powiedział, spoglądając za okno. – Mając ją, nie potrzebowałem żadnego Boga. Tyle razy mnie prosiła, abym wierzył. Ciągała mnie po kościołach, a gdy byłem dłużej na lądzie, woziła na chrzciny, śluby i pogrzeby. Ostatnio przeważnie na pogrzeby. Cztery lata temu, wtedy już miała raka, wróciłem na Wielkanoc do Gdyni i poprosiłem ją, aby wyszła za mnie za mąż po raz drugi. I ona, panie oficerze, się zgodziła. Po tym wszystkim, co ja jej zrobiłem, po tym, jak ją tak dziesiątki razy na całe miesiące zostawiałem samą i goniłem po świecie za rybami. Po tych Wigiliach beze mnie, urodzinach i chorobach dzieci beze mnie i po tylu pogrzebach beze mnie. Wyobraża pan to sobie, panie oficerze?! Zgodziła się!

– I zadzwoniłem wtedy do znajomego proboszcza, co był u nas kiedyś na „Turlejskim" – pan przecież był ze mną na „Turlejskim", panie oficerze, prawda? – drugim mechanikiem, tylko że później zwariował i poszedł do zakonu. I powiedziałem mu, że za tydzień przyjeżdżamy z Martą do Lublina, po to, aby w jego kościele wziąć ten ślub, na który nie było czasu trzydzieści siedem lat temu, bo musiałem wtedy wychodzić w morze. I żeby załatwił chór i organistę, i żeby to mogło się obyć bez tych kursów czy szkoleń, co robią teraz przed ślubami.

Pamiętą, że po tych słowach przerwał na chwilę, skinął ręką na stewardesę i gdy ta podeszła, poprosił:

– Czy mogłaby mi pani nie podawać już więcej tych szampanów i zamiast tego przynosić dobrze schłodzoną wódkę?

Gdy stewardesa odeszła, mówił dalej:

– Ale nawet wtedy, gdy szedłem obok niej do ołtarza, podczas tego ślubu, ciągle jeszcze nie wierzyłem w Boga. Bo ja jeszcze wtedy nie potrzebowałem ani Boga, ani religii. Szczególnie religii nie potrzebowałem. Bo religia to czasami, panie oficerze, tak trochę tumani. Bo z religii czasami wynika, że łatwiej kochać ludzkość niż kolegę z wachty.

Uwierzyłem dopiero wtedy, gdy ona odeszła i zrobiło się tak przeraźliwie pusto na świecie, że musiałem sobie kogoś znaleźć, aby nie być sam jak palec, gdy wrócę do swojej kabiny z mostku. I wtedy sobie pomyślałem, że Marta też nie chciała być pewnie sama i mogła mieć rację przez całe życie. I wtedy znalazłem Boga.

Czasami myślę, że go znalazłem, a czasami, że po śmierci Marty po prostu zmieniłem Boga, nie zmieniając wyznania. Ale na statku można obyć się także bez Boga i religii. Ja się ponad trzydzieści lat obywałem.

– To na zdrowie, panie oficerze – zakończył, uśmiechając się, i podnosząc kieliszek z wódką.

Gdy wypili, nachylił się i dodał:

– Ale powiem panu, panie oficerze, że jeśli nie ma pan swojej kobiety, to wtedy z Bogiem jest człowiekowi w życiu lepiej…

Zła kobieta

Odkąd pamiętam, byłam pewna, że każdy zakochuje się od pierwszego wejrzenia, rzadko jednak od razu zdajemy sobie z tego sprawę, zwykle dostrzeżenie tego, że kochamy, zajmuje nam sporo czasu.

Zobaczyłam go w Tesco, między regałami z dżemami i konserwami. Zobaczyłam go i od razu wiedziałam, że to on. Ten, który zmieni moją teorię w fakt. Wyglądał jak młody Robert Redford: jasne włosy, jasne brwi, jasne piegi. Ubrany był na czarno. I kradł.

Za każdym razem, gdy przymykam powieki i myślę o tamtym grudniowym dniu, staje się on bardziej rzeczywisty od teraz, bardziej namacalny niż tu.

Sklep nabity jest ludźmi, a ja widzę tylko jego.

Jego dłonie są szybkie i lekkie jak ptaki w locie, na ułamki sekund wpadają do kieszeni, upuszczając w nie łup.

Ukryta między mijającymi mnie ciałami, z odległości kilku kroków patrzę na te zwinne dłonie i zakochuję się w nim coraz bardziej.

Nie rozgląda się na boki, jest spokojny, zrelaksowany, jakby grabież sklepowych półek była tym, co lubi najbardziej. Jedne rzeczy ogląda i odkłada z powrotem, tańsze i większe wkłada do koszyka, droższe i mniejsze rozmywają się w powietrzu.

Zastanawiam się, czy jego odprężenie nie jest jednak złudne, czy może to nie odprężenie, a skupienie, czy tak naprawdę wie, co dzieje się dookoła, czy jest czujny, wsłuchany. Czy wie, że od kilkunastu minut go śledzę i wpatruję się w niego.

Wszyscy dookoła spieszą się, gdzieś gonią, zwracają uwagę tylko na to, co w ich koszyku. Patrzę na otaczający mnie chaos i nie rozumiem, jak inni mogą być na niego ślepi, nie rozumiem, jak to się dzieje, że skupiona na nim jestem tylko ja.

Długopis rozpuszcza się w jego dłoniach, ruch jest tak zwinny, że nie wiem nawet, gdzie go ukrył. Szybko pochodzę do niego, sięgam po taki sam długopis i powoli wsuwam go sobie w rękaw.

Po raz pierwszy spogląda mi w twarz. Myślałam, że się zarumieni, ale nie ma w nim krzty wstydu. Zamiast rumienić, uśmiecha się najszerszym z uśmiechów.

– Musisz popracować nad techniką.

Jego głos jest niski i bardzo przyjemny, przechodzi przeze mnie jak prąd elektryczny, ale nie daję się porazić, odpowiadam spokojnie i cicho:

– Nie muszę nad niczym pracować, nie planowałam okradać sklepów.

Jego twarz poważnieje, lekko mruży oczy i wiem, że mnie ocenia, ale nie wiem, co dokładnie poddaje ocenie. Emocje i słowa buzują we mnie, czuję, jak chcą się wydostać na zewnątrz, ale nie mówię i nie okazuję nic, nie ponaglam jego oceny, mimo że nie mogę doczekać się werdyktu.

– Kłamiesz.

– Nie kłamię, nigdy nie miałam takich planów; nie znaczy to jednak, że ich nie zmienię.

– Nie mów mi, że nigdy niczego nie ukradłaś.

– Nigdy nawet nie pomyślałam o tym, żeby coś ukraść.

Szeroki uśmiech wraca na jego usta. Peszy mnie ten uśmiech, wszystko w nim mnie onieśmiela, z całych sił staram się nie pokazać tego onieśmielenia. Chcę spuścić wzrok, ale patrzę mu w oczy.

Ludzie przepychają się obok nas niezadowoleni, ktoś mruczy coś na temat urządzania sobie pogaduszek na środku supermarketu.

On jeszcze mniej niż ja zwraca uwagę na tłum. Wyciąga rękę i mówi, że na imię ma Artur.

Przy kasie jestem pewna, że nas złapią; nie wiem, jak on może być tak zrelaksowany, nie wiem, z czego zrobione są jego nerwy. Ja telepię się ze strachu, wydaje mi się, że czuję na sobie wzrok wszystkich ochroniarzy, a on kasjerkę czaruje, jest zabawny, uprzejmy, momentami szarmancki. Jego dłoń chwyta za moją, lekko ściska, nie wiem, czy tym dotykiem chce uspokoić mnie czy moje trzęsące się dłonie.

Oddycham z ulgą, dopiero gdy wychodzimy ze sklepu.

Jest szary wieczór, zaraz będzie ciemno, pada śnieg, powinnam iść do domu. Powinnam, ale bardzo nie chcę.

Mówi, że mieszka niedaleko, nie pyta, czy pójdę z nim; idę, jakby podążenie za obcym leżało w mojej naturze.

Nie rozmawiamy i nieobecność słów sprawia, że znowu zaczynam się denerwować. Brak przechodniów i skrzypienie śniegu pod butami wbijają mnie w zdenerwowanie jeszcze bardziej, ale nadal nie chcę zawrócić.

Otwiera bramę starej kamienicy, wchodzimy na korytarz, zapala światło. Zielona farba płatami łuszczy się ze ściany.

I ten zapach: przejrzały, stary, wilgotny smród. Wchodzę po schodach, wstrzymując powietrze. Na każdym piętrze mijamy parę drzwi, za każdymi cisza, jakby nikt tu nie mieszkał. Światło gaśnie i pół piętra wchodzimy po omacku, schody są strome, mocno trzymam się poręczy, jest wypolerowana do śliska. Jest chłodno, ale moje dłonie się pocą.

Rozbłysk żarówki.

Wchodzimy wyżej, na samo poddasze, schody zmieniają się z kamiennych w drewniane. Szczęk klucza w zamku. Drzwi otwierają się cicho.

Mieszkanie jest niezaskakująco małe, zaskakująco czyste i wolne od odoru, który panoszył się na korytarzu.

Artur szybko opróżnia reklamówkę i kieszenie i szybko wszystko odstawia na miejsce. Mam chwilę na rozejrzenie się po pomieszczeniu. Pomimo małych rozmiarów jest męskie, nie widzę ani jednego detalu, który wskazywałby na to, że mieszka tu kobieta, że ktokolwiek tu mieszka, bo wszystko ustawione jest ze snajperską precyzją, każda rzecz ma swoje idealne miejsce. Podchodzę do biurka, na nim książka obłożona w gazetę, lampa, notatnik, zszywacz, gumka. Siedem ołówków leży w równym rzędzie, po symbolach poznaję, że ułożone są od najtwardszego do najbardziej miękkiego.

Na półce kilkadziesiąt alfabetycznie ustawionych książek i ramka z czarno-białym zdjęciem, szczerzy się z niego szczerbaty Artur, ma jakieś siedem, osiem lat, między sobą trzyma go w ramionach młoda para, oni też się śmieją; to muszą być jego rodzice, jest idealną mieszanką ich dwojga.

Artur podchodzi do mnie, na moment bierze zdjęcie do ręki, uśmiecha się do niego i odstawia na miejsce.

– To nasze ostatnie zdjęcie, zginęli tydzień po jego zrobieniu.

Tego wieczoru opowiada mi o sobie, o śmierci rodziców, o dzieciństwie i dojrzewaniu w domu dziecka, o dwóch tymczasowych rodzinach, które zostawiły go, bo okazał się rozczarowaniem, bo nie dorósł do ich wyobrażeń. Ze śmiechem wspomina o swoich małych maniakalnych natręctwach. Ale przede wszystkim zadaje mi setki pytań, pytań, które mówią mi, że może i on zakochał się we mnie od pierwszego wejrzenia. Jeszcze nikt nigdy nie pytał mnie o tak wiele.

A potem, późno w nocy, odnajdują mnie jego dłonie i usta. I nagle jestem zadowolona, że jest złodziejem, bo kradzież wytrenowała jego dłonie, są pewne i silne, i zachłanne i mam wrażenie, że ma ich trzy pary, bo zdają się być wszędzie naraz. To te złodziejskie dłonie pokazują mi, co to znaczy doznawać, uczą moje ciało czuć.

Tak szybko, bez zastanowienia, bez hamulców zaczęło się nasze wspólne życie. Nasza mocna, nierozsądna miłość. On starał się być ostrożny, mówił o strachu przed przywiązaniem, próbował trzymać dystans i uczucia na smyczy. Nie udało mu się to wcale.

Każdy wróżył, że nasza miłość będzie krótka, że skończy się tak raptownie, jak się zaczęła. Nie było osoby, która wierzyłaby w nas, w siłę tego, co było między nami. Koleżanki opowiadały mi o zwyrodnialcach, których życie zaczęło się w domu dziecka, o tym, że bezpańskie dzieci nigdy nie wyrastają na normalnych dorosłych.

Setki razy, leżąc w nocy obok niego, myślałam o wszystkich tych ludziach, którzy go nie chcieli, dla których był niewystarczający, myślałam o małym, opuszczonym nim i godzinami niemo płakałam. Nienawidziłam ich, ale były też momenty, w których im dziękowałam, bo gdyby nie oni, nie miałabym jego.

Po naszej pierwszej nocy nigdy już nie wspominał o swojej przeszłości, zupełnie jakby nauczył się nie pamiętać. Był etycznym, może nawet szlachetnym złodziejem – nigdy nie okradał osób prywatnych, nigdy nie wziął nic z małych, niezależnych sklepów, okradał tylko wielkie markety. Nauczył mnie kraść i śmiał się, gdy wyrzuty sumienia gryzły mnie tak, że to co ukradłam, oddawałam żebrakom.

Nie każda chwila z nim była szczęśliwa, nie miałam na ustach wiecznego uśmiechu, bywały momenty, w których nie rozumiałam go wcale, w których był odległy, w których nie potrafiłam do niego dotrzeć. Bywały dni, w których cisza stawała się ciałem. Ale to były rzadkie chwile, zwykle życie wypełniała nam nadmierność i tęsknota za tym, czego jeszcze nie było, i beznadziejnie głupie żarty. Jednak co zaskakiwało najbardziej, to jego uczciwość, prawdomówność, która zupełnie wybijała mnie z rytmu – bo jak to możliwe, żeby ten złodziej był najuczciwszą z osób, jakie znam? Zachwycał mnie sobą, swoim entuzjazmem, swoimi źrenicami otwartymi na oścież, widzącymi wszystko.

Tak było do dnia, w którym wyciągnęła po niego swoje dłonie śmierć.

Kradł coś, nie wiem, jak przeoczył, że był obserwowany. Wyszedł ze sklepu, trzech ochroniarzy czekało na niego przy wyjściu, w szarpaninie udało mu się wyrwać. Gonili go i dogonili. Wyrwał się znowu. I wpadł pod samochód.

Przez kilka tygodni od śmierci dzieliła go tylko cienka linia. Leżał najpierw fioletowy, potem siny, potem biały, nieprzytomny, w sumie nigdy się nie obudził, nie tak naprawdę.

Dotkliwie pamiętam ten dziwny ból, który czułam, kiedy po raz pierwszy spojrzał na mnie jak na obcą osobę.

Zapytał pielęgniarkę:

– Dlaczego ta pani płacze?

Rozpłakałam się jeszcze bardziej.

Ale wtedy i w pierwszych dniach po wybudzeniu nadal byłam pewna, że to minie, bo jak mogło nie minąć? Każdego wieczoru, gdy kładłam się spać, wierzyłam, że jutro coś wróci, i to coś będzie nowym początkiem, a potem szybko nauczy się chodzić, przypomni mnie sobie, a jak nie przypomni, to nauczy się czuć, na nowo nauczy się mnie kochać.

Tygodnie mijały, rehabilitacja zaczęła przynosić pierwsze nikłe efekty.

Z najważniejszej osoby w jego życiu zmieniłam się w kogoś, kogo nie tylko nie rozpoznaje, ale też w kogoś, kogo czasami ledwie toleruje, na kogo się godzi, bo nie ma wyboru. Stałam się kimś, kto się nim opiekuje, kto opowiada mu o tym, co było, kto jest mu obojętny.

A ja nadal go kocham; moja miłość się zmieniła, stała się mocniejsza niż kiedyś, mimo że nieodwzajemniona, a może dlatego jest mocniejsza, bo czuję, że muszę kochać za dwoje.

Jego piegi spłowiały od braku słońca, stały się prawie niewidoczne.

Wyprowadziłam nas z jego mieszkania, osoba na wózku nie może mieszkać na czwartym piętrze.

Większość dni spędzaliśmy razem. Na początku przewijałam go i myłam, po jakimś czasie zaczął radzić sobie sam; myślę, że to duma pchała go do samodzielności, choć chwilami bałam się, że zwyczajnie chce się mnie pozbyć. Widziałam, jak czasami nienawidzi mnie za to, że jestem świadkiem jego niemocy, widziałam, jak wstydzi się słabości swojego ciała.

Bywało, że ledwie i z zaciśniętymi zębami znosiłam jego humory, ale były też momenty, gdy mnie bawił jak kiedyś. Raz, gdy w zamyśleniu zaczęłam śpiewać, powiedział, żebym przestała fałszować. Spojrzałam na niego, jego twarz rozciągał dawny szeroki uśmiech; nie wiedział, że przed tym, jak niebo zwaliło nam się na głowy, setki razy powtarzał mi, że głos mam fatalny, uśmiechając się przy tym tak samo jak teraz.

Rzadko wychodziłam z domu bez niego, bałam się zostawiać go bez opieki; za każdym razem, gdy wracałam do domu, był we mnie strach, a ręce trzęsły mi się tak, że z trudem wbijałam klucz w zamek. Spacery nad morzem nie były warte tego strachu.

Jednak czasami i jemu, i mnie potrzebna była chwila oddechu; nie wiem, co on robił, gdy zostawał sam, ja zwyczajnie szłam nad morze i zapominałam o tym, co teraz, o tym, że nie mogę pracować, że zaoszczędzone pieniądze zaczynają się kończyć.

I właśnie w takim momencie odnalazł mnie rybak. Siedziałam na plaży, czekałam na zachód słońca. Słony wiatr targał moje włosy, mewy pokrzykiwały.

Podszedł do mnie mężczyzna i zapytał, czy może się przysiąść.

Był wysoki, muskularny i bardzo opalony. Ale nie wyglądał, jakby dopiero co wrócił z wakacji; wyglądał, jakby wrócił z wojny.

Usiadł obok mnie, zanurzył dłonie w piasku.

Na imię miał Jacek. W przeciągu godziny dowiedziałam się o nim wszystkiego. Była w nim straszna samotność, straszna desperacja, by być z kimś, by należeć do kogoś, by mieć swoją kobietę na lądzie. Nigdy wcześniej nie spotkałam takiego mężczyzny. Jego twarz była tak otwarta, że bez trudu odczytywałam wszystkie jego myśli.

Beznadziejny byłby z niego pokerzysta.

Widziałam, jak mnie chce, jak zanurzając dłonie w piasku, powstrzymuje się przed dotknięciem mnie. Widziałam, jak zdaje sobie sprawę, że zakochał się we mnie od pierwszego wejrzenia.

Wiatr się poderwał, mewy szybowały w miejscu, ostatnie promienie słońca barwiły morze i niebo na czerwono.

Ja zadawałam pytania, on odpowiadał szczerze. On pytał, ja dawałam odpowiedzi, których był głodny. Kłamałam.

Mówiłam, patrzyłam na niego z fascynacją, patrzyłam tak, jakbym i ja nie mogła powstrzymać się przed dotknięciem jego, lecz to była tylko powierzchnia tego, co robiłam naprawdę, a naprawdę układałam plan, knułam. Patrzyłam na niego i wiedziałam, że już jest mój, że nie będzie mi potrzebna żadna przynęta.

Zaczęliśmy się spotykać, dawałam mu maksymalnie godzinę dziennie, opowiadałam o „bracie", którym muszę się opiekować. Dopiero po tygodniu pozwoliłam, by trzymał mnie za rękę, po kolejnych dwóch pozwoliłam na pocałunek.

Udawałam niewinną, niedoświadczoną, nietkniętą. Kroczek po kroczku rozkochiwałam go w sobie bardziej i bardziej.

Nie nalegał, nie popychał mnie nawet słowami, wstrzemięźliwie czekał.

Był hojny i tak ciepły, że niemal, niemal odstępowałam od moich zamiarów. Ale to, że go polubiłam, nie zmieniło moich planów; utrudniło ich wykonanie, ale ich nie zmieniło.

Był wspaniałym mężczyzną, mężczyzną, o którym kobiety powinny marzyć, a którego jeszcze żadna nie doceniła; często zastanawiałam się dlaczego. Był prawdziwie męsko wyglądającym mężczyzną, miał duże szorstkie dłonie, szerokie barki, pięknie umięśnione ramiona, mocno zarysowaną żuchwę, biały uśmiech. Był bardzo sprawny, a jednak tkwiło w nim echo czegoś, co w tę męskość kazało wątpić, jakiś mały, nienazwany detal, który zakłócał ten obraz męskości. Był mężczyzną, który pomoże, wesprze, do którego pierwszego dzwoni się w potrzebie, ale którego się nie pragnie, nie tak naprawdę, nie z żarem. Może któraś go kochała, ale jeśli nawet, to nie była to mocna miłość, tylko letnia, taka niezupełna.

Dni mijały, za dwa miesiące miał znowu wypływać w morze; wiedziałam, że jeśli chcę dostać od niego wszystko, to nie mogę dłużej go zwodzić, muszę dać więcej niż pocałunek, niż trzymanie się za ręce. Częściowo wprowadziłam się do jego mieszkania, a raczej wprowadziłam tam trochę swoich rzeczy. Rozumiał, że mam dla niego tylko pojedyncze godziny, niczego nie podejrzewał.

Kolejnych kilka tygodni później zdecydowałam, że nadeszła pora, by dać Jackowi dowód mojej miłości.

Wieczór. Jestem lekko zdenerwowana, choć nie do końca wiem dlaczego. Siadam tuż obok niego i proszę, żeby znowu opowiedział mi o którymś z rejsów. Lubię jego opowieści, są tak inne od wszystkich, które do tej pory słyszałam.

Powoli zaczynam przesuwać dłonią po jego ramieniu, po torsie, dotykam ustami jego policzka. Jego dłonie przyciągają mnie mocniej, siadam na nim okrakiem. Już kilkadziesiąt razy tak na nim siedziałam, czując pod sobą jego pulsującą męskość. Bawię się metalowym guzikiem spodni, odpinam go. Nie jest przygotowany na to, że go odepnę. Moja dłoń wsuwa się pod sztruks spodni. Oczy mam zamknięte, ale słyszę, jak głęboko nabiera powietrza, czuję, jak jego klatka piersiowa rozpiera się od jego nadmiaru.

Powstrzymuję się przed zgaszeniem światła, wiem, że widok mojej nagości pomoże mi osiągnąć ostateczny cel.

Zdejmuję sukienkę, jego ręce ożywają, a potem dygoczą lekko, gdy zdejmuje ze mnie bieliznę, bieliznę, którą ukradł dla mnie Artur.

Dotyk Jacka jest lekki, czuję w tym dotyku zwątpienie, niepewność, co robić dalej, strach przed zranieniem mnie.

Nie rani mnie, chociaż udaję ból pierwszej penetracji. Daję mu załzawiony uśmiech, mała rzecz. Mała rzecz, lecz widzę, jak daje mu ona poczucie potężnej satysfakcji. A potem udaję zachwyt i niedoświadczenie, i podniecenie, i znowu zachwyt.

A naprawdę czuję się bardziej mięsem niż ciałem.

Sofa rytmicznie skrzypi i trzęsie się pod nami, w jej jęczeniu nie ma nic nieautentycznego.

Nic nieautentycznego nie ma też w Jacku, pot pokrywa jego plecy, spływa po torsie, przykleja włosy do czoła. Jego wzrok jest zmącony, pozbawiony ostrości. Choć tak naprawdę jego wzrok zawsze jest zmącony i pozbawiony ostrości, gdy patrzy na mnie, teraz jednak bardziej niż zwykle. Jego źrenice są tak rozszerzone, że oczy stały się czarne jak smoła.

Unosi mnie na rękach i zanosi do sypialni.

Szarość wieczoru przechodzi w czarną noc.

Znowu mnie bierze, głód nadal trzęsie jego palcami, na nowo jestem mokra od jego nasienia i potu.

Po wszystkim mówi, mówi o tym, jak rozpalam go od środka, jak beze mnie wszystko straciłoby sens, że jestem kobietą, za którą będzie tęsknił, na którą warto czekać, dla której warto żyć na morzu, mówi o tym, jak strasznie jest nie mieć nikogo na lądzie.

Słucham go i myślę o tym, jak dwoje ludzi przeżywających tę samą sytuację może widzieć ją zupełnie inaczej. Żal mi go, szkoda mi, że to on wpadł w moją sieć, że dał się nabrać tak łatwo, jestem pewna, że nie jestem ostatnią, która połamie mu serce.

Komar brzęczy, niewidoczny w ciemnym powietrzu. Czas na moje nieprawdziwe przyrzeczenie.

Obiecuję, że będę na niego czekać. Że go kocham.

Dobrze, że nie widzi mnie w mroku; nie wiem, czy uwierzyłby w moje niegorące słowa, gdyby patrzył mi w twarz, aż tak dobrym kłamcą nie jestem.

Następnego dnia dopisuje mnie do swojego konta, dając nielimitowany dostęp do oszczędności życia. Patrzę na te liczby i wiem, że przez jakiś czas nie będę musiała szukać kolejnej ofiary.

Dni dzielące nas od jego wyjazdu mijają wolno, ale każdą chwilę z Jackiem znoszę z uśmiechem na ustach.

Czasami boję się, że Artur czuje do mnie dokładnie to, co ja czuję do Jacka.

Noc przed jego wyjazdem spędzamy wspólnie, ten ostatni raz bierze mnie z takim namaszczeniem, jakbym była świętą; gdy raz za razem wymawia moje imię, brzmi ono niczym modlitwa. W każdym jego geście i słowie czuję, że już za mną tęskni i chwilami mam wrażenie, że to ta tęsknota jest tym, czego najbardziej ode mnie chce.

Rano odprowadzam go na statek, kilkanaście razy mówię mu, żeby uważał na siebie bardzo, żeby tęsknił za mną mocno, żeby pisał długie listy. Przytula mnie i całuje tak, jakby wiedział, że jest to nasz ostatni pocałunek. Ociąga się, przez moment stoi nieruchomo z zamkniętymi powiekami, a gdy je otwiera, jego oczy błyszczą, jakby był na granicy łez.

Co mnie jednak zdziwiło, to że co jakiś czas wracałam do mieszkania Jacka, nie po to, żeby je okraść, ale by otworzyć skrzynkę na listy i odebrać te, które do mnie przysłał. Czytałam te listy i udawałam, że to nie on je napisał. Sama też do niego pisałam, wysyłałam do niego listy pełne słów, których nie był prawdziwym adresatem. Ostatni raz byłam u niego na miesiąc przed jego powrotem, chciałam zostawić kartkę z przeprosinami, ale przepraszam byłoby zwykłą obelgą, więc nie zostawiłam mu nic.

Pół roku później znalazłam kolejną ofiarę, zbyt wypielęgnowanego i zbyt mocno pachnącego mężczyznę. Nie lubiłam go, nie lubiłam tego, jak obnosił się ze swoim dostatkiem, nie lubiłam, że nie wychodził z domu, jeśli łączna suma tego co miał przy sobie i na sobie nie przekraczała kilkudziesięciu tysięcy, nie lubiłam jego nażelowanych kędzierzawych włosów i wyregulowanych brwi. Zdradzenie go z jego najbogatszym przyjacielem było bardzo satysfakcjonujące, przywłaszczenie sobie części ich majątków – jeszcze przyjemniejsze.

Artur nadal mnie nie pamięta. Nadal boli mnie to strasznie.

Prawie każdego dnia przypomina sobie strzępy przeszłości, ale nie mnie, czasami widzę, jak przygląda mi się spod przymrużonych powiek i stara się z całych sił pamiętać.

Dawnym sobą najbardziej jest wtedy, gdy śpi; w snach tak samo się uśmiecha, tak samo marszczy brwi, mamrocze te same nonsensy. Wtedy, nie dotykając go, kładę się obok niego na samym skraju łóżka i udaję, że jest tak jak dawniej, że nic się nie stało, nic się nie zmieniło.

Świt jednak zawsze przynosi rzeczywistość; otwieram oczy i on znowu patrzy na mnie jak na obcą.

Nadal czekam na dzień, w którym przypomni sobie, że mnie kocha. Czekam na dzień, w którym przeszłość stanie się teraźniejszością. Czekam, aż się obudzi.

7

JANUSZ L. WIŚNIEWSKI

Krew

PAWEŁ PALIŃSKI

Strzępy

Janusz L. Wiśniewski

Krew

Koniecznie chciała zrobić to żyletką. Właśnie tak. Żyletką. Tak jak wtedy. Już wtedy trudno było kupić żyletki. A co dopiero dzisiaj. Dzisiaj to zupełnie niemożliwe. Teraz nikt nie przecina nic żyletką. Nawet żył nie przecina się teraz żyletką. Świat poszedł z postępem i po drodze zupełnie się zeszmacił. Nawet w tej kwestii. Teraz ludzie tną swoje żyły „ostrzami z najlepszej hartowanej stali z certyfikatem jakości". Ale ona chciała koniecznie żyletką. Wtedy robiła to żyletką, to i teraz tak zrobi. Człowiek lubi rytuały i przyzwyczaja się do pewnych czynności. Także do odbierania sobie życia…

Jednego sprzed czterech lat nie mogła jednak dzisiaj powtórzyć. Nie mogła się zamroczyć tak jak wtedy. Wtedy, zanim usiadła w wannie, wypiła całą butelkę rumu. Na pusty żołądek. No może nie zupełnie pusty. Łyknęła, jak co rano, garść kolorowych tabletek. Prawie żadnych kalorii, za to bardzo dużo znieczulenia. Ze wszystkich tabletek na dłoni najbardziej wdzięczna była xanaxowi. Szara, mała, okrągła, prawie niewidoczna, ukryta pod górką innych. Taki faktor Xx, który przywołuje się, gdy nie rozumie się czegoś do końca. Kiedyś spróbowała łyknąć tylko Xx. Bez tych wszystkich kolorowych. Zdjął z niej ból i strach. Prawie tak samo jak ta cała garść innych. Mimo to uczciwie łykała wszystkie przepisane. Chociażby po to, żeby nie musieć kłamać na spotkaniu z psychiatrą, który nie miał dla niej zbyt dużo czasu, ale miał za to na biurku cały plik podpisanych recept. No więc wtedy miała żyletkę, połknęła wszystkie tabletki z dłoni, popiła je butelką rumu, ubrała się w sukienkę, którą Joachim tak bardzo lubił, i weszła do wanny. Potem odkręcała powoli kurek z gorącą wodą. Strumień miał parzyć. Do granic bólu. Gdy ból staje się nie do zniesienia, człowiek zazwyczaj ratuje się ucieczką, jeśli może, lub omdleniem. Ona postanowiła uciec. Ale nie z wanny. Ona chciała uciec z tego świata.

Gdy skóra na nadgarstku stawała się jak rozpalona do czerwoności lawa, przyłożyła do niej ostrze żyletki. Wzdłuż linii żył. Broń Boże, w poprzek. Tak robią tylko niedoinformowani masochiści. Koniecznie wzdłuż. Wypłynie wtedy o wiele więcej krwi i do tego w znacznie krótszym czasie. Wystarczy od czterech do sześciu centymetrów, ale trzeba się skupić, aby naciąć dokładnie. Najlepiej jednym zdecydowanym pociągnięciem, z palcami dłoni ściśniętymi w pięść.

Ból nacinania zupełnie zniknął przykryty bólem oparzenia. Tylko miejsce nacięcia stało się nagle bardziej czerwone. Ogromne czerwone plamy, rozmazane, niekształtne i poszarpane na krawędziach. Jak płatki czerwonego goździka, który wystawał spośród wieńców na przysypanej do połowy trumnie. To było ostatnie, co pamięta „z wtedy". Obraz tego goździka, który nie chciał dać się przysypać żółtawoszarym piaskiem. Grabarze w garniturach łopatami sypali do dołu piasek opadający z głuchym łomotem na trumnę, a ten goździk ciągle nie chciał dać się pochować i przeciskał się swoją czerwienią do góry. Z cmentarza także uciekła. Najpierw jednakże zwymyślała księdza, przeklinała na głos Boga; potem zaczęła biec jak oszalała, potykając się o nagrobki.

Dzisiaj odnalazła tę żyletkę w metalowej, zamykanej na kluczyk puszce, którą trzyma w kartonie pod łóżkiem. O kartonie nikt nie wie. A nawet gdyby wiedział, to żyletki chyba i tak by nie zauważył. Ukrytej między kartkami jednego z listów od Joachima. Resztki jej krwi „z wtedy" stały się od tego czasu smugami brunatnego pyłu. Zdmuchnęła ten pył jednym wydechem. Tak mało trzeba, aby usunąć historię cierpienia. Wystarczy jeden podmuch powietrza z płuc. Ale to nieważne. Miała żyletkę. Rumu jednak nie miała. Tak się zdarzyło, że nie mogła mieć…

Wracała dzisiaj z sądu później niż zwykle. Przed południem odbierała pieniądze w banku, więc musiała tę godzinę odpracować. Minęła okrągły budynek więzienia i przeszła na drugą stronę ulicy. Za rogiem dotarła do okratowanej bramy prowadzącej do kościoła. Usłyszała dźwięk dzwonków. Zbliżała się Wielkanoc. W kościołach nawet wieczorami było sporo ludzi. Weszła i usiadła w jednym z pustych rzędów ławek. Zaczęła się spowiadać. Wszystko wróciło. Ostatni, zbyt radosny list Joachima, niedający zasnąć niepokój, a potem wiadomość o jego samobójstwie. Jak gdyby nie było tych czterech lat. Poczuła jakieś uniesienie. Chyba tak. Uniesienie. Jej wspomnienia, te organy, ten pełen patosu głos księdza mówiącego o zmartwychwstaniu i nieskończonej dobroci. Zamknęła oczy i wyspowiadała się. Przed Bogiem i przed sobą. Już dawno przestała spowiadać się normalnie, jak większość ludzi, przed księdzem. Wcale nie chodziło jej o rozgrzeszenie. Jako rozwódka i tak nie oczekiwała rozgrzeszenia. Ma mu ponadto wyznawać skruszona, że nie przychodzi do kościoła w każdą niedzielę, bo czasami musi się po prostu wyspać?! Albo opowiadać o tym, że na dolnej półce nocnego stolika przy łóżku ma oprócz książeczki do nabożeństwa także swoje pigułki, prezerwatywy i od ponad roku wibrator? Nie. Tego nie musi, a raczej nie powinien wiedzieć żaden mężczyzna. A jednak chciała to po prostu komuś powiedzieć. Nie tylko sobie. Dlatego zamiast w myślach opowiadać swoje grzechy, szeptała je Bogu. Szeptała o wszystkich głównych siedmiu, ale także o tych innych, mniej ważnych. Na końcu przez chwilę wsłuchiwała się uważnie w siebie i gdy poczuła w sobie przebaczenie, oczyszczenie i to mistyczne zjednoczenie, była gotowa do przyjęcia komunii.

Opłatka nigdy nie przyjmowała do ust. Przechylona do tyłu głowa, przymrużone oczy, wpółotwarte wargi, oczekiwanie wysuniętego języka. Nie! Tego nie zrobi przed żadnym mężczyzną, którego nie kocha, nawet jeśli to tak zwany kapłan. Dlatego od wielu już lat przyjmowała opłatek wyłącznie na dłonie. Tak poprawnie, po chrześcijańsku. Lewa ręka, ta rzekomo nieczysta i niegodna, podstawiona pod prawą, a wklęsła prawa dłoń w kształcie tronu. Następnie czekała, aż kulisty brzuch księdza przesunie się do następnej osoby w rzędzie, spoglądała przez chwilę na biel opłatka, wkładała go powoli, z namaszczeniem do ust i gryzła. Chwilę po przełknięciu nadchodziło znieczulenie. Nie tak może intensywne jak po xanaksie, ale uśmierzające ból. Potem wstawała z kolan i z zamkniętymi oczami powoli wracała do swojej ławki. Klękała i z dłońmi złożonymi jak do modlitwy rozmyślała o Joachimie. Dzisiaj także tak było. Potem brała torebkę i wychodziła z kościoła. Dzisiaj też miało tak być. Ale nie było.

Dzisiaj nie znalazła swojej torebki. Ktoś ją ukradł. Gdy ona przyjmowała ciało Chrystusa, jakiś katolik ukradł jej torebkę! Ze wszystkim. Z dokumentami, kartami kredytowymi, z ostatnią fotografią Joachima i z pieniędzmi. Wszystkimi. Także tymi z banku na nagrobek dla Joachima. Na klęczkach, panicznie szukała torebki na podłodze. Może tylko spadła?! Musiała spaść! Może tam leży?! Na pewno tam leży! Musi gdzieś tutaj być! Przecież nikt nie okrada ludzi w czasie mszy przed Wielkanocą! Po tej poruszającej lekcji o dobroci, odrodzeniu w czystości i zmartwychwstaniu?! To niemożliwe. Nie! To do diabła niemożliwe!

Torebka nie leżała na podłodze. Ani w tym rzędzie, ani w trzech rzędach ławek przed nią, ani w trzech rzędach za nią. Dlatego nie mogła kupić dzisiaj rumu. I dlatego przyszła do domu pieszo, bo nie miała pieniędzy na bilet autobusowy. I dlatego postanowiła dzisiaj uciec naprawdę. Ostatecznie. I dlatego wsunęła się pod łóżko i wydobyła metalową kasetę z kartonu. Potem ubrała się w tę samą sukienkę i weszła do tej samej wanny.

Dzisiaj nic nie było takie samo…

Nawet ból oparzenia był mniejszy. Gorąca woda padała na mniej wrażliwe, stwardniałe, pomarszczone blizny sprzed czterech lat. Jest praworęczna, więc nacinanie żył prawego nadgarstka lewą ręką nie wchodziło w rachubę. Musiała ciąć po starych bruzdach. Powoli zbliżyła ostrze żyletki do skóry, gdy usłyszała szmer otwieranych drzwi łazienki.– Mówiłam ci kurwa, że nie masz tu wchodzić, gdy się kąpię?! – wykrzyknęła przerażona.

– Mówiłam ci to tyle razy, prawda?! Przeszkadzasz mi! Chcę być tutaj sama! Tyle razy ci powtarzałam. To jest moje miejsce! Rozumiesz?! Tylko moje! Tutaj się masturbuję i tutaj chcę się w spokoju zabić! Miałeś tutaj nigdy nie wchodzić, gdy ja tutaj jestem! Zapomniałeś?! Utłukę cię następnym razem!

Spojrzała na niego z nienawiścią. Stał tam przerażony i patrzył na nią proszącym wzrokiem swoich okrągłych oczu. I w tym momencie zdała sobie sprawę, że jest absurdalnie, karykaturalnie śmieszna, zabijając się akurat dzisiaj. Bo co? Bo jakiś rzekomo katolicki Polak podpierdolił jej torebkę w kościele kilka minut po kazaniu o męce ukrzyżowanego Chrystusa?! Przecież obok na krzyżach umierali złodzieje. Poza tym, co biedny Chrystus ma z tym wspólnego? Gdyby poszła zamiast do kościoła do dyskoteki, też by ją okradli. To jej wina. Po prostu się na chwilę naiwnie zapomniała i nie uważała. Czy to DJ, czy ksiądz wypuszcza z siebie teksty o dobroci, dla katolickich czy niekatolickich skurwieli nie gra żadnej roli. Ważne, żeby pod wpływem tych słów zasłuchani ludzie stracili na chwilę czujność.

Zakręciła kurek z wodą, przyłożyła oparzony nadgarstek do ust, pośliniła, possała przez chwilę i wyszła z wanny. Zrzuciła na podłogę ociekającą wodą sukienkę i wkładając szlafrok, wysyczała do siebie z wściekłością: – Zabiję się innym razem.

Zaraz potem zaczęła się głośno i histerycznie śmiać, spoglądając na swoje odbicie w pękniętym lustrze. Po chwili wróciła do sypialni, rzuciła się na łóżko i długo płakała.

Rano wróciła do łazienki, rozwiesiła sukienkę na lince rozciągniętej nad pralką i podniosła żyletkę z dna wanny. Potem wczołgała się pod łóżko w sypialni, podniosła pokrywę metalowej kasety i wsunęła żyletkę pomiędzy kartki listów od Joachima. Do następnego razu... – pomyślała.

Przekręciła mały kluczyk w zamku kasety i wsunęła go w niewielką podłużną szparę w rozerwanym pokryciu materaca. Nagle, wciąż leżąc na podłodze pod łóżkiem, usłyszała dochodzące spomiędzy kartonów z książkami żałosne miauczenie kota. Po chwili poczuła dotyk jego sierści na biodrze.

– No tak. Całą długą noc nie jadłeś, biedaku – wyszeptała, sięgając dłonią do jego głowy. – To przecież okropna szykana nie jeść całą noc, prawda? Zaraz cię nakarmimy. A jak mi obiecasz, że nikomu nie powiesz, co się tutaj stało ostatniej nocy, to dostaniesz dwie puszki naraz. Te z rybami, takie jak lubisz. Obiecasz?

Kot podniósł głową jej dłoń, gdy tylko przestała go głaskać. Po chwili zaczął delikatnie lizać jej biodro chropowatym języczkiem.

– I nie gniewaj się, że tak na ciebie wczoraj nakrzyczałam w łazience.

Tamtego dnia była sobota…

Często później rozmyślała o tych wydarzeniach, rozpamiętując je minuta po minucie. Może jednak świat dawał jej jakieś tajemne znaki ostrzegawcze, a ona ich po prostu nie zauważyła lub co gorsza zignorowała, zaprzątnięta wszystkimi myślami, w pośpiechu rutyny sobotnich zakupów, sobotniego sprzątania, gotowania i prania, które musiała wepchnąć pomiędzy naukę i zajmowanie się Joachimem. Jej psychoterapeutka twierdziła, że zbliża się szybko do granicy niebezpiecznej histerii, szukając w taki sposób winy w sobie za to, co wydarzyło się tamtego dnia. Jeśli tak dalej pójdzie – mówiła – to odnajdzie pani swoją winę również w fakcie, że tamtego dnia spadł śnieg, a pani, z lenistwa, lekkomyślności, zaniedbania i jak to jeszcze zwał, w żaden sposób nie sprzeciwiła się tej okropnej klimatycznej niegodziwości. A może pani o to właśnie chodzi? Dać się rozrosnąć wymogom własnego sumienia, wziąć całą winę na siebie, wydać jedyny słuszny wyrok i zacząć nurzać się wreszcie bez opamiętania w pokucie i karze? Tego pani chce? Myśli pani, że śnieg to godny powód, aby podcinać sobie żyły? A może marchew jest godniejsza?

Tamtej soboty faktycznie spadł śnieg. Musiało chyba prószyć całą noc. Gałęzie sosen w osiedlowym lasku – tym tuż przy bloku – uginały się od grubych i ciężkich śniegowych pierzyn, a zrywające się z nich wróble jak odrzutowce rozpościerały za sobą tumany białego pyłu, którego kryształki iskrzyły się i migotały w promieniach słońca. Około południa nie dało się już dłużej wytrzymać marudzenia Joachima. Odłożyła pisanie referatu i zeszli na dół lepić bałwana. Słońce rozgrzało już zaspy na skraju lasku, z puszystego śnieg stał się klejący i śniegowe kule robiły się niemal same.

Joachim śmiał się i wykrzykiwał radośnie. Przewracali się i tarzali w śniegu. Był taki szczęśliwy. Zastanawiała się, dlaczego kazała się tak długo prosić. Dlaczego nie zeszła z nim wcześniej?! On tak mało się śmiał. Od kilku lat prawie nigdy. Czasami tylko się uśmiechał.

Postawili bałwana tuż przy krzaku jałowca i pod najbardziej rozłożystą sosną. Joachim chciał, aby koniecznie stał w cieniu i się nie topił. Znalazł na śmietniku stary podziurawiony i osmolony emaliowany garnek i umieścił go na głowie bałwana. Potem pobiegł pod drzwi prowadzące do zsypu i ze stojącej tam taczki zabrał dwa małe odłamki koksu, które wepchnął jako oczy bałwana. – Mamo, pójdę do domu po marchew, zaraz wrócę – powiedział w pewnej chwili i zaczął biec w kierunku bloku. – Synuś, nie mamy marchwi, daj spokój! – krzyknęła z nim.

Zatrzymał się. – Jak to?! Bałwan nie może być bez nosa. Jak lepiliśmy bałwany z tatą, to zawsze miały nos. Nasz też musi mieć nos. Bałwan bez nosa jest jak... no, jest jak pokraka. Tak mówił tatuś. Słyszysz?! Bałwan musi mieć nos. Musi!

Słyszała drżenie w jego głosie. Znała to. Bardzo dobrze to znała. Jeszcze chwila i będzie łkał – pomyślała. – Chimku, słuchaj. Po obiedzie pójdę do warzywniaka i kupię marchew. Największą, jaką będą mieli. Spokojnie. Wsadzimy mu potem taki nos, że mu oczy na wierzch wyjdą i kapelusz się mu na bakier przesunie. – Obiecujesz? – zapytał podejrzliwie, otrzepując nerwowo rękawiczki ze śniegu. – Obiecuję. No sam powiedz, Chim. Nawet bez nosa też jest fajny, prawda? – Nie. Wcale nie jest. Bez nosa nie jest – odparł nadąsany, odwracając głowę. Tatusiowi by się też na pewno nie podobał.

Tata, tatko, tatuś, tatulek...

Joachim, odkąd tylko nauczył się mówić, zdrabniał słowo „tata" na wszystkie możliwe sposoby. Niekiedy była zazdrosna o tę jego bezwarunkową miłość do ojca. Ją nazywał konsekwentnie tylko „mama". Jeden jedyny raz powiedział do niej „mamusiu". Wówczas, gdy tamtej nocy tuliła go do siebie, chcąc uciszyć jego konwulsyjny szloch.

Tamtego dnia

Świtało, gdy się obudziła. Sięgnęła ręką, szukając jego twarzy. Poduszka była ciągle ciepła. Przez szparę niedomkniętych drzwi sypialni docierała smuga światła z kuchni. Nie zdążyła wstać. Nachylił się nad nią i całując jej czoło, mówił: – Wrócę dzisiaj wcześniej. Obiecałem, że po południu zabiorę Chima na ryby. Za to jego dobre świadectwo. Przygotuj mu, proszę, jakieś kalosze. Wczoraj kupiłem mu wędkę. Leży na dywaniku przy łóżku w jego pokoju. Nie przestrasz się, gdy go będziesz budzić. – Jadłeś coś czy tylko paliłeś? – zapytała szeptem. – Zjem coś w instytucie. Nie wstawaj. I proszę, nie karm kota. Wyżebrał u mnie całą miskę. – Zabierz chociaż zupę, którą ci ugotowałam. Nic nie jesz ostatnio. Jest w miseczce, w lodówce na dolnej półce. Garnek z ziemniakami stoi na kuchence. Trojaki są w szafce, tej z odkurzaczem – powiedziała, podnosząc się z łóżka. – Nie wstawaj. Zjem wieczorem. Teraz muszę już biec. Kocham cię...

Joachim czekał na niego od obiadu. Za cztery dni kończył się rok szkolny, świadectwa były już wypisane, więc trudno było go jakimkolwiek rozsądnym argumentem zagonić do lekcji i zająć jego myśli. Cały czas kręcił się obok niej i pytał, jak duże są ryby w Wiśle, gdzie „znajdziemy z tatkiem tłuste dżdżownice na przynętę", czy trudno jest łowić ryby i czy „potem, będę musiał jeść te złowione ryby, bo ja się jedzeniem ryb brzydzę tak samo jak kożuchami w mleku albo jeszcze nawet bardziej". W pewnej chwili włożył kalosze, wyszedł na balkon i przez poręcz balkonu zaczął opuszczać żyłkę wędki, próbując zaczepić na haczyk pranie rozwieszone na balkonie sąsiadów. Po godzinie takiej zabawy zebrał trzy pary majtek sąsiadki z dołu. Dla świętego spokoju udawała, że tego nie zauważa.

Gdy zaczynało się ściemniać, zadzwoniła do instytutu. Telefon w jego biurze nie odpowiadał. To nie było do niego podobne! Spóźniał się regularnie do niej. Nawet na ich ślub się spóźnił. I to do kościoła. Ale do Chima nie spóźniał się przecież nigdy. Godzinę później – Joachim płakał zamknięty w swoim pokoju – zadzwoniła do portierni.

– Nie, szanowna pani. Klucza do gabinetu małżonka nie ma na tablicy. Może pan profesor zapomniał go oddać. On czasami jest tak zamyślony, że zapomina nawet otworzyć drzwi i uderza w nie głową – odpowiedział, śmiejąc się pan

Alojzy, który był portierem w instytucie już chyba wtedy, gdy jej mąż był studentem. – Jeśli łaskawa pani zechce zaczekać przy telefonie, to ja się natychmiast pofatyguję na górę i sprawdzę, czy szanowny małżonek ciągle przebywa w swoim biurze – dodał.

Usłyszała skrzypnięcie otwieranych drzwi, a zaraz potem stukanie laski o posadzkę w korytarzu. Po chwili zapadła cisza. Nie wie, jak długo stała ze słuchawką przy uchu. Powoli traciła cierpliwość. Gabinet jej męża był na pierwszym piętrze. Nawet osoba tak kulejąca jak pan Alojzy zdążyłaby już dziesięć razy wrócić do portierni. Poczuła dziwny niepokój. W pewnym momencie dotarł do niej dochodzący z oddali odgłos syreny auta policyjnego lub karetki pogotowia. Po chwili usłyszała pisk otwieranych i trzaskanie zamykanych drzwi, potem nerwowe męskie głosy oraz tupot butów biegnących ludzi. Nagle wszystko zagłuszył brzęk rozbijanego szkła i chwilę potem połączenie zostało przerwane.

U stóp schodów prowadzących do drzwi wejściowych instytutu stały dwie karetki pogotowia. Niebieskie światła lamp sygnalizacyjnych rozświetlały parking. Na wprost jego auta, nieomal dotykając zderzaka, stał policyjny gazik. Podczas parkowania w świetle reflektorów dojrzała na drzwiach jego łady dwa białe paski papieru z pieczątkami. Jeden naklejony w miejscu zamka, drugi wzdłuż szpary pomiędzy przednimi i tylnymi drzwiami.

Biegła jak oszalała. Przy drzwiach wejściowych zagrodził jej drogę młody, rosły policjant. – A kobieta to po co tutaj? – wyseplenił, nie wyjmując papierosa z ust.

Zatrzymała się. Spojrzała mu w oczy i wysyczała: – Proszę cię, opuść zaraz tę nogę. Proszę cię, chłopcze. Ja muszę tam teraz pójść. Proszę…

Policjant natychmiast wyjął papierosa z ust i stanął wyprostowany. – To jest na pierwszym piętrze, drugi pokój po lewej – powiedział. – Zaprowadzę panią.

– Nie trzeba. Dziękuję panu – odparła, powstrzymując płacz. – Sama trafię. – Drugi pokój po lewej. No tak, drugi pokój po lewej – powtórzyła.

Chyba dopiero wtedy ostatecznie się upewniła, że chodzi o jej męża.

Leżał na lewym boku. Z nienaturalnie skręconymi nogami i twarzą zwróconą do podłogi, dwa metry od drzwi. Tak jak gdyby próbował się do nich doczołgać resztkami sił. Lekarz w białym kitlu siedział na parapecie okna i pisał coś w notesie. Dwóch policjantów w rękawiczkach z lateksu zabezpieczało ślady rozprowadzając pędzlami czarny, gęsty pył na blacie biurka, na podłodze, na klamce u drzwi, na telefonie, na filiżance z niedopitą kawą, na krawędzi szklanki z wodą…

Nikt nie zwrócił na nią uwagi, gdy weszła do pokoju i uklękła przy jego głowie. Głaskała potargane włosy. Dotykała delikatnie czoła. Wczoraj w nocy nakleiła mu plaster na potylicy. Szorując zęby nachylony nad umywalką, zapomniał jak zwykle, że zostawił otwarte drzwi szafki z lustrem. Uderzył głową w narożnik. Z całej siły. W tanich szafkach z Ikei nie szlifują na okrągło narożników. Całował jej piersi, gdy tamowała mu krew i naklejała ten plaster, uspokajając ze śmiechem, że „szkło nie doszło niestety do mózgu". A potem w łóżku odkleiła mu przez zapomnienie swoje i nieuwagę swoich dłoni ten plaster, gdy miał głowę pomiędzy jej udami. To wszystko działo się przecież tak niedawno, przed chwilą. A rano powiedział: „Teraz muszę już biec. Kocham cię". Potem pod prysznicem zmywała jego zaschniętą krew ze swoich nóg, a w sypialni owinięta ręcznikiem śmiała się do czerwonych plam na prześcieradle. To było tak niedawno, przed chwilą. Palcem delikatnie dotknęła plastra. – Pani mąż umarł pomiędzy piętnastą i szesnastą. To moja wstępna ocena. Tylko na podstawie spadku temperatury ciała. Dokładniej będziemy mogli powiedzieć po sekcji.

Podniosła głowę. Nie płakała. Lekarz patrzył na nią znad opuszczonych na nos okularów. Mówił tak, jak gdyby dyktował coś pielęgniarce podczas porannego obchodu szpitala. – Zapaść serca połączona z rozległym zawałem. To moja wstępna ocena. Dzwoniłem godzinę temu do jego lekarza, tutaj w przychodni na uniwersytecie. Wszystko mi przeczytał z karty. Pani przecież wie, że miał długą historię wypadków z sercem. Tak długą jak jego życie. Pani mąż miał VSD. Najpierw zaniedbali to jego rodzice, a potem on sam. Pani musi wiedzieć, że miał co roku ostre zapalenie płuc. W tym roku przeszedł już dwa, a to dopiero czerwiec. I że palił przy tym. Jego skierowania...

Przestała słuchać. Usiadła na podłodze. Rękę położyła na jego głowie i cicho kwiliła.

On naprawdę miał dziurę w sercu...

W czasach gdy się urodził, tylko sporadycznie diagnozowano VSD u niemowląt. A na wsi praktycznie nigdy. Ponieważ rósł i rozwijał się prawidłowo, nikt nawet nie przypuszczał, że coś może być nie tak z jego sercem. Pierwsze ataki pojawiły się w szkole podstawowej, jednak jego rodzice zignorowali rady lekarzy, aby to zoperować. A on? On powoli przywykł do tego, że się szybciej męczy, miewa zapalenia płuc i dostaje większej niż inni zadyszki, gdy przejdzie kilka pięter. Uspokajał ją, gdy prosiła go, aby się tym zajął. Brał skierowania na operacje, ale nigdy nie miał czasu położyć się do szpitala. Ciągle były jakieś ważniejsze sprawy. A to konferencja, a to jakieś recenzje, a to habilitacja, a to promocja pierwszego doktoranta. Jej prośby, błagania, a nawet szantaże często obracał w żart. Pamięta, jak pewnej nocy powiedział rozbawiony: – Gdy tylko Chimek zacznie grać w piłkę, zaszyję sobie tę dziurę. Obiecuję. Nie będę miał wyjścia. Inaczej go nigdy nie dogonię.

Pogrzeb był w dniu, gdy Joachim miał odebrać świadectwo. Prosił ją, aby najpierw koniecznie pójść po świadectwo, a potem „pożegnać tatusia". W czasie apelu, gdy wymieniono jego nazwisko jako prymusa klasy, a potem odczytano list gratulacyjny za dobre wyniki w nauce, stał wyprostowany, z podniesioną głową. Spojrzał na nią i ruszył na środek sali. Doskonale wiedziała, co musi czuć w tej chwili. Z całych sił zaciskała zęby. Nie chciała płakać. Nie mogła teraz płakać! Po odebraniu świadectwa podszedł do niej, chwycił ją za rękę i pośpiesznie wyszli ze szkolnej świetlicy. Nigdy potem nie znalazła tego listu gratulacyjnego. I jego świadectwa także nie...

Tamtego dnia była sobota...

Około osiemnastej paliła łapczywie papierosa na korytarzu instytutu. Już dawno powinna być w domu. Pani Leokadia miała czas tylko „do wpół do szóstej, bo potem mam bardzo ważną wizytę i muszę się do niej przygotować". Tak jej powiedziała. Pani Leokadia oprócz kolędy raz na rok nie miała dotychczas żadnych innych „ważnych wizyt", więc trochę jej nie wierzyła. Dlatego pomyślała, że jednak zostanie do końca zajęć, a potem dorzuci pani Leokadii parę groszy na końcu miesiąca. Pani Leokadia wprawdzie nie kocha Joachima za pieniądze, ale mimo to warto ją do tej miłości motywować. Jeszcze tylko niecała godzinka. Wytrzyma brednie palanta od bankowości, pokaże mu, że jednak nie zniknęła, a potem weźmie taksówkę. To przecież prawie tak samo, jak gdyby wyszła teraz i pojechała na Rubinkowo autobusem. Spóźni się najwyżej godzinę. Pani Leokadia powinna to zrozumieć. Wie przecież, jak ważne są dla niej te studia.

Zdusiła papierosa w pełnej niedopałków popielniczce i pośpiesznie wracała na salę wykładową. Tuż przed drzwiami usłyszała donośny głos dochodzący z parteru. Zatrzymała się. Ktoś wykrzykiwał jej nazwisko! Zawróciła natychmiast do balustrady przy schodach i spojrzała w dół. W eliptycznym holu parteru stał obok grubej portierki rosły policjant. Kolejny raz usłyszała swoje nazwisko. Zbiegała schodami. Na stopniach pierwszego piętra siedziała grupka młodych ludzi. By ich wyminąć, zbliżyła się do ściany klatki schodowej i zahaczyła stopą o leżącą tam torbę. Upadła na siedzącego przy niej chłopaka. – Tylko spokojnie, pani laska! Ten gliniarz szuka pewnie kierowcy auta, które parkuje na pasach. Tylko spokojnie – powiedział ze śmiechem w głosie, pomagając się jej podnieść. – Czy musi pan wrzeszczeć na cały budynek? – wykrzyknęła, gdy już dotarła do policjanta. – Ludzie pomyślą, że jestem jakąś kryminalistką. Ja nie parkuję żadnego samochodu. Mój samochód jest od miesiąca w warsztacie.

Policjant zignorował jej zachowanie.– Czy pani jest opiekunką Joachima Wojciecha… – Nie opiekunką, tylko rodzoną matką. Bo co? – przerwała mu. – Czy mogłaby pani pojechać ze mną na posterunek? – zapytał spokojnie. – Co jest z Chimem?! Co jest z nim?! – wykrzyknęła, chwytając go za mundur. – Proszę się uspokoić – powiedział policjant i zaczął iść w kierunku drzwi.

Szła obok niego. W samochodzie usiadła na tylnym siedzeniu obok młodej policjantki.

Nie pojechali od razu na posterunek. Całą drogę pytała, co stało się z Joachimem. Nikt nie chciał jej nic powiedzieć. Zatrzymali się na podjeździe prowadzącym do głównego wejścia szpitala na Bielanach. Policjantka przeprowadziła ją przez wypełnioną ludźmi poczekalnię. Po chwili weszli do rozświetlonego jarzeniówkami pomieszczenia na pierwszym piętrze. Siedzące tam osoby przedstawiły się jej po kolei. Prokurator, policyjna psycholog, lekarz, dzielnicowy z komisariatu na Rubinkowie. – Czy ja nie mam prawa wiedzieć jako matka, co się stało się lub dzieje się z moim synem? – wycedziła, stanąwszy przy krześle, na którym siedział młody prokurator. – Sądziłam, że takie czasy w tym kraju dawno się skończyły. – Proszę, niech pani usiądzie – odparł prokurator i wskazał wolne krzesło obok siebie. Zapalił papierosa, podsunął jej szklankę z wodą, włączył dyktafon i zaczął mówić.

Pani Leokadia zostawiła Joachima samego w domu około siedemnastej trzydzieści. Gdy wychodziła, czytał książkę w swoim pokoju. Krótko po tym Joachim zszedł do sąsiadów na drugim piętrze i poprosił o marchew. Wywołało to pewne zdziwienie, ale nikt nie pytał, po co mu marchew. Do sąsiadów zszedł ubrany w szary dres. Na nogach miał domowe kapcie. Musiał więc wrócić do mieszkania, włożyć buty i kurtkę. Sąsiadka z parteru widziała go wychodzącego z bloku przed osiemnastą. – Około osiemnastej trzydzieści – kontynuował prokurator, zapalając nerwowo kolejnego papierosa – sprzedawczyni ze sklepiku nocnego znalazła go leżącego na śniegu za sosną. Był obnażony od pasa w dół. Jego rozerwane spodnie i majtki znaleźliśmy nieopodal przy zamarzniętym stawie. Pani syn został zgwałcony. Najpierw uderzano jego głową o zamarzniętą ziemię, a gdy stracił przytomność, zgwałcono. Odzyskał przytomność dopiero tutaj, w szpitalu. Obecnie jest na sali operacyjnej. Rany rozerwanego odbytu są tak poważne, że muszą być zszyte przez chirurga. Na jego pośladkach zabezpieczyliśmy ślady krwi zmieszanej z kałem. Jest bardzo prawdopodobne, że w laboratorium znajdą także spermę, co pozwoli nam zrobić testy genetyczne. To będzie niezwykle istotne dla śledztwa. Syna będzie pani mogła zobaczyć zaraz po wybudzeniu z narkozy. Nasza psycholog – dodał, wskazując na kobietę siedzącą obok niego – jest do pani dyspozycji.

Poczuła silny skurcz w podbrzuszu. Kurczowo zwarła nogi. Zamknęła oczy i zacisnęła z całych sił pięści. Ciepło strużek krwi rozchodziło się wzdłuż jej ud. – Czy chce się pani napić wody? – zapytała psycholog.

Nie słyszała, co do niej mówią. To znaczy słyszała szmer, ale nie rozpoznawała słów. Siedziała tak z zaciśniętymi udami i trzęsła się jak w gorączce. Starała się głęboko i równomiernie oddychać. I myśleć tylko o oddychaniu. Psycholog wstała z krzesła i chwyciła ją za rękę. – Czy pani chce wyjść na świeże powietrze? – zapytała spokojnie. – Nie. Nie chcę. Czy mogliby państwo wyjść z pokoju i zostawić mnie na chwilę samą? – poprosiła. – Niestety nie – odparł prokurator. – Takie mamy procedury. Nie może pani pozostać tutaj sama.

Zignorowała go i zwróciła się do psycholog: – Czy może pani ich poprosić, żeby wyszli, tak abyśmy tylko my dwie tutaj zostały? Na kilka minut. Błagam panią! – wykrzyknęła.

Psycholog podeszła do prokuratora i szeptała mu coś do ucha. Po krótkiej chwili mężczyźni opuścili pokój. Gdy zostały same, pani psycholog przysunęła krzesło i usiadłszy na przeciwko niej, powiedziała: – To okropne, co się wydarzyło. To straszne. Sama nie mam dzieci, ale nie potrzeba wyobraźni, aby wiedzieć, co pani teraz czuje. To zabrzmi nie najlepiej, ale pani synek miał dużo szczęścia. W większości przypadków tego typu pedofile mordują swoje ofiary. Odnajdziemy tego... – Dostałam okres – przerwała jej.

Psycholog patrzyła na nią, nie rozumiejąc. – Całe krzesło pode mną jest pewnie we krwi. To nienormalne. Ja mam bardzo regularny cykl menstruacji. Okropnie się wstydzę. Pomoże mi pani? – szeptała. – Oczywiście, że tak. Oczywiście! – odparła psycholog. – Nie mogę zostawić pani samej. Takie mamy procedury. Poproszę kolegów, żeby sprowadzili tutaj natychmiast pielęgniarkę – mówiła, podchodząc do drzwi.

Do rana siedziała przy łóżku Joachima i trzymała go za rękę

Niekiedy krzyczał i płakał przez sen. Gładziła wtedy jego włosy i modliła się na głos.

Około czwartej nad ranem przysnęła na krześle. Obudził ją jego głos. – Mamo, czy masz jakiś sok albo chociaż lemoniadę? – zapytał, szarpiąc ją za rękaw. – Mam herbatkę, synuś. Soku napijesz się w domku – odparła.

Próbował powoli usiąść, aby chwycić szklankę. Widziała grymas bólu na jego twarzy. Powoli podawała mu łyżeczką herbatę do ust. – Ja przecież nic złego temu panu nie zrobiłem – powiedział w pewnej chwili, patrząc jej w oczy. – Nie zrobiłeś synku. Kiedyś zapytam go, dlaczego ci to zrobił – powiedziała zapatrzona w okno.

Kiedy pielęgniarka przyniosła śniadanie, postanowiła wrócić na godzinę do domu. Potrzebowała prysznica. Chciała się przebrać. Pragnęła być przez jakiś czas sama ze swoim bólem i rozpaczą. Z przystanku autobusowego do ich domu trzeba przejść przez osiedlowy lasek. Zatrzymała się przy sośnie. Stożkowata marchew wystawała ze śniegowej kuli głowy bałwana. Przeszła powoli za drzewo. Czuła drżenie całego ciała. Na zmarzniętym, twardym śniegu dojrzała wianuszki różowo-czerwonych kryształów lodu. Zaczęła uciekać.

Joachim nie radził sobie ze swoim wstydem…

O tym, co zrobił mu „ten pan", wiedzieli wszyscy w szkole. I wszyscy na osiedlu. Wstydził się w szkole. Wstydził się na klatce schodowej i wstydził się w gabinetach psychologów. Czasami miała wrażenie, że nie wstydzi się jedynie, gdy jest zamknięty w swoim pokoju.

Tak naprawdę po śmierci męża nic oprócz wspomnień i jednego grobu na cmentarzu nie łączyło jej z tym miastem. Gdy tylko zdała ostatni egzamin na uniwersytecie, wrócili z Joachimem do Kielc. Stamtąd kilkanaście lat temu wyjechali. Tam ciągle mieszkała jej siostra z rodziną. I tam były groby jej rodziców.

Joachim w Kielcach przestał się wstydzić, ale zaczął się bać. Bał się ciemności. Bał się zimy, gdy padał śnieg. Bał się sam zasypiać w pokoju. Bał się ludzi na zatłoczonej ulicy. Bał się lasu z wysokimi drzewami.

Namawiana przez lekarzy i „znających się na rzeczy" znajomych przegoniła go przez kilkanaście gabinetów psychiatrów i psychologów. W drugiej klasie liceum zaczął przyjmować psychotropy. W trzeciej, odkryła to przez przypadek, zaczął brać. Wracał ze szkoły, zamykał się w swoim pokoju i spał do rana lub całe noce słuchał jakiejś konwulsyjnej i mrocznej muzyki. Potem wyszło na jaw, że potrafił tygodniami wcale nie chodzić do szkoły. Na początku klasy maturalnej był już uzależniony. Woziła go po całej Polsce na odwyk. Najpierw pożyczała pieniądze od siostry, a potem ze wstydu brała kredyty, aby zapłacić za jego pobyty na odtruciach i leczeniu.

Pisał z tych klinik przepiękne listy. Obiecywał. Przyrzekał. Przysięgał na pamięć „tatusia". Cieszył się każdym tygodniem, gdy wytrwał i był *clean*. Później wracał do domu, zapisywał się do kolejnej szkoły i po dwóch tygodniach wszystko się powtarzało. Znowu zaczął się wstydzić. Tym razem swojej słabości. Tego, że nie potrafił dotrzymać danego jej słowa.

W noc sylwestrową, ponad cztery lata temu, przedawkował. Palacz znalazł go rano w Nowy Rok w kotłowni starej fabryki. Obok leżały kilka pustych butelek po szampanie i zakrwawiona strzykawka.

Nie miała już w sobie więcej miejsca na rozpacz. Nie widziała żadnego sensu w życiu, które jest jedynie czekaniem na kolejne cierpienie. Przed południem pochowała Joachima, a wieczorem, po pogrzebie, ubrała się w sukienkę, odurzyła rumem, połknęła garść kolorowych tabletek, weszła do wanny i przyłożyła żyletkę do oparzonej skóry na przegubie.

Jej siostra mieszkała trzy klatki dalej. Dlatego pewnie ciągle żyje. Gdy nie odbierała telefonu, siostra przybiegła z sąsiadem, który bez chwili zastanowienia wyłamał drzwi.

Dwa lata później

Nie postawiła nagrobka na cmentarzu. Pomyślała, że Joachim wcale by tego nie chciał. Gdy chodzili na grób jego ojca, za każdym razem wciskał w ziemię między kwiatami lub zniczami wystrugane z drewna krzyżyki.

Oprócz kota nikt jej w tym czasie nie umarł.

Dalej pracowała w sądzie, a wieczorami jako wolontariuszka w hospicjum. Słuchała muzyki. Zapisała się na kurs tańca. Dużo czytała.

Dwa miesiące temu dostała oficjalny list od prokuratora. Dane DNA zatrzymanego sprawcy kolejnego gwałtu na chłopcu zgadzały się z danymi „ze spermy na ciele Pani syna". Trzy tygodnie później została oficjalnym pismem zaproszona jako oskarżyciel posiłkowy.

Pojechała. Rano poszła do lasku przy bloku i usiadła na mchu pod sosną. W południe, w gmachu sądu, siedząc obok płaczącej kobiety, patrzyła na trzęsącego się ze strachu podstarzałego mężczyznę, stojącego pomiędzy dwójką policjantów. – Ja przecież nic złego panu nie zrobiłam – powiedziała cicho, gdy sędzia udzieliła jej głosu.

Mężczyzna nawet na nią nie spojrzał.

Wieczorem, prosto z cmentarza, pojechała autobusem przez most na drugą stronę Wisły. Przeszła lasem do stromej skarpy. Zeszła na brzeg. Z walizki wyciągnęła sukienkę. Tę, którą tak bardzo lubił Joachim. Powoli wchodziła do wody…

Paweł Paliński

Strzępy

1.

Krew. Widywał, nie raz.

Krew zazwyczaj towarzyszy cierpieniu, a on składał cierpienie do kupy. Różne cierpienie. Takie z rozbitego samochodu, te, co spadło z huśtawki. Od zazdrosnego męża, pyskówki nie w porę, niespłaconego długu, jednego kieliszka za wiele. Przychodziło z miasta. W dzień i w nocy. Przychodziło pod samiuteńkie drzwi. Siadało i wypatrywało. Skulone. Małe, duże. Stare, młode. I zawsze, gdy uratował jedno, dwa następne już czekały w kolejce.

Do kupy składał. Od zaraz. Jeszcze na studiach tak postanowił. Że nie pójdzie do klinik, sal wykładowych. Wolał w miasto, łapać życie za gardło. Tam zawsze brakowało rąk do pracy. W klinikach panował beton i hierarchia. Latami odrabiało się frycowe, zanim człowieka dopuścili do konkretnej roboty. W rejonie leciwi asystenci, siwi i syci, dawno poszli na własne i nie interesowało ich nic ponad brutto i netto oraz żeby się za bardzo nie napocić. Fucha czekała na każdego. Od ręki. Zwłaszcza w pogotowiu. Wystarczyło chcieć. Niekoniecznie umieć. Państwowa służba zdrowia rządzi się swoimi prawami. Szczyci się dużą tolerancją błędu. Cierpienie okazuje wdzięczność za bodaj namiastkę ulgi.

2.

Ojciec. Ojciec powtarzał, by szukał zawodu, z którego utrzyma rodziców na starość. Bo od tego są dzieci. Żeby dbać o rodziców. Słuchać ich. Czerpać z doświadczenia. Wniosków raczej nie wyciągać.

Dobry zawód. Za Wielką Wodą tak mówiono o prawie, ale to była Polska, lata dziewięćdziesiąte, wtedy uczciwość i rzetelność nie dawały za chuja perspektyw. Na studiach lądowali tchórze. Prawdziwi faceci otwierali biznesy. W skórzanych marynarkach, z bransoletami, pobrzękując tureckim złotem, patrzyli na świat z wyżyn wolnego rynku. On nie lubił ani skóry, ani szpanu. Preferował pokornie, spokojnie. Upatrzył kierunki. Anglistykę, bo zawsze miał smykałkę do języków, oraz medycynę, bo uwierzył w to, co powtarzali na mieście: że w służbie zdrowia gorzej już było i teraz na pewno będzie lepiej. Na coś przecież postawić musiał.

Morawica, luty

Mamo. Czemu mnie tu zamknęłaś? Mamo, tu jest strasznie. Biją mnie, wiesz? Codziennie... Nie, kłamię. Nie biją. Ale chciałbym, żeby bili. Bo wtedy przyjechałabyś w odwiedziny, pokazałbym ci siniaki i blizny i musiałabyś mnie stąd zabrać. Musiałabyś. Twoja miłość by cię zmusiła. Matczyna. Ja to wiem. Nie pozwoliłabyś, aby stało mi się coś złego, prawda? Wiem, że nie. Każda matka kocha swoje dziecko. Bez względu na to, co ono robi.

Ale ja tu długo nie wytrzymam. Nikt mnie tu nie rozumie. Każą mi zajrzeć w głąb, siebie zrozumieć, ale jak ja mam siebie zrozumieć, jak ich, kurwa, nie rozumiem. Kurwa mać, mamo! Co ty mi zrobiłaś?! To jebane Auschwitz!

3.

Medycyna. Podobno sztuka. Tego właśnie dowiedział się w pierwszej kolejności. Że sztuka, owszem, lecz wyzbycia się strachu. Nie można się bać ciała, które nam się zawierza. Nie można bać się odrobiny okrucieństwa. Nie można bać się podejmować szybkich decyzji i konsekwencji też bać się nie można. Nie można bać się spojrzeć w oczy i powiedzieć: „To koniec". Nie można bać się stwierdzenia: „To początek". Nie można bać się strachu, gniewu, żalu, rozpaczy, krzyku. Nienawiści, ciosu, wydzielin, zapachów, pijackiej pogardy, trzeźwej nonszalancji. Niewykształconego lekceważenia, małomiasteczkowych przesądów, wielkomiejskiej buty.

Z początku strach towarzyszył mu bez przerwy. Nocne ambulatorium przypominało jedną wielką erratę do Hipokratesowego księgozbioru wkuwanego przez sześć lat na pamięć. Na dyżurach nie było czasu na nanoszenie poprawek. Działo się. Akcja czekała na reakcję. Życie tętniło pod palcami. Co dwie godziny przerwa na papierosa.

Paląc, przypomniał sobie, jak tuż po egzaminach siedzieli z ojcem na ławce w parku. Zapadało się w siebie gorące popołudnie, w centrum, w etylinowy spiek, najntisowy lipiec. Choć to mogłaby być zupełnie inna pora roku; w warszawskim smogu wszystko wydawało się umowne – światło dnia, rozszczepione.

Ojciec mrużył oczy pod słońce, w kieszeń wcisnął wczorajszą „Wyborczą".

– Mówię ci, zostaw te poetyckie trele-morele – powiedział.

– Tato.

– Ty się w ogóle jeszcze zastanawiasz?

– Na złożenie papierów dali dwa tygodnie.

– Dobrze ci poszło na obu egzaminach, zdarza się. Byś na trzy poszedł, pewnie na trzy byś się dostał. Głupi nie jesteś.

Siedzieli w Saskim. Posągi muz rzucały krzywe cienie. Po alejkach dreptali spoceni ludzie – zastygła w gorącym kamieniu mitologia gówno ich obchodziła. Cień Pałacu Kultury przypominał wskazówkę na zegarze miasta. Ale żeby to zobaczyć, trzeba by wznieść się ponad Forum, dostrzec, jakie to z góry małe i śmieszne. Tyle że nikomu się nie chciało. Woleli przy ziemi. Czasami tylko spozierali ku kwadratowej wieży i jedni już jej nie zauważali, jak nie zauważa się czegoś oczywistego, natomiast drudzy marzyli, by ktoś puścił z dymem tę sowiecką spierdolinę. I to się nazywało pluralizm. I ludzie czuli, że mają wolność, jakiej zawsze chcieli, zajmując się w ten sposób istnieniem zamiast czczą abstrakcją.

Tylko w Zachęcie, jak gdyby nigdy nic, przygotowywano wystawę. Dziewczyny w kloszowatych spódnicach i chłopcy w swetrach biegali po schodach, wnosili ciężkie paki. Ojciec wskazał w tamtym kierunku.

– Nie chcesz na medycynę? To popatrz. Artyści. Widzisz? Popatrz, ile taki artysta musi się w swoim życiu pod górę napierdalać.

4.

Prosektorium. Przy Chałubińskiego. Zakład sąsiadował z jednostką wojskową. Okna były do połowy matowe i szczelnie zamknięte, lecz czasem asystenci pozwalali je odrobinę uchylić. Żołnierze pełniący wartę po drugiej stronie ulicy zaczepiali wtedy co ładniejsze studentki. Takie chłopackie zaloty młodych, łysych i nie za bardzo wiedzących, co ich czeka od dziewczyn z wyższej półki. Żeby się wychyliły, żeby odmachały. Może na kebaba. Albo wspólną kawę. I kiedyś jedna z nich wzięła ze stołu wypreparowane ramię i rzeczywiście odmachała dla żartu. Jeden szeregowy zemdlał, drugi uciekł.

Opowiadał to zdarzenie jako anegdotę. W pogotowiu każdy miał takie historie, każdy je kolekcjonował. O chorej psychicznie dziewczynie przetrzymywanej w pniu drzewa, o oderwanej głowie zgubionej podczas obstawiania wypadku komunikacyjnego, głowie, której nie szło znaleźć, bo noc i deszcz. Ci, co nie mieli o czym opowiadać, mało widzieli. Dlatego opowiadał. Żeby nabrać animuszu. Aż w końcu przestał. Tych historii nagle zebrało się tyle, że przeszło mu przez myśl, że chciałby je po kolei zapomnieć.

Wtedy dostrzegł Ją. Niewysoką brunetkę z wydatnymi kośćmi policzkowymi.

Odpowiedziała uśmiechem na uśmiech.

Czarny Bór, maj

Brałem. Brałem do żyły, brałem do nosa, w desperacji do dupy nawet brałem, łykałem, co się dało. Każdym otworem. Byle dotarło, gdzie miało dotrzeć. Do środka. Zalało to gorące i lepkie, z którym nie potrafiłem sobie poradzić. To, co tamten we mnie bez pytania włożył, żeby już na zawsze drążyło. Jak kropla ołowiu. Czy ty wiesz, jak to jest? Codziennie zasypiać i budzić się z taką przeszłością?

Kiedy byłem mały, na dzień przed piątymi urodzinami miałem piękny sen. Śniło mi się, że dostałem sterowany samochód. Wtedy nie było nigdzie takich samochodów, a te w Peweksach kosztowały tyle co pensja. Dobrze pamiętam, jak wyglądał. Był biały, z antenką. Myślałem, że oszaleję z radości. Że w moim życiu właśnie wydarzył się cud. Aż nagle poczułem, że zaczyna się jawa. Wiesz, co to za uczucie? To nagłe olśnienie pomieszane ze smutkiem? W desperacji zacząłem przyciskać auto do piersi, żeby tylko nie zniknęło. Błagałem, żeby mi go nie odebrano. I leżałem tak w pościeli, bardzo długo, kompletnie rozbudzony. Leżałem nieruchomo, na wznak, obejmując pustkę i bojąc się otworzyć oczu, ponieważ dopóki ich nie otworzę, miałbym to, czego nie było.

Rozumiesz, mamo?

Budzę się tak teraz codziennie.

5.

Mieszkanie. Niewielkie, nieopodal szpitala.

Wynajęte dwa pokoje z kuchnią. W salonie telewizor i wieża RTV. Obok – córka. W kuchni ciemna boazeria. Niewielki stolik na fikuśnej nodze z singera. Piekarnik Predomu, w którym trzeszczały drzwiczki.

Popielniczka. Palnik. Papierosy.

Przyszedł z butelką wina. Było cierpkie, o smaku skóry. Pod światło wydawało się ciemniejsze niż w rzeczywistości. Nie mogli się temu nadziwić. Wbili korek w szyjkę. Upili po pół kieliszka. Rozebrali się odświętnie do naga.

Nad ranem przeczytała mu horoskop. Dla żartu. Że będzie cudownie, ale po wszystkim tsunami, czy jakoś tak, w każdym razie katastrofa. Oboje miewali do czynienia z katastrofami. Nie wierzył w zapisane w gwiazdach. Był pragmatykiem. Ona też nie wierzyła. Ale inaczej. Na wszelki wypadek. Tak jak się właśnie powinno nie wierzyć. Z trwogą.

Więc zbliżyły ich katastrofy, a dzielił dystans do świata. Bo wtedy widział już w życiu wiele krwi i czy to była krew

Wodnika, Panny, czy Barana, wyglądała tak samo. Czerwono. Lepko. Nie na miejscu.

Jak on. W tamtym mieszkaniu.

Nagle swój-obcy.

Obcy? W to też za bardzo nie wierzył.

Niezbyt mocno.

6.

List. Natrafił na niego przypadkiem. W gazecie. Zostawił buty u szewca i przy odbiorze znalazł upchaną w cholewie. A może kupował mięso? Schab w nią ktoś zawinął? Nieważne. Jedno co pamiętał na pewno, to że spojrzał jakoś tak z ukosa i coś przykuło jego uwagę. Fotografia. Chłopak na progu dojrzałości. Koszula biała, lekki wąs. Pomyślał, że może kącik „pytań do", ale sprawa musiała być poważniejsza, bo oczy przesłonięte zostały czarnym prostokątem. Z ciekawości rozprostował wymiętoloną stronę i podniósł ją do światła. I gdy tak patrzył na litery nieukładające się w słowa, na dawno przebrzmiałe wiadomości, na offsetowe ziarno, gdy doszukiwał się w młodej twarzy tajemnicy, przez którą odebrano jej tożsamość, doszedł do wniosku, że nie ma żadnej. Zasłonięto to, co nie nadawało się do druku. Przerażający smutek.

Usiadł, jak stał, i przeczytał.

Rozwadów, wrzesień

Kochana Mamo!

Dziękuję Ci za wytrwałość. Dziękuję, że się nie poddajesz i wciąż starasz się mi pomóc. Obiecuję, że tym razem Cię nie zawiodę. Zebrałem w sobie dość siły. Wiem, mówiłem to już nie raz i możesz mi nie wierzyć. Tylko że tym razem będzie inaczej! Nie poddam się tak łatwo! Który, to już raz? Trzeci?

Myślę, że po prostu do tej pory nie spotkałem na swojej drodze właściwych osób, wiesz? Zawsze ktoś mnie dołował, i to ktoś, kto miał mi pomóc. A tutaj są wszyscy tacy sympatyczni i tak dobrze nastawieni! To będą najlepiej wydane pieniądze. Najlepiej. Do tej pory. Poukładam się na nowo. Zobaczysz. Na nowo. Obiecuję. Obiecuję Ci.

7.

Noc. Przychodził po zmroku. Z mieszkania pachniało ostro, kadzidłem i kotem. Lubił to. Kot miał przetrącony ogon oraz wredny charakter. Często przyglądał im się z wyżyn szafy, gdy leżeli z papierosami w ustach. Nocami uciekał przez lufcik. Obsikiwał bieliznę. W ramach kary zamykali go w pokoju jej córki. Córki nie było, gdy był on. Taka umowa. Zostawała na noc u ojca. Ona nie utrzymywała bliższych kontaktów z partnerem. To znaczy widywali się. Ze względu na dobro dziecka. Skomplikowane.

Spotykali się od kilku miesięcy. Odkąd któreś z nich dwojga, nie pamiętał, czy on, czy ona, rzuciło na szpitalnym korytarzu: „kawa", odkąd ją wypili, odkąd wiadome się stało, że na kawie po prostu się nie skończy. Wzięli łóżko na raty. Poprzednie, sterane, zapadło się podczas jednego ze spotkań. Zobowiązali się płacić na zmianę. Do podziału: parzyste, nieparzyste. Rok rat. Nic z tego nie wyszło, bo zapominał o datach i kolejności. No, ale było to jakieś zobowiązanie. Lubił to uczucie. Posiadania i nieposiadania jednocześnie. Kolejnego kredytu, który zaciągnął na nie wiadomo co. Swoją drogą wziął na mieszkanie, także leasing na firmę; mógł i na łóżko. Przypominała mu o tym, od czasu do czasu. O terminach. Zakłopotanie pokrywał śmiechem. Przy niej zapomniał o wielu rzeczach. Tego właśnie potrzebował. Czasem, wracając nad ranem do własnego domu, natrafiał na pustkę w głowie; rozsiadał się w niej i długo zastanawiał, co też mu umknęło. To sięgało dalej, niż się spodziewał.

Najważniejsze zobowiązanie, obrączkę, przed przekroczeniem progu chował do kieszonki jeansów. Uwierała, dopóki nie zrzucił spodni.

Był pragmatykiem. Bywał zimnym skurwysynem.

Był dobry w tym, kim był.

Potrafił bywać kilkoma sobą jednocześnie.

Przebywał tu i tam.

8.

Dyżur. Jeden z pierwszych w karierze. Drugi lub trzeci z rzędu, zmęczenie wyostrzyło przestrzeń oraz czas. Pędzili na syrenach. Szybko, poprzez mgłę. Ciemność, szeroka i bez końca, z rzadka tylko przypominała drzewo albo somnambuliczny cień. Po domach mary, w oknach blade łuny. Dyspozytor ponaglał, ale nie potrzebowali ponaglenia, cięli na czerwonym, cięli przez środek skrzyżowań. Parę kilometrów w kilkadziesiąt sekund. Boczne ulice, zakamarki. Policyjny kogut wskazywał im drogę.

Tam nieopodal stał trzepak. Najzwyklejszy, z rur. Dwa pękate kosze na śmiecie w kształcie igloo; jeden zielony, drugi niebieski. Na szkło kolorowe, na makulaturę. Do makulatury raczej nikt nie zaglądał, papier szybko traci wartość. Zielony, co brzęczał przed świtem.

Obok – leżało.

Nie patrzył w tamtym kierunku. Wysiadł i zapalił miętowego. Nie patrzył, bo tego tak naprawdę nie było. Czekał, aż wzrok się przyzwyczai. Aż toto wytrze się, zblednie. Nie bladło. Nie bał się. Chyba. Może zerkał odrobinę, kątem oka, na wszelki wypadek, żeby za plecami nie stanęło, nie złapało za gardło. Bo było i nie było, i stąd, i jakby nie stąd. Oślepiające, o wiele za ciemne. Ogromne, to znów mikroskopijne. Momentami nikło. Nigdy do końca. Niczym nagrobna płyta, ziarno piachu pod powieką.

Ci inni patrzyli. Spozierali na małe nieruchome. Ciepło uciekało. Ale ciepło i tak miało pójść na straty. Wysypało się z tego małego na śnieg. Chciałoby się podejść, zebrać, wepchać do środka. Jak kolorowe puzzle, pakuły z przedwojennej lalki. Wziąć na ręce, pobujać, żeby się poukładało. Skorupy zebrać. Nie da rady. Zepsuło się na amen. Amen.

Podszedł.

Żywe, a jakby rozprute.

9.

Dziecko. No właśnie. Planowali z żoną, lecz nigdy nie było na to czasu. Bo studia, bo to, bo tamto, bo siamto. Niektórzy znajomi załatwiali temat na dziekance; oni pragnęli na swoim. Więc czekali. I wciąż się opóźniało. Bo to, bo siamto. Bo „swoje" okazało się szerokim pojęciem. Się okazało, że jakby nie patrzeć, może nie mieć końca. Posiada liczne przybudówki. Najpierw lokum, później samochód. Okej. Ale zawsze coś można dołożyć do wspólnego dobra, by było jeszcze lepsze. Tak się zastali na chwilę przed czterdziestką, nie do końca dogadani, jak by to teraz miało właściwie wyglądać. Oboje bardzo chcieli. Nie do końca wiadomo co. Więc on uciekł w pracę, ona w marzenia o macierzyństwie, i to był doskonały materiał na kiepską historię. Która się zdarzyła. Co można nazwać kpiną losu, z drugiej jednak strony los wydaje się siłą niezależną od wszelkich oszacowań, trudno więc przypisać mu intencje.

10.

– A stary „Super Express”?

– Co stary „Super Express”?

– Szukam.

– Panie, tutaj?

– Gdzie się da. To jak? Znalazłbym gdzieś?

– Przecież ja to, kurwa, na tony biorę. Skąd mam wiedzieć.

– Rozejrzę się.

– A gówno. Jeszcze cię, człowieku, przygniecie i będę miał w skupie kłopot.

– Ale ja muszę.

– Nic nie muszę. Cena za kilogram jest cena za kilogram. Kupisz pan i rób sobie pan z tym, co chcesz. Inaczej ani karteczki, nie pozwalam.

Stanomino, lipiec

Mamo,

Pamiętam, jak nie przyszedł. Z tym nie potrafię sobie poradzić. Że jego nie pamiętam, ale pamiętam, że nie przyszedł. Choć obiecał. Tej obietnicy nie umiem wybaczyć. Bo nie odwołana jest, nieodwołalna. Zza grobu przecież nie przyjdzie, nie przeprosi. Nie dość, że był i bez ostrzeżenia go zabrakło, to jeszcze obietnicę musiał zostawić. Klątwę. Takie niebycie zawieszone, co nad całym moim życiem się uniosło jak dym.

Pogrzebu też nie pamiętam. Zupełnie. Pytali się mnie o jakieś szczegóły. Nie potrafiłem ich podać. Jakieś postaci. Zapach mokrego piachu. Poza tym – nic. Jak to możliwe? Przecież nie da się, ot tak, ludzkiej pamięci wyzerować.

Pamiętasz, jak poprosiłem cię, żebyś przysłała mi jakieś wspólne zdjęcia? I okazało się, że takich zdjęć mamy niewiele, bo przecież zawsze ktoś stał za aparatem? No to właśnie. Takich rzeczy się nie dostrzega. Zupełnie jak z tymi słowami, co mają poprzestawiane litery, ale szybko się je czyta bez zastanowienia. Umysł zawsze wypełni lukę, albo na wszelki wypadek uporządkuje. Strach przychodzi, gdy trzeba zwolnić.

11.

Doba. Dwadzieścia cztery godziny. Nie dla każdego równe. Na przykład przy dziesięciu dyżurach na miesiąc, odliczając wolne i czas na odpoczynek, rachunek jest jednoznaczny: większość życia spędzi się w pokoju lekarskim. Na przykład zakrawa to na istnienie wręcz równoległe. Od ilu lat? Dziesięciu? Piętnastu? Posiwiał. Zaczęli do niego mówić „doktorku".

W domu meble z Ikei i przemożna chęć, żeby to wszystko jak najdłużej trzymało się kupy. Rocznice, urodziny, wizyty teściów. Synek. Syn.

W pracy drzwi z pilśni, łóżko, szafa, fotel. Wszystko kombatancka politura. Pościel w atramentowe pieczątki SPZOZ. Na ścianach olej, po kątach grzyb. Diodowy sygnalizator z cyframi od jeden do pięć. Gdy dzwoniła dwójka, wstawał i jechał. Gdy co innego, przewracał się na drugi bok. Sny trudne, ale zawsze konkretne. Cały w pogotowiu. Ciało w pogotowiu.

W świetle jarzeniówki się jadło, piło, spało, czyhało się na tragedię, by popędzić przy wtórze huku i wycia, zrobić, co było do zrobienia, a potem wrócić i czekać od nowa. Jak jakieś gobliny, gnomy jakieś. Wróżki od spraw beznadziejnych. Z pijackich zwidów albo piosnek Pablopavo. Najgorsze, że wciąż pamiętał tamtego zgwałconego chłopca.

Przebrało miarę życie. Dlatego też wziął sobie drugie. Tajemne, ukryte. Gdzie był królem, wybierał, co chce i nie musiał nic. Tak mu się przynajmniej wydawało. Choć wygrażał mu często pięścią przez sen.

Warszawa, październik

Em,

Kocham cie kocham cie kocham cie kocham cie. Jest mi z tym dobrze i cały czas to wszystkim powtarzam. Wiem, że mnie nie skrzywdzisz. A jeżeli kiedyś skrzywdziłaś, to wybaczam. Każdy ma gorsze chwile i ulega zwątpieniu. Powiedz tylko, że byłem tym jedynym, że gdy byłem ja, nie było nikogo innego. Że nie knułaś za moimi plecami. Że zawsze byłem najważniejszy. Że mówiłaś mi prawdę. Że kochałaś go, ale dlatego, że ja nie mogłem kochać cię wtedy. Że nie stawiałaś nas naprzeciwko. Że to po prostu tak wyszło. Zawsze mu zazdrościłem, że Cie ma. Wiem, że patrzyłaś na niego za moimi plecami. Miał pieniądze. Mógł dać Ci więcej. Kim ja wtedy byłem? Przerażonym chłopcem. A on? On…

12.

Czekała. Cierpliwie. Tak przynajmniej twierdziła. Z tym swoim uśmiechem, wilgotno zebranym w kąciku ust, z tajemnicami. Powoli czekała.

Spotykali się albo rano, gdy miał wolne, albo gdy żona zostawała na noc w pracy. Parzyli kawę i przygotowywali śniadania. Robili ukradkiem zakupy. Oglądali filmy. Słuchali muzyki. Najchętniej po dyżurach, bo wtedy mogli opowiedzieć sobie o tragediach, które im się nie przytrafiły. O nie swoich życiach, o nie swoich problemach.

Taki bieda-wirtual doczesności. Na godziny. Za dzieciaka płacił na osiedlu dychę, żeby przez godzinę pograć z kumplami w sieci w strzelaniny – teraz był starszy, waluta się zmieniła, nikt nie ginął; emocje pozostały. Krzątali się, nie do końca prawdziwi, jak postaci z gier komputerowych. I wszystko na coraz trudniejszym poziomie. Tylko bez opcji sejw i load

Więc byli zawsze wyjątkowo ostrożni, bez zakłóceń. Tak im to upływało. W udawaniu, w obopólnym znieczuleniu. W obawie przeczystej, żeby się nie rozpadło.

13.

Zdjęcie z gazety. Wyciął, okleił skoczem. Schował w portfelu. Sam się sobie dziwił. Po co to? Na co? Nawet żona, nawet ta druga – nigdy tak blisko. Że jak po chleb idzie albo bilet kupuje, to otwiera, może popatrzeć. Że jakby portfel zgubił, to znalazcy od razu o zdjęciu by powiedział, żeby rozwiać wątpliwości.

I dotykać go wciąż musiał. Jakby ciało potrzebowało. Obwąchiwało jakby. Szorstka faktura minionego. Takie ponaglenie z przeszłości. Raz czy drugi nawet zapytał ktoś, czy aby nie jego. Potaknął milcząco. Trochę żeby zbyć, a trochę by poczuć. Przeszły go dreszcze.

14.

Ojczym złamał jej ząb, gdy miała naście lat. W ramach nauczki. Był na gazie, a ona podawała akurat krupnik i nie zdążyła zrobić uniku. Odkąd zmarła jej matka, przejęła domowe obowiązki. Także ten spokój wszechobecny, to nieliczenie się. Udała, że nic się nie stało. Po jakimś czasie dentysta dosztukował co trzeba, montując tam maleńką złotą śrubkę. Zdradziła to, gdy się bliżej poznali. Całując ją, szukał metalu koniuszkiem języka.

W ogólnym rozrachunku jednak nie miała za złe. Wszystko dzieje się po coś. Tak mawiała. Że wszystko, że po coś. Trzeba zachować czujność. No i gdy sobie to wszystko dokładnie ułożył w głowie, zrozumiał. Wtedy. Kilka lat temu. Spod trzepaka. Z plamą na spodniach, od której wszyscy odwracali głowy, bo gdy się jej nie widziało, nie trzeba było nazywać po imieniu. To on.

Nie spał całą noc. Nie spał cały dzień.

Coś mu się przestawiło w środku; zrozumiał, że na zawsze.

Toruń, kwiecień

Mamo,

A jak już wreszcie wyjdę, to wiesz co? Założę rodzinę. Tak! I zrobię sobie dużo dzieci, żebyś ty miała dużo wnuków i żebyśmy mogli stawiać bałwany i grać w piłkę, i ubierać ich cali spoceni w przedpokoju, gdy jedne trzeba będzie odprowadzić do przedszkola, a starsze do szkoły. I będziemy przeklinać to, że się nas nie słuchają i jeszcze bardziej je kochać. Wiesz, to nie jest tak, że nam się nie udało. Trzeba próbować. Oczyszczać się, rodzić na nowo. Nic jeszcze straconego. Mają tu leki, które wypłukują mi całe zło z krwi. I inne, które nie pozwolą mu się na nowo zagnieździć. Jeżeli będę je przyjmował regularnie, wszystko będzie dobrze. Nareszcie zrozumiałem, że jestem chory. Chyba śmiertelnie. W każdym razie mogą być nawroty. Wczoraj bardzo bolała mnie głowa. Chcieli mi zrobić zastrzyk, ale mam straszne zrosty w żyłach. Wziąłem tabletkę. Pomogło.

15.

Spacery. Rzadko, prawie nigdy. Miastowych zżera nuda. Sępią uśmiechy. Wypatrują słabości, lubią gadać. Mogliby rozpoznać. Po co to komu. Raz czy dwa potrzymali się za ręce na jakiejś jej pozaszpitalnej chałturze. Bo każdy orze, jak może, a ona akurat po godzinach śpiewała w zespole weselnym. Po wsiach, po pipidówkach. Z jednym salonem fryzjerskim i dwoma zakładami pogrzebowymi – lub na odwrót – zależy, czy w okolicy życiowa bessa czy hossa. Z gieesami w stylu polisz rokokoko, którym ktoś dokleił emblemat supermarketu, chociaż wciąż można było w nich kupować wódkę na szklanki. Tam czuli się bezpieczni. Tam ci inni mieli tyle kłopotów, że nic ich nie obchodziły cudze.

Pokątnie, po ciemku, po cichu.

16.

Śniło. A jednak. Choć snu nie przypominało. Przedporanna zgaga mózgu. Pod trzepakiem palił, pod tym przeklętym. W półjawie. Karetka odjechała przed chwilą. Plama krwi tylko. Stał, miejsce zajmował; wokół kręcili się tacy, co by chcieli już nowe ciało podłożyć. Myślał, że wykolejeńcy, ale oni mieli twarze królów z polskich banknotów. Najpierw go to zdziwiło, ale potem pojawił się cieć Anubis i zrozumiał, że tak ma być. Więc sterczał niezrażony i szukał po kieszeniach jakiejś grubszej forsy, żeby te facjaty do nominału dopasować, ale znalazł tylko dychę oraz drobne, a ten z dychy akurat był nieobecny. Chrobry się sprzeczał z Jagiełłą, tych rozpoznał na pewno. Jeden miał manko z liczbą ofiar i bał się, że dostanie za to po premii. Gdyż nic w przyrodzie nie ginie, a jesień wymaga, by zgadzała się suma wszystkich tragedii. Tak było, jest i będzie. Gdyż…

17.

Kiedyś przyszedł do niej, a ona była wstawiona. Siedziała na blacie w kuchni. Machała nogami niczym mała dziewczynka. Miała bose stopy. Śmiała się do siebie. Nie wiedział, co o tym myśleć.

Rozmowa się nie kleiła. Kupił czerwone półsłodkie. Odstawił na parapet. Czuł lekkie mdłości. Pocałował ją. Smakowała inaczej niż zwykle. Machając stopami.

18.

…gdyż mnóżcie-się-a-płódźcie, ale niektórzy się na to nie nabierają. Ci, którym trafia się przeterminowane życie. Bo czasem jest tak, że się dusze wyrwą z kolejki i rzucą na istnienie pośpiesznie na świat wypychane, te z rabatem; wtedy tragedia gotowa. Pewnie tak bywa. Dopiero po nabyciu dopatrzyć się można, co tam zepsute albo w rogu obszarpane. A reklamacji nie uwzględnia się. Kto ma siłę, to jeszcze jakoś to poskleja, do kupy poskłada…

A on siły nie miał. Ten cały J. ze zdjęcia. W redakcji przed publikacją nawet imię zabrali. Jego ojciec zmarł nagle. We własnym gabinecie na uczelni. Dla kilkunastolatka śmierć to wciąż abstrakcja. Przypomina cios. Dostał z boku. Niespodziewanie, aż coś mu zadzwoniło. Wewnątrz. Na cichy alarm. Z początku niezbyt natrętnie. Ale jednak. I to dzwonienie rozchodziło się po kościach, od czubka głowy po koniuszki palców pełzło. Gdzie by nie poszedł, gdzie by nie pojechał. Odzywało się. Chował się w tłumie, wtedy cichło. W osamotnieniu, wracało echem. Posyłali go do takich, co wiedzieli, jak odebrać głos głosom. Niewiele mogli mu pomóc. Pewnego razu zbyt długo był sam. Przedsięwziął środki.

Cichł. Ucichł. Aż przycichło.

Bili go w klatkę. Tępo, głucho bili.

Nie odpowiedziało.

Abramowice, listopad

Mamo,

Czuję się niczyj. Połatany się czuję. Naprawiony na odpierdol. Nikogo tu nie obchodzi, dlaczego to robię, tylko wszyscy chcą, żebym przestał. Mają na to pastylki, formułki, broszurki, gadżety i spotkania. Wszystko pięknie skrojone pod dobrych ludzi. Ten cały marketing prawości i dobrych rad się nie zmienia. Zmieniają się tylko miejsca i twarze. Raz wciskają to gówno z polotem, raz nie. U prywaciarzy robią z tego cyrk i medytacje. W budżetówce przypomina bardziej kołchoz. Trzeba palić w wyznaczonych pomieszczeniach i za życia śmierdzi się jak po kremacji. U prywaciarzy na wszystko zalecają jogę.

Ale walczę, mamo. Wiesz o tym, prawda?

19.

Gdyż wtedy dzieci nie popełniały samobójstw. A jak popełniały, to z hukiem. Mało tego, kolorowe szmatławce od razu całej sprawie inteligencką gębę dorobiły, a tej inteligencji na dorobku to mało i szara była, więc hit numeru.

Któraś z hien dotarła do korespondencji, jaką J. prowadził z odwyku. Soczyste. Cotygodniowo drukowali jedną stronę. Po miesiącu wypuścili segregator za 9,99. Można było kupić i zbierać. Kolekcjonować czyjąś tragedię. Niczym pokemony. W klaser włożyć. W dowolnej kolejności oglądać. Niczym, kurwa, świeżaki z Biedronki.

Ale to było kilka lat temu i czytelnicy dawno zapomnieli. A on wpadł w obsesję i poczuł, że musi te wszystkie listy przeczytać. Takie gazety żyją krótkim życiem, a w sezonie grillowym najczęściej idą z dymem. Szukał po Internecie, na Allegro. Odnalazł kilka.

20.

Samotność. To jej najbardziej doskwierało. Powiedziała, że nie ma siły czekać. Machając stopami. Powiedziała, żeby się zdecydował. Są inni. Nie wymieniła. Machając. Ale ci inni też darzą ją sympatią. Przyjaciele. Może ich zna, a może nie. Męczące bywa takie życie z doskoku.

Spytał, dlaczego akurat teraz. Przecież było dobrze. Może jemu dobrze, ale jej nie. Za mało się stara. A ona ma życie przed sobą. I jest taki, co się będzie rozwodził na jesieni. Zainteresowany. Może nie lepszy, za to z zapleczem. A ona o córce musi myśleć. Szczęśliwy rodzic to szczęśliwe dziecko. Tak.

Siedzieli pod światło, każde w swoim cieniu, w swojej nagłej szarości każde. Tacy nieopowiedzeni w najgorszy z możliwych sposobów, pewni, że czas się kurczy i z każdą chwilą można w nim upchnąć coraz mniej słów. Przepuszczali go przez palce, szukając właściwych. Kot łasił się do łydek. Przemykał cichaczem niczym urwany wątek. Zawiesili na nim wzrok, bo trudno było patrzeć w to drugie.

Kocie źrenice bielały niczym zmrożona blacha.

21.

– A jak kupię, będę mógł odsprzedać?

– Tak.

– No to git.

– Ale po niższej cenie.

– Jak to, kurwa?

– Tak to. Kurwa.

– Przecież to oszustwo.

– Nie. Popyt i podaż. I kapitalizm.

– Kapitalista się znalazł.

– A co? Nie wolno mi?

– W takim zasranym obejściu? Burdel tu kompletnie niekapitalistyczny.

– I w tym się pan grubo myli. W burdelu zawsze panuje porządek. I jeszcze pieniądze przynosi. Ile ładować?

– Na piechotę jestem.

– Po pięć kilo pod pachę?

– Jutro autem.

– Jutro załadujemy pod korek. No to hop!

Kraków, czerwiec

Mamo,

Powiedz, ile tak można? Co? Ile tych listów wysłałem? To jest trochę jak z tymi naszymi zdjęciami. Wspomnienie bez fragmentu. Rozmowa bez rozmówcy. Pamiętasz, jak rozmawialiśmy z tym pierwszym psychologiem, zaraz po śmierci taty? Co dłubał w nosie i wciąż powtarzał: „No tak, no tak, w takich sytuacjach się szybko dojrzewa". No to gówno wiedział. Szybko to się dojrzewa, jak się okazuje, że takie przypadki są nagminne. I że raczej nie można nic z tym zrobić. Oni tu tylko się modlą, żeby nie kopnąć w kalendarz na ich zmianie. Kropka. Za bardzo nie wierzą w ocalenie. Terapeutyczne to jest wkurwienie, żeby im udowodnić, że da się radę mimo to. I jak robią to specjalnie, no to ktoś powinien dostać za to Nobla. Lepiej to działa niż grupa wsparcia i dragi. No i ja mam zamiar im to udowodnić. Na złość. Nie wiem tylko, co będzie, jak złość minie.

22.

Siedział w domu, gapił się w telewizor. Puszczali powtórki. Na Jedynce polskie filmy czarno-białe. Na Polsacie coś z Costnerem. Amerykańskie do bólu, między oczy i bez polotu. Zostawił, bo dziś potrzebował, żeby ktoś mu wszystko tłumaczył, nawet te monochromatyczne prerie i przestrzenie, o których pomyślał, że, kurwa, tam to mają dobrze: można wyjść z domu i nie wrócić; tak ostatecznie, w spokoju, ponieważ większość bałaby się wyjść i poszukać.

Na kolanach trzymał klaser z listami. Siedział, czytał. Od początku do końca. Na wyrywki. Sto stron. Niektórym brakowało rantów, miały ślady po kawie, ale w większości były po obróbce, na papierze z połyskiem i już samo to świadczyło o tym, że jest w nich coś; jakieś ważne. Ważkie.

Zgromadził te strzępy z niemałym trudem. Zgromadził, ponieważ coś w nim, głęboko, podpowiadało, że skoro już tak rozpieprzono czyjeś życie, to zwyczajna ludzka przyzwoitość nakazywała, aby je uszanować. Uczcić. A może nie? Może było zupełnie na odwrót? Jego sens ostrugano i z tych strużyn teraz wróżby jakieś odczyniał, kierowany własną pychą, własnym przekonaniem, że dostrzeże coś, czego inni nie dostrzegli. Cel.

Na kolanach trzymał, jak tamtą kiedyś, i tak samo starał się zrozumieć oraz utwierdzić w przekonaniu, że się nie skończy. Zapas słów. Wątków. Interpretacji. Że można to samo przeżywać na nowo, tylko pod trochę innym kątem. I będzie to nadal ciekawe. Nadal fajne. Że nie trzeba będzie zmieniać.

Dziecko spało. Żona się krzątała. Kanał zmienił.

Znów powtórki. Święta idą, dotarło do niego.

Nie znosił świąt.

8

JANUSZ L. WIŚNIEWSKI

Menopauza

JACEK MELCHIOR

Zmarszczki wszechświata

Menopauza

Siedział przy tym swoim cholernie starym, cholernie drogim i cholernie drewnianym biurku, wpisywał te swoje łacińskie dyrdymały do mojej karty pacjentki i tak od niechcenia rzucił mi za kotarę, za którą wkładałam rajstopy:

– To była pani ostatnia menstruacja.

Nawet mu głos nie zadrżał.

Czy kobieta w pierwszych godzinach menopauzy może natychmiast popaść w alkoholizm?

Byłam prawie pewna, że może, bo miałam wyraźne symptomy odstawienia, gdy mój plastikowy kubek pozostawał pusty dłużej niż dziesięć minut. W zasadzie chciałam zapytać o to mojego ginekologa, ale on był chyba nawet bardziej pijany niż ja, więc zrezygnowałam. Zresztą, patrzył na mnie tak dziwnie. Jak gdyby chciał mnie rozebrać wzrokiem. Naprawdę. Tak właśnie patrzył. Nawet jeśli nikt dawno nie chciał mnie rozebrać czy to wzrokiem, czy tak naprawdę, to ja ciągle jeszcze pamiętam – mimo że od kilku godzin jestem w menopauzie – jak może patrzyć na kobietę mężczyzna, który chciałby rozebrać ją wzrokiem. Nawet jeśli jest to jej ginekolog. Naprawdę pamiętam.

Patrzyłam na niego, gdy nalewał mi kolejną whisky do przezroczystego plastikowego kubka stojącego na blacie jego dębowego biurka i zastanawiałam się, czy ginekolog – nie tylko ten mój tutaj, ułożony jak cegły na niemieckiej budowie, ale tak generalnie – w swoim gabinecie może patrzeć na kobietę tak, jak gdyby chciał ją rozebrać wzrokiem? Nawet jeśli sto dwadzieścia cztery minuty wcześniej rozebrała się przed nim całkowicie z własnej woli i on wpatrywał się w jej krocze jak biolog przez mikroskop w zupełnie nową bakterię? Czyli *stricte* naukowo? Zresztą i tak podziwiam go za to. Ile może być nowych bakterii na tym świecie?

Zawsze zastanawiałam się, dlaczego kupowałam nową bieliznę przed każdą wizytą u ginekologa.

Opróżniałam swoją skarbonkę – Andrzejowi mówiłam zawsze, że zbieram pieniądze na studyjną wyprawę do Nepalu – szłam do najlepszego sklepu w mieście i przymierzałam te wszystkie bielizny, które wyglądały tak bardzo sexy na modelkach w telewizji. I zawsze było tak samo. Wracałam z nową bielizną i starym przyrzeczeniem, że już nigdy tam nie pójdę.

Bo jakże może być inaczej? Wchodzi się rano, zaraz po otwarciu, do tego sklepu i te panienki wyglądają, jak gdyby wstały o północy, aby tak wyglądać, jak wyglądają. To jest bardzo deprymujące dla normalnych kobiet i zaczyna się mieć negatywne uczucia zaraz przy wejściu. A to dopiero początek. Potem one chodzą za człowiekiem po całym sklepie jak córki za macochą i doradzają zawsze bieliznę o dwa numery za małą, aby się przypodobać, a potem, gdy idzie się do przymierzalni, to przynoszą tę dwa numery za małą razem z tą normalną, o dwa numery większą. Tak na wszelki wypadek, „gdyby pani nie czuła się w tej pierwszej całkiem wygodnie".

I jest się w tej przymierzalni, i już po minucie dostaje się „syndromu ucieczki". To uczucie jest szczególnie intensywne w przymierzalniach „najlepszych sklepów w mieście" (sprawdziłam to w kilku miastach). Oni tam między innymi za moje pieniądze montują te neonowe, kryptonowe lub wypełnione innymi toksycznymi gazami świetlówki, produkujące miliony lub nawet tryliony luksów światła (pamiętam z fizyki, że natężenie światła mierzy się w luksach; już wtedy kojarzyło mi się to z luksusem). Obijają ściany, a czasami nawet sufity, kryształowymi lustrami i każą w takich warunkach zdjąć wszystko z siebie i włożyć te ich luksusowe La Perle lub Aubade w cenie średniej pensji salowej w szpitalach warszawskich. W tych luksach i lustrach widać w szczegółach strukturę małej blizny na ramieniu po szczepieniu przeciwko gruźlicy z dzieciństwa, a co dopiero cellulitis, zmarszczki lub „uzasadnione wiekiem przebarwienia skóry". Te widać w tych warunkach jak powiększoną do formatu A2 lub A1 kserokopię aktu urodzenia. Strasznie wyraźna i wyrazista kserokopia. W tych luksach i przy tych odbiciach w lustrze przypominają się nagle człowiekowi wszystkie telewizyjne reportaże lub artykuły w „Newsweeku" o „niebezpieczeństwach operacji plastycznych" i zaczyna się nagle rozumieć, dlaczego kobiety „w niebezpieczeństwie" podejmują takie ryzyko. I nagle zaczyna się im zazdrościć tej odwagi i samemu chciałoby się wybiec z tej przymierzalni prosto na operację plastyczną, aby wyciąć sobie zmarszczki, szczególnie te najbardziej oporne na najdroższe kremy.

Wychodzi się potem z takiej przymierzalni i czuje się człowiek jak kobieta, która w radiu, przed całą Polską, musiała głośno powiedzieć, ile ma naprawdę lat. Następnie idzie się do kasy, aby dopiero tam – płacąc średnią pensję warszawskiej salowej kasjerce, która wstała o północy, aby tak wyglądać – przyjąć z uśmiechem na ustach prawdziwy cios. I potem, mając swoją godność, wychodzi się ze sklepu jak gdyby nigdy nic. I potem, przynajmniej ja, „jak gdyby nigdy nic" idę do najbliższego miejsca, gdzie można usiąść i gdzie sprzedają alkohol.

Ale tak obiektywnie mówiąc, to ta bielizna na tych anorektycznych modelkach wygląda naprawdę sexy. Tak niezwykle sexy, że Andrzej przerywa czytanie gazety lub swoich finansowych raportów i spogląda na ekran telewizora. A nie spojrzał na ekran telewizora nawet wtedy, gdy Redford tańczył z nią w „Zaklinaczu koni", a ja nie mogłam się opanować i zaczęłam w fotelu łkać na głos i to było słychać. Usłyszał, że płaczę, spojrzał na mnie tym swoim spojrzeniem z serii „co ta baba znowu wymyśla" i wrócił do swoich papierów, nie pytając o nic i nie spoglądając nawet przez milisekundę na ekran telewizora. Ale przy tych modelkach spogląda.

I wtedy, przy tym Redfordzie, było mi przykro. Bo przecież tak naprawdę to ja tę bieliznę kupowałam wcale nie dla mojego ginekologa. Zupełnie nie. I wtedy myślałam, że nienawidzę, nie wiem nawet kogo lub co, za to przemijanie czasu, które rujnuje mi skórę zmarszczkami, za tę cholerną grawitację, która przyciąga moje piersi do ziemi, za ten metabolizm, który odłoży mi tłuszcz, nawet gdybym sałatę popijała wodą mineralną bez gazu, i za to nieuchronne nabywanie mądrości, która każe mi myśleć, że może już być tylko gorzej. I mimo tej mądrości regularnie opróżniam moją skarbonkę z „oszczędności na Nepal", idę skatować swoje ego w przymierzalni i kupuję coraz droższą bieliznę, wmawiając sobie, że u ginekologa wypada rozebrać się z drogiej bielizny, a tak naprawdę licząc, że zdejmie ją ze mnie Andrzej.

Ale Andrzej nie zdejmuje ze mnie nic od siedmiu lat, dziesięciu miesięcy i czternastu dni. Pamiętam to dokładnie, bo „ten ostatni raz" był tej nocy, gdy po raz pierwszy wybrali go do rady nadzorczej w tej jego spółce. Gdy myślę „spółka", to nie mogę nie myśleć o Marcie, mojej przyjaciółce. Aktualnie z Austrii. Kiedyś zupełnie bez powodu zadzwoniła do mnie o północy, pijana, z jakiegoś baru w Wiedniu, i zapytała, przekrzykując muzykę w tle:

– Słuchaj, czy odkąd twój Piotr, nie... on nie jest przecież Piotr... *verdammt*... Andrzej on jest, prawda... ale *egal*... czy odkąd ten twój Andrzej jest w tej jego spółce, to także nie spółkuje? Przynajmniej z tobą? Myślisz, że oni zakładają te spółki, żeby je nieustannie nadzorować? Nawet w nocy, i nie spać z nami tego powodu?

I odłożyła słuchawkę, nie czekając wcale na moją odpowiedź. I pomyśleć, że Marta chciała być zakonnicą, zanim została neurobiologiem. Teraz mieszka w Wiedniu, dokąd uciekła z Montrealu od swojego trzeciego męża za swoim Jürgenem.

Jürgen, syn wydawcy najbardziej poczytnego tygodnika w Austrii, był stypendystą na uniwersytecie w Montrealu i miał tylko trzy lata więcej od jej syna z drugiego małżeństwa. Spotkała go na kursie francuskiego. Przyszła spóźniona. Sala była przepełniona. Jürgen jako jedyny wstał i ustąpił jej miejsca, a sam poszedł szukać krzesła dla siebie. Wrócił bez niczego, bo wszystkie inne sale były zamknięte, i całą godzinę stał pod ścianą, uśmiechając się do niej.

Rozmawiali po angielsku. Oczarował ją nieśmiałością, niebywałą skromnością, dłońmi pianisty i tym, że potrafił godzinami jej słuchać, mimo że miał, jak mało który mężczyzna, wiele do powiedzenia. Chodzili często do włoskiej kawiarni w budynku rektoratu. Po kilku miesiącach poszli któregoś wieczoru na kolację. Tuż po tym, jak zamówili deser, dotknął delikatnie jej dłoni. Nie zaczekali na kelnera. Jürgen zostawił swoją kartę kredytową, wizytówkę i napiwek na stole i wyszli z restauracji. Rozebrała się częściowo już w taksówce, w drodze do jego mieszkania w Quartier Latin na przedmieściach Montrealu. Teraz Marta zna także niemiecki.

Marta po prostu zawsze jest z mężczyzną, „którego kocha". Gdyby zakochała się w Eskimosie, mieszkałaby na Grenlandii. Tego jestem pewna. To ona namawia mnie na ten Nepal, *a conto* którego opróżniam moją skarbonkę.

Andrzej jej nie znosi. Głównie za to, że miała zawsze do powiedzenia przy stole prawie na każdy temat więcej niż on. I na dodatek to mówiła. I to w czterech językach. Tak jak na przykład podczas tej pamiętnej kolacji w trakcie naszego urlopu z szefem Andrzeja z Genewy dwa lata temu.

Pewnego weekendu pojechaliśmy z Genewy do Annecy we Francji. To tylko czterdzieści kilometrów od centrum Genewy. Gdybym kiedykolwiek chciała gdzieś spędzać starość – Boże, co ja gadam, przecież ja już od ponad dwóch godzin spędzam starość – to chciałabym ją spędzać w Annecy. Białe od śniegu szczyty Alpy odbijają się w lustrze kryształowo czystego jeziora. Najlepiej to podziwiać, pijąc beaujolais na tarasie baru w Elmperial Palace. Poza tym w Annecy wydaje się człowiekowi, że wszyscy są zdrowi, bogaci i nigdzie się nie śpieszą.

To właśnie tam Szwajcarzy zaplanowali pożegnalną kolację i to właśnie w tym hotelu, zupełnie przypadkowo, mieszkała Marta, która akurat w Annecy przewodniczyła sesji naukowej w trakcie jakiegoś kongresu. Zeszła do restauracji hotelowej, bo potrzebowała korkociągu, aby otworzyć wino, które chciała „wypić w całości, masturbując się przy Mozarcie w łazience", jak mi powiedziała z typową dla niej rozbrajającą szczerością, gdy zostawiłyśmy mężczyzn przy stole i wyszłyśmy na chwilę razem do toalety. I potem natychmiast tym swoim lubieżnym szeptem zapytała:

– A ty masturbowałaś się już kiedyś przy Mozarcie?

Parę minut wcześniej wzięła korkociąg od barmana, odwróciła się twarzą do sali restauracyjnej i zobaczyła mnie. Wrzasnęła po francusku *merde!* tak głośno, że wszyscy przerwali rozmowy i jedzenie, i gdy w całej restauracji zapadła martwa cisza, Marta podbiegła do stolika, przy którym siedziałam, i zupełnie ignorując wszystkich i wszystko, zaczęła mnie całować jak córkę, której nie widziała dwadzieścia lat. Nie wiem, jak się to dokładnie stało, ale po krótkiej chwili po prostu siedziała z nami przy stole, przekomarzając się z kelnerem przy zamawianiu kolacji.

Oprócz nas, Polaków, przy stole siedzieli także Amerykanie i Niemcy, i oczywiście szwajcarski szef. Młody elegancki mężczyzna. Nigdy nie widziałam u mężczyzny aż tak niebieskich oczu. Homoseksualista. Wcale tego nie ukrywał. Przyszedł na kolację ze swoim przyjacielem.

Po kilku kieliszkach wina Marta opowiadała Niemcom po niemiecku najnowsze dowcipy o Polakach i tłumaczyła szwajcarskiego szefa z francuskiego na angielski. Mimo że szwajcarski szef po Harvardzie zupełnie tego nie potrzebował. Patrzył na nią z podziwem i rozbawiony powtarzał:

– No proszę, *madame*, niech pani im to powie. Właśnie pani, *madame*. Bardzo proszę. Jeszcze nigdy nie widziałem, aby ci Amerykanie wpatrywali się w kogokolwiek z takim podziwem. Czy pani naprawdę musi być tym neurobiologiem?

Andrzej milczał przez cały czas i wyglądał jak obrażony chłopiec, któremu matka przy wszystkich kolegach z przedszkola kazała za karę iść do kąta.

Dlatego Andrzej nie lubi Marty. Poza tym przy każdej okazji komentuje jej prywatne życie, uważając, że Marta „jest po prostu psychicznie chora" i stąd te jej ucieczki od jednych mężczyzn do innych w poszukiwaniu „seksualnej odmiany, która jej się myli z miłością". I dodaje zgryźliwie tonem wyższości mądrość życiową, którą moja teściowa powtarza przy każdej możliwej okazji: „Nieważne, do jakiego łóżka położysz chore ciało, zawsze będzie chore". A ja za każdym razem, gdy on to mówi, myślę, że Marta kładzie swoje ciało do tego łóżka, w którym ktoś jej pragnie, i „chorować" zaczyna dopiero, gdy to łóżko wystyga. I wtedy po prostu wstaje i odchodzi. Nie trwoży jej ani myśl o potępieniu, ani strach przed samotnością. Marta odchodzi od ogniska, w którym nie ma już żaru, i szuka ciepła gdzie indziej. Bo dla Marty nie ma „miłości nie w porę". Nie w porę mogą przyjść czkawka, okres, śmierć lub sąsiadka. Ale nie miłość.

Tak naprawdę Marta nigdy tej miłości nie szukała. Zawsze na nią trafiała, mimo że miała tak mało czasu w swoim dwunastogodzinnym dniu pracy. Może dlatego, że nigdy nie godziła się na bycie dla mężczyzny tylko zwierciadłem. Rzadko wstrzymywała oddech w podziwie, słuchając opowieści, jak to „on zbawi i naprawi świat" swoją mądrością, swoimi pieniędzmi lub swoim talentem. Bo Marta rzadko kiedy miała mniej pieniędzy, mniej talentu, a już prawie nigdy nie miała mniej mądrości.

Poza tym Marta chciała być dla mężczyzny tym właśnie całym światem, który on chciałby zbawić. Powiedziała mi to wszystko zupełnie niedawno. Przyleciała kiedyś z Wiednia ze swoim Jürgenem, aby pokazać mu Gdańsk. Aby, jak mówiła,

„wreszcie zrozumiał polski wątek pisarstwa Grassa, bez którego Günter nigdy nie dostałby tego waszego wyświechtanego literackiego nieobiektywnego Nobla, na którego tak naprawdę zasługują tylko autorzy encyklopedii".

W dwa dni pokazała mu Gdańsk, a w czwartek kazała „zorganizować sobie jakoś weekend", bo ona chce teraz „jeść kolacje i nocować ze swoją najlepszą przyjaciółką, a on tylko by przeszkadzał".

Tak powiedziała!

I zadzwoniła najpierw do Andrzeja do biura z prośbą, aby nie dzwonił do nas do Sopotu, „bo mamy babski weekend", a potem dopiero do mnie.

Siedziałyśmy w piżamach w jednym łóżku w apartamencie w Grand Hotelu w Sopocie, obżerałyśmy się milionami kalorii w lodach, szarlotce i serniku, piłyśmy szampana z butelki, słuchałyśmy Grechuty i oglądałyśmy stare albumy z fotografiami, płacząc ze smutku i śmiechu na przemian. I wtedy Marta opowiedziała mi o tym, jak poznała Jürgena i jak rozbierała się dla niego, podczas gdy on całował jej włosy w taksówce w Montrealu w drodze do jego mieszkania. I dodała:

– Bo kobiety najczęściej wiedzą dokładnie, czego chcą, po pierwszym seksie. Wszystko albo nic. A tak naprawdę to wiedzą to już po pierwszym pocałunku. Prawda?

– Prawda, Marto. Prawda... – powiedziałam i przytuliłam się do niej, i wcale nie myślałam o Andrzeju. I zastanawiałam się, przytulona do Marty, czy ja zmarnowałam swoje życie, nie mając nikogo, o kim mogłabym myśleć w takim momencie. Naprawdę nie miałam nikogo takiego. Bo ja zawsze miałam tylko Andrzeja.

Więc to było tej nocy, gdy Andrzeja wybrali do rady nadzorczej i on zadzwonił przed czwartą nad ranem, prosząc, aby odebrać go z Jachranki, gdzie mieli obrady. Na bawełnianą koszulę nocną włożyłam płaszcz i pojechałam.

Andrzej był podniecony. Znam to u niego. Każdy sukces wywołuje w nim rodzaj seksualnej ekscytacji. Najlepszy seks mieliśmy ostatnio – cokolwiek znaczy tutaj „najlepszy" – gdy albo dostał awans, albo zamknął bilans „z centralą w Genewie", albo przenieśli go w biurowcu na wyższe piętro lub gdy indeks giełdowy ich firmy podniósł się „o minimum dwanaście punktów niezależnie od notowanej wartości WIG". Gdybym z jakiegoś powodu chciała odtworzyć swoje życie seksualne z ostatnich lat, potrzebowałabym tylko archiwum notowań dynamiki WIG warszawskiej giełdy oraz CV mojego męża. Im wyższe stanowisko lub wyższy indeks giełdowy WIG, tym lepsza erekcja u mojego męża.

Ale tamtej nocy, gdy wybrali go do rady nadzorczej, Andrzej był podniecony inaczej. Zabraliśmy do samochodu także jego prezesa. Wulgarny mężczyzna, przypominający z wyglądu hipopotama w za ciasnym garniturze. Opluwający siebie i wszystkich w promieniu metra przy każdym wybuchu śmiechu. A śmiał się bez powodu i nieustannie. Ale był prezesem.

Prosił, aby go – po czwartej rano – wysadzić przy Saskim, mimo że na Mokotowie miał willę wypełnioną żoną, trzema córkami i synem. Gdy tylko prezes nas opuścił, Andrzej przesiadł się na fotel pasażera obok mnie. Ruszyliśmy i zatrzymaliśmy się zaraz na światłach. Wtedy Andrzej bez najmniejszego nawet gestu czułości lub jednego słowa wsunął mi rękę między nogi. Nie miałam majtek pod tą bawełnianą koszulką nocną, siedziałam z rozłożonymi udami, aby móc dosięgnąć stopami pedałów gazu i sprzęgła w tym jego ogromnym służbowym mercedesie, więc bez trudu wepchnął we mnie swój palec. Zupełnie nie spodziewałam się tego. To było gorsze niż defloracja! Przy defloracji, nawet jeśli boli, to wie się dokładnie, że to nastąpi i przeważnie się tego chce.

Krzyknęłam. On myślał, że z rozkoszy. A to było z bólu. Chwycił za kierownicę i zjechaliśmy na oświetlone podwórze jakiegoś banku. I wtedy, siedem lat, dziesięć miesięcy i czternaście dni temu zdarł ze mnie płaszcz, wyrywając wszystkie guziki i próbował podnieść koszulę nocną. I mówił przy tym strasznie wulgarne słowa. Jak w jakimś okropnym pornograficznym filmie. Zionął wódką, śmierdział potem i mówił, że mnie za chwilę „zerżnie tak, że zapamiętam do końca życia". I to o „zerżnięciu" było z tego, co mamrotał, najbardziej delikatne. Więc dokładnie pamiętam, kiedy ostatni raz mój mąż mnie rozebrał. I bardzo chciałabym to kiedyś zapomnieć.

Zastanawiałam się nad tym wszystkim, gdy mój doktor nauk medycznych, specjalność ginekologia, po studiach doktoranckich w Heidelbergu, podszedł do przeszklonej szafy przy ścianie, na której wisiały wszystkie jego oprawione w rzeźbione ramy dyplomy, odsunął kartoniki z lekarstwami i tymi okropnymi reklamówkami spiral domacicznych i wyciągnął kolejną butelkę.

– Remy martin – powiedział z dumą w głosie, uśmiechając się przewrotnie.

Opuścił na nos te swoje okulary w złotych oprawkach (zawsze przypomina mi w nich niemieckiego lekarza z filmów o obozach koncentracyjnych), przeszedł do fotela, na którym przed chwilą „oglądał moje bakterie", przycisnął guzik i podsunął butelkę pod halogenową lampę przypominającą reflektor.

– Świetny ciemnozłocisty kolor. To ostatnia tej klasy. To jest VSOP, ona ma piętnaście lat, a u mnie w szafie leżała sześć, więc ma ponad dwadzieścia jeden lat. Boże, jak ten czas leci… – westchnął.

Rzeczywiście. To było tak niedawno. W roku, kiedy on dostał tę butelkę, rodziłam Macieja. Jakby to było w zeszłym tygodniu. Nigdy potem Andrzej mnie tak nie kochał jak wtedy, gdy miałam mu urodzić Macieja. I było tak cudownie między nami. Tak uroczyście i we wszystkim była erotyka. Kładł mi rękę na policzku w bibliotece uniwersyteckiej i to było lepsze niż większość orgazmów, które miałam w ostatnim czasie.

To było tak dawno.

Wrócił kiedyś w marcu nocą z instytutu. Zapalił wszystkie światła w całym mieszkaniu, włączył Pink Floydów i wyciągnął mnie z łóżka, prosząc do tańca. O drugiej nad ranem. I potem, gdy tańczyłam z nim, śpiąc na jego ramieniu, wyszeptał mi do ucha, że dostał stypendium w Stanach i że „Maciej urodzi się nad Pacyfikiem". Nie pytał mnie nawet, czy może wolałabym mieć córeczkę albo chociaż o to, czy chcę, aby nasz syn miał na imię Maciej. Nie pytał także o to, czy może ja chciałabym, aby urodził się tutaj, w Krakowie, gdzie jest moja mama, Marta i pielęgniarki mówią po polsku. Nie pytał o nic, tylko tańczył ze mną i mnie informował. Szeptał mi swoje decyzje do ucha, a ja przytulona do niego w tym tańcu, ciągle w półśnie, myślałam, że mam najlepszego męża pod słońcem i że przecież mało kto może urodzić dziecko nad Pacyfikiem, zamiast w tej biedzie tutaj, gdzie nie ma nawet strzykawek w szpitalach. I ja wtedy, jako jego kobieta, odbijałam go w tym magicznym lustrze zwielokrotnionego i robiłam się sama jeszcze mniejsza. I on mnie taką małą widzi także dzisiaj.

Wywiózł mnie w piątym miesiącu ciąży z Polski do San Diego na końcu świata. Dalej są tylko Hawaje i Galapagos. Kazał włożyć szeroki płaszcz, aby na lotnisku ci z imigracyjnego nie zauważyli, że jestem w ciąży, bo on w podaniu o wizę skłamał, pisząc, że nie jestem. W San Diego był upał, bo tam prawie zawsze jest upał, a ja, wystraszona, jak gdybym w swojej macicy pod zimowym płaszczem szmuglowała dwa kilogramy kokainy, a nie Macieja, podawałam swój paszport grubej kobiecie w mundurze z pistoletem i odznaką szeryfa.

Po czterech miesiącach urodziłam. W klinice na przedmieściach San Diego. W La Jolla. Zachodnie skrzydło kliniki miało w pokojach pacjentów balkony z widokiem na Pacyfik. Ale tylko dla pacjentów z ubezpieczeniem Blue Cross. Andrzejowi udało się zebrać pieniądze ledwie na Red Cross. Na wschodnie skrzydło. Z widokiem na pralnię i prosektorium.

Nigdy nie płakałam tak często jak wtedy, w ciągu tych czterech miesięcy w San Diego. Zostawiona sama sobie w mieszkaniu, w którym czternaście razy była policja, bo wychodząc na podwórze, regularnie zapominałam odbezpieczyć alarm, czekałam nieustannie na Andrzeja, który wychodził rano i wracał przed północą. Byłam tak samotna, że czułam, iż robię się w środku jak wściekły wysuszony kaktus, który może zranić moją nienarodzoną córkę. Bo na początku w tajemnicy przed Andrzejem pragnęłam córki. Potem, tuż przed urodzeniem, z chęci zemsty pragnęłam, aby to na pewno była córka. Zemsty za tę samotność, podczas której miałam wrażenie, że dzielę cały smutek świata z telewizorem, włączanym zaraz po przebudzeniu. To nic, że nie znałam angielskiego.

To także nic, że on „pracował dla nas trojga", to nic, że „robił doktorat i światową naukę", a po godzinach nosił reklamówki od drzwi do drzwi, aby zebrać pieniądze na Red Cross. To cholerne, gówniane nic. Miał być chociaż trochę ze mną, a nie ze „światową nauką". Miał dotykać mego brzucha i słuchać, czy kopie, miał martwić się moimi plamieniami, biegać do apteki po podpaski, miał chodzić ze mną po sklepach i wybierać niebieskie kaftaniki i te mikroskopijne niemowlęce białe buciki, które wzruszały mnie do łez, miał trzymać mnie za rękę, gdy tęskniłam do bólu za domem w Krakowie i chociaż raz być w domu, gdy ta policja przyjeżdża, jak Kojak, na sygnale, z bronią gotową do strzału, bo zapomniałam odbezpieczyć alarm, idąc na podwórko, wywiesić jego wyprane koszule, majtki i skarpetki.

A potem urodziłam blisko pralni i Pacyfiku Maciusia. I zniknął gdzieś, rozpłynął się we mnie wysuszony kaktus, i nie włączałam już telewizora zaraz po przebudzeniu.

Boże, to już dwadzieścia jeden lat. Jak ten czas leci…

VSOP sprzed dwudziestu jeden lat! Boże, tego nie można mieszać z marnym danielsem, którym upijaliśmy się w pierwszych dwóch godzinach mojej menopauzy. To czuł także mój ginekolog. Wstał od biurka i wyciągnął nowe plastikowe kubki z szafki stojącej przy fotelu. No tak! To są z pewnością te same kubki, które jego asystentka daje kobietom ze skierowaniem do analizy moczu. Ponaddwudziestojednoletni remy martin za minimum sto dolarów w kubkach jako dodatek do skierowania do urologa! Czy on mnie naprawdę aż tak wyróżnia? Czy on naprawdę nie pił z nikim nigdy wcześniej w swoim gabinecie?!

Usiadł naprzeciwko mnie, rozwiązał krawat, rozpiął guzik koszuli i zdjął swój biały kitel z wyhaftowanymi zieloną nicią inicjałami. Nagle, bez kitla, wyglądał zupełnie inaczej. Zupełnie nie jak lekarz. Raczej jak mężczyzna.

Nie przepadam za lekarzami. Są tacy jednowymiarowi z tym swoim ortodoksyjnym samouwielbieniem i podziwem dla tego, co robią. Zrobili te swoje magisteria z medycyny, a każą do siebie mówić per doktor. Normalny człowiek musi zasłużyć na to doktoratem. Po dziesięciu minutach rozmowy o czymkolwiek innym zawsze tylnymi drzwiami wrócą do medycyny. Ma się przy nich nieustanne wrażenie – nawet jeśli są chirurgami szczękowymi – że żyją na ziemi z jakąś ważną misją, podczas gdy tacy na przykład adwokaci, listonosze lub kasjerki po prostu zarabiają na spłacanie kredytów.

W zasadzie o moim ginekologu nie miałam jeszcze prawa tak myśleć. Nigdy nie rozmawiałam z nim dłużej niż dziesięć minut i zawsze o medycynie. Jak się kiedyś przypadkowo okazało, był dobrym kolegą, a przez pewien czas – jak opisał to Andrzej – „nawet istotnym przyjacielem" (czy mogą być nieistotni przyjaciele?!) mojego męża. Było mi z tą wiedzą trochę trudno na początku. To nie jest miłe uczucie mieć kartę pacjenta i rozkładać nogi przed „istotnym przyjacielem" męża, aby potem radzić się go w sprawie na przykład upławów, wiedząc, że można go lada dzień spotkać na imieninach przyjaciółki lub na koleżeńskim brydżu w swoim mieszkaniu. Ale nic takiego się nie stało. Jedynym miejscem, gdzie spotkałam mojego ginekologa poza jego gabinetem, była kostnica.

Zginął w Himalajach dobry kolega Andrzeja ze studiów. Pisały o tym gazety w całej Polsce. Pojechaliśmy na pogrzeb do Nowego Targu. W kostnicy przy małym kościółku z cmentarzem, z którego widać Tatry w słoneczny dzień, młoda kobieta w czerni klęczała przy trumnie, od momentu gdy weszliśmy. Potem otworzyły się skrzypiące drzwi kostnicy i wszedł mój ginekolog. Podszedł do zmarłego, ucałował go i ukląkł przy tej kobiecie. I modlił się. I płakał. I znowu modlił. I gdy następnym razem przyszłam do jego gabinetu, to tylko po receptę na tabletki. Chciałam go spotkać i być przez chwilę z nim w tym pokoju, aby przekonać się, czy ciągle potrafię, po tym przeżyciu w kostnicy w Nowym Targu, rozebrać się przed nim i usiąść na tym fotelu. Uśmiechnął się tak samo sztucznie jak te panienki z przymierzalni. Był znowu lekarzem.

Mogłam.

Poziom koniaku w butelce sprzed dwudziestu jeden lat zbliżał się do tego miejsca w dole etykiety, w którym firma Remy Martin zdecydowała się wydrukować swoje dumne pięć gwiazdek. Robiło się późno. Podniosłam kubek do ust, wypiłam i nie wiem, dlaczego nagle zapytałam:

– Czy pana żona ma zmarszczki?

Chociaż tak naprawdę chciałam zapytać, czy jego żona ma już także menopauzę.

Spojrzał na mnie z takim bólem w oczach, jak gdybym wbiła mu nóż w policzek.

– Zmarszczki...?

Odsunął powoli swój dębowy fotel od biurka. Wstał. Podniósł do ust swój plastikowy kubek i wypił łapczywie.

– Zmarszczki... Zmarszczki ma, proszę pani, nawet wszechświat. Fale grawitacyjne marszczą wszechświat tak samo, jak spadająca z nieba kropla deszczu marszczy kałużę lub jezioro. Tylko że to jest bardzo trudno zarejestrować. Te fale grawitacyjne. Ale one tam są, z pewnością. To przewidział i obliczył Einstein. Mówiła mi o tym moja żona. I pokazywała jego publikacje z dwoma błędami. Wiadomo, że one tam są. I wszyscy się z tym zgadzają, i wszyscy chcą je jako pierwsi wykryć, zarejestrować, opisać, dostać za to Nobla i znaleźć się w encyklopediach... I moja żona także tego chciała... Ona te fale czasami czuła w sobie. Opowiadała mi o tym. Najpierw włączała swojego ulubionego Gershwina, potem pisała jakieś równanie matematyczne na pół strony i tłumaczyła, iż z niego wynika, że te fale z pewnością są i że ona czuje je jak wewnętrzne delikatne wibracje. I podniecona, z kieliszkiem wina w dłoni przekonywała mnie, że odkrywanie tych fal to prawie podglądanie Boga przy tworzeniu świata i że to jest fascynujące i piękne. I gdy ona o tym mówiła, to... to było fascynujące i piękne. I zawsze będzie... Boże, jaka ona była piękna, gdy była czymś zachwycona... Ze swoim profesorem z uniwersytetu, który znał tego amerykańskiego noblistę Taylora, załatwili po dwóch latach zabiegów dostęp – na trzy miesiące – do największego obserwatorium fal grawitacyjnych w Livingston w Luizjanie. Byli pierwszymi Polakami, którym pozwolono prowadzić badania w tym laboratorium. Polecieli w Niedzielę Wielkanocną. Na lotnisku cieszyła się jak dziecko, które stoi blisko wejścia w kolejce do Disneylandu. „A gdy wrócę już z tymi falami, to zaraz urodzę ci syna..." – powiedziała uśmiechnięta i rozpromieniona, całując mnie na pożegnanie. Ale nie wróciła. Tak samo jak później z Himalajów nie wrócił jej brat. Wylądowali w Nowym Orleanie, gdzie razem z czterema Francuzami z uniwersytetu w Bordeaux mieli przesiąść się do cesny i przelecieć do Baton Rouge, a stamtąd autobusem wysłanym przez obserwatorium przejechać do Livingston. Cesna spadła do jeziora Ponchartrain w pięć minut po starcie.

Zdjął okulary, przełożył je z ręki do ręki.

– Gdy myślę o mojej żonie i jej bracie, który wspinał się do nieba, to czasami wydaje mi się, że Bóg pogroził im palcem za tę ciekawość. A jak Bóg grozi palcem, to ludzie czasami umierają. Ale ona przecież nie chciała wykraść mu żadnej tajemnicy. I ja – wrócił do biurka, nalał sobie do pełna, rozlewając parę kropel na dokumenty leżące przy butelce, wypił łapczywie i z butelką w ręku odszedł pod okno gabinetu, i odwrócił się plecami do mnie – proszę pani chciałbym, aby moja żona mogła mieć wszystkie możliwe zmarszczki i abym mógł je chociaż raz zobaczyć. Nawet pani nie wyobraża sobie, jak piękną kobietą była moja żona.

Wrócił do biurka. Wytarł ukradkiem łzy i nałożył powoli okulary.

– Bo czas jest, proszę pani, jak grawitacja, która marszczy wszechświat, albo jak spadająca kropla deszczu, która marszczy kałużę lub jezioro. Tylko że niektórzy odchodzą, zanim ta kropla spadnie.

Wróciłam wczoraj od mojego ginekologa zapłakana i pijana. Taksówkarz pytał, czy na pewno „nie odprowadzić pani pod same drzwi?". Zebrałam wszystkie siły i wymamrotałam: – Na pewno nie!

Podałam mu portmonetkę, aby wziął sobie za kurs. Myślałam, że tak będzie lepiej.

Mój samochód został na tym parkingu na godziny. W zasadzie chciałam wrócić autem. Ale tak wyszło. To nie pasuje do mnie. „Bo ty jesteś przecież tak cholernie zorganizowana" – mówi Andrzej.

Wczoraj upiliśmy się z moim ginekologiem. Mało kto upija się przy spowiedzi. Wszyscy myślą o pokucie. Ale ja upiłam się, bo myślałam głównie o grzechach. I potem on opowiedział mi o swojej żonie i płakał, i potem ja płakałam. I na dodatek mam menopauzę.

I dzisiaj jest jakoś inaczej. Nie poszłam do pracy. Zadzwoniłam, że się źle czuję. Nawet nie kłamałam. Bo czuję się dzisiaj jak wyciągnięta spod gruzów po trzęsieniu ziemi.

To wszystko przez tego lekarza i tę fotografię, którą przypadkowo znalazłam w kasetce. Andrzej i ja z nowo narodzonym Maćkiem na rękach. Czułość w formacie 7×11. Byliśmy tam we trójkę, ale tak naprawdę to tam ciągle byliśmy we dwoje. Już dawno nie jesteśmy. Całą wieczność już nie. Jakoś to się rozproszyło. Przy zdobywaniu pieniędzy, przy podwyższaniu standardu, przy zapewnianiu sobie starości. Spokojny dom odpowiedzialnych rodziców. Gdy Maciek zrobił maturę i wyjeżdżał na studia do Warszawy, uśmiechnął się do nas i powiedział: „No to macie teraz chatę wolną!".

Mamy.

Wolną, pustą, ogromną i zimną jak igloo.

Nie ma już tutaj śmiechu, hałasu, radości. Myślałam, że to należy do rodziny, a okazało się, że należało tylko do Maćka. Nie mamy nawet wiele słów, gdy Andrzej wróci z biura. I wtedy, gdy już jest wieczorem ze mną w tym pustym mieszkaniu bez hałasu, to… to wtedy… wtedy tęsknię za nim najbardziej.

Andrzej…

On nazywa to – ten czas, który jest za nami – spełnionym życiem. Dom pod lasem, syn na najlepszym uniwersytecie, murowany dom na lato na plaży. Po spełnionym życiu nie ma się już oczekiwań.

Ale ja mam!

Chciałabym pojechać z nim znowu do Paryża, a w niedzielę rano jeść z nim croissanty w łóżku i śmiać się z byle czego. Ale on miał już przecież spełnione życie i przeszkadzają mu okruchy w pościeli.

Nie!

Starość to nie tylko zmarszczki.

Pokazałam mu dzisiaj wieczorem to zdjęcie.

– Piękna rodzina – powiedział.

– Piękna para – powiedziałam i wzięłam jego twarz w moje dłonie i pocałowałam go delikatnie w koniuszek nosa. Wydaje mi się, że zrobił się czerwony.

Wczoraj dowiedziałam się, że to wcale nie zaburzenie, ale że ten okres przed sześcioma tygodniami to był mój ostatni.

Nawet nie zadrżał mu przy tym głos. Ani przez milisekundę. Siedział przy tym swoim cholernie starym, cholernie drogim i cholernie drewnianym biurku, pisał te swoje łacińskie dyrdymały na mojej karcie pacjentki i tak od niechcenia rzucił mi za kotarę, za którą wkładałam rajstopy:

– To była pani ostatnia menstruacja.

Nawet mu nie zadrżał głos.

Zastygłam jak te postaci w filmach, gdy naciśnie się przycisk „pauza" w odtwarzaczu wideo. Nie mogłam się poruszyć.

Jak to? To już?

Tak bez fanfar, banalnie i bez ostrzeżenia przestałam być w wieku rozrodczym?

A przecież tak niedawno w domu dziadków zaciągnęłam moją siostrę na strych pełen pajęczyn i z dumą i w największej tajemnicy powiedziałam jej: „Dzisiaj dostałam... no wiesz!".

Przecież to tak niedawno...

„Spełnione życie".

Może Andrzej ma rację.

A może mój ginekolog.

„Bo czas jest, proszę pani, jak grawitacja albo jak spadająca kropla deszczu, która marszczy kałużę lub jezioro".

Po południu pojadę po samochód na parking.

Jeśli się znowu nie upiję.

Zmarszczki wszechświata

– Zmarszczki... Zmarszczki ma, proszę pani, nawet wszechświat. Fale grawitacyjne marszczą wszechświat tak samo, jak spadająca z nieba kropla deszczu marszczy kałużę lub jezioro.

Słowa ginekologa zapadły we mnie tak głęboko, że przez jakiś czas... w ogóle ich nie pamiętałam. Jak zresztą miałam pamiętać, skoro piłam. Nazajutrz po wizycie, gdy doktor Górski oświadczył mi, że nigdy już nie będę miała menstruacji, i nazajutrz, gdy zastanawiałam się, jak to powiedzieć Andrzejowi. Nazajutrz po tym, jak zdecydowałam się jednak nie mówić i nazajutrz, kiedy mnie jakąś drobnostką zdenerwował i postanowiłam rzucić mu w twarz: „Czepiasz się dupereli, a ja przeszłam na drugą stronę mocy!".

Nie zrobiłam tego, powstrzymując się w ostatniej chwili. Nie mogłam mu przecież nagle wyznać, że oto przeszłam na stronę niemocy! Nie przeszłoby mi to przez gardło...

A tak właśnie się czułam. Niemoc ogarniała mnie ze wszystkich stron. Na myśl, że coś się skończyło, że przestała istnieć ta Ja, którą byłam przez całe dorosłe życie (więc kim teraz będę?). Na myśl, że się z tym uduszę, bo nie dochowałam się przyjaciółek poza Martą, obecnie mieszkającą w Sydney z kolejnym mężczyzną, „którego po prostu kocha", a nie umiałabym z nią mówić o takich sprawach przez ekran komputera, bo nie pochodzę z epoki Skype'a. Wreszcie na myśl, że Andrzej niczego nie zauważy – przecież nie rozbierał mnie od ponad siedmiu lat! Owszem, nadal sypialiśmy ze sobą, od czasu do czasu wpadał przed nocą do mojego łóżka, szarmancki gość niedzielny, pokrzątał się trochę – szybko, sprawnie, nawet miło – po czym wypadał do swego pokoju i laptopa. Wpadał na gotowe, nie rozbierając ani mojego ciała z wciąż kupowanej nowej bielizny, leżałam już przecież w ulubionym, bawełnianym „worku", ani mnie od środka, bo poza konstatacją faktów, odhaczeniem dnia, który właśnie minął, już nie rozmawialiśmy. Jak długo nie zauważy, że przestałam być kobietą we wszystkich aspektach? Rok, dwa, trzy, kolejnych siedem, aż pewnego ranka obudzi się w jednym mieszkaniu ze staruszką i spyta ją, czyli mnie, gdzie się podziałam i kiedy wrócę?

Piłam więc nazajutrz, nazajutrz i nazajutrz, nie na umór, elegancko piłam, tak by nie było widać, znaczy p o p i j a ł a m. Koniaczek wlewany do porannej kawy zamiast mleka, zagryziony śniadaniowym croissantem przestawał wonieć w gardle, gdy pojawiałam się w pracy. Piwko do obiadu. Wiadomo, że w naszej restauracji podaje się wyłącznie bezalkoholowe, wypijałam je z szefową przy stoliku, a potem, idąc poprawić makijaż, wychylałam puszeczkę „prawdziwego" w toalecie. Winko do kolacji... Andrzej, jeśli jakimś cudem jadł ze mną, widział w tym tylko elegancką, włosko-hiszpańsko tradycję, ale cuda wspólnych posiłków zdarzały się coraz rzadziej, wkrótce jedynie wówczas, gdy Maciej przyjeżdżał z Warszawy, by na chwilę odetchnąć od studenckiego życia. A potem w ogóle ustały, bo mój… nasz syn nagle przestał przyjeżdżać, tłumacząc się brakiem czasu i wiecznym zmęczeniem w pędzie między zajęciami na uczelni a asystenturą w firmie, do której chciano go przyjąć po ukończeniu studiów.

– Nie zazdroszczę tym młodym – wzdychał Andrzej. – Ja na studiach to byłem panisko, studiowało się, czyli szkoła była dodatkiem do imprez, do całej wspaniałej wolności, opłacanej niezłymi stypendiami, kaską od rodziców, dorabiało się sporadycznie. Kto by tam myślał o konkretnej przyszłości? Dopiero przed samym dyplomem zacząłem się zastanawiać, gdzie by tu uderzyć z papierami. A teraz? Jaką oni mają frajdę z tego studenckiego życia, skoro od pierwszego roku zesrywają się z przerażenia, co będzie z nimi dalej, gdzie dać się wykorzystywać jako bezpłatny asystent, byleby tylko potem łaskawie cię przyjęto do jakiejś roboty?

Słuchałam, kiwałam głową, ale czy słyszałam? Otępiający, miły szumek towarzyszył mi przez całe dnie i nie ustał, nawet gdy po kilku tygodniach przeczytałam nekrolog doktora Górskiego, sześćdziesiąt lat, wcale jeszcze niesnującego planów na emeryturę. Czy poszłam na ten pogrzeb w hołdzie komuś, kto wiedział o mnie najwięcej, czy po to, by stanąć w tłumie podobnych sobie kobiet? Bo nie zdziwiło mnie, że poza kilkoma mężczyznami, może kuzynami, ale raczej kolegami po fachu, nad trumną stały same kobiety. Doliczyłam się trzydziestu siedmiu i odjęłam siedem jako ewentualną rodzinę. Do równego rachunku, ale też i siódemka jest intrygującą liczbą. Siedem lat szczęść, siedem lat nieszczęść, siedem lat nierozbierania mnie przez Andrzeja… Jaka będę za siedem lat, jeśli będę?

W każdym razie uznałam, że tych trzydzieści kobiet, w moim wieku i starszych, bo młodsze na pogrzeby swych ginekologów nie chodzą, nie są z nimi jeszcze aż tak zżyte, więc że tych trzydzieści kobiet, wdów po wdowcu Górskim, jest oczywiście po menopauzie i jakoś sobie z nią poradziły, i że najchętniej zaprosiłabym je teraz na specjalną, menopauzową stypę, na sabat czarownic, które jakiś czas temu były czarodziejkami, bo taka jest kolej rzeczy. Usiadłybyśmy niczym wiedźmy z ulubionego filmu małego Maciusia, w którym przewodziła im Wielka Czarownica, Anjelica Huston. Tamte chciały zgładzić wszystkie dzieci, zamieniając je w myszy za pomocą specjalnego eliksiru, a my… Co myśmy jeszcze mogły chcieć? Lekarstwa, minimalizujące fizyczne bolączki przemiany, już miałyśmy, a całą resztę? Jeśli moje szczęśliwe małżeństwo zastygło jak za tłusta zupa, to co z tymi, które żyły w nieszczęśliwych?

„Ciszej nad tą trumną!" – chcę krzyknąć, gdy podnosi się rwetes.

Lecz to już nie jest trumna, to stoliczek na estradzie, na którą wchodzi Anjelica Huston, zrzucając fioletowy szal z szałowej czarnej kiecki, oklejającej jej fenomenalną figurę.

– *Możecie zdjąć buty, możecie zdjąć peruki. Czy drzwi są zamknięte?* – pyta zgromadzonych babek, zmieniając się w potwora o haczykowatym nosie. – *Wiedźmy Anglii, przynosicie mi wstyd! Do niczego się nie nadajecie!*

Łyse babony się wstydzą. Ale dalej nie jest jak w filmie, bo jedna jędza wstaje i entuzjastycznie wrzeszczy:

– Niech żyje menopauza, dzięki której mój Tadek nie zrobi mi więcej dzieci!

Wstaje druga, mocno już leciwa.

– A ja nie zdążyłam, karierę robiłam! Dopiero teraz chcę być matką. I będę, są na to sposoby! Menopauza nie istnieje!

Wielka Czarownica Anjelica się krzywi.

– *Wiedźma, której mózgu brak, niech zamieni się we wrak!* – chrypi pogardliwie, ciskając w nią paraliżującymi srebrnymi promieniami.

„Słusznie" – myślę lub nie myślę, tak czy owak jestem przekonana, że sześćdziesięcioparolatka rodząca bliźniaki ma na względzie tylko siebie, będąc największą egoistką. Ale oto wstaje trzecia. Łysa, jak pozostałe po zdjęciu peruki, niegdyś piękna, lecz teraz poorana jak pole nadgorliwego rolnika.

– Jeszcze niedawno oglądali się za mną faceci; ale co tam faceci, lubiłam patrzeć w lustro, a teraz? Co się ze mną stało teraz? – szlocha. – Spójrzcie! – Klepie się w policzki, które stają się czerwone, lecz wcale nie mniej obwisłe. – Same zmarszczki, susza, ugór!

Stoliczek na estradzie znów jest trumną. Anjelica Huston powoli podnosi wieko. Po chwili Duch Doktora Górskiego fruwa pod sufitem i zewsząd słychać jego ciepły, niski głos:

– *Zmarszczki... Zmarszczki ma, proszę pani, nawet wszechświat. Fale grawitacyjne marszczą wszechświat tak samo, jak spadająca z nieba kropla deszczu marszczy kałużę lub jezioro.*

– I co z tego? – rzuca w górę ta trzecia. – Ja nie jestem wszechświat, jestem swój mały świat, coraz mniejszy, już nie ocean, nad jakim kiedyś, zakochana panienka, spędzałam wakacje, nie morze, nad jakie jeździłam z mężem, i nie jezioro, w którym uczyliśmy pływać synka... Jeśli już jestem kałużą – lamentuje – to niech się ona przynajmniej nie marszczy!

Ten łysy, nieszczęsny, zbuntowany i poorany babon to ja...

Gdy się obudziłam, odruchowo przejechałam ręką po włosach: miałam je, wciąż gęste! I po policzku: jednym, drugim; też były na swoim miejscu, na pewno jeszcze nie obwisłe, a jednak pod opuszkami palców wyczuwałam meandry, zagłębienia, ornamenty, jakimi wcale nie chciałam swej twarzy przyozdabiać. A potem znów kawka z koniaczkiem – Andrzeja już oczywiście nie było – i prysznic w znów złamanym świetle, bo przypadkowo odkryłam, że gdy zapalę ostre światło w przedpokoju i zostawię otwarte drzwi do łazienki, mam go przed lustrem tyle, ile trzeba, by potem spokojnie wyjść z domu do pracy.

Tego dnia jednak nie szłam, mogłam więc spokojnie zasiąść przed Martą na Skypie, bo oczywiście rozmawiałyśmy przez ekran, tyle że nie o najważniejszych sprawach, a przynajmniej nie ja, ponieważ ona… Czy coś prócz nowej miłości do Bryana było w ogóle dla niej ważne? Zaczęłyśmy jak zwykle od wymiany uprzejmości.

– Ślicznie wyglądasz – usłyszałam z Australii, celowo siedząc w świetle z przedpokoju. – W spa jakimś byłaś?

– Nie, na pogrzebie.

– A kto umarł?

Wyjaśniłam.

– Miałaś jednego ginekologa przez tyle lat? Ja chyba z dziesięciu, no ale trudno, zmieniając miejsce zamieszkania, zabierać ze sobą ginekologa…

– A pamiętasz taki film *Wiedźmy*? Z Anjelicą Huston! – krążyłam wokół tematu, chcąc spytać, czy Marta jest już po, w końcu byłyśmy rówieśniczkami.

Nie pamiętała – nie szkodzi, a może nawet lepiej. Jak miałabym jej wytłumaczyć związek między pogrzebem, sabatem i przerażeniem wobec nadchodzącej starości, nie nazywając po imieniu klimakterium i mojego popijania, które powiększało strach i chaos, perfidnie uspokajając na chwilę, mającą zaraz rozpaść się na kawałki? Na pewno nie przez komputer… Marta trajkotała coś o Bryanie i wakacjach, być może na Nowej Zelandii.

– Zamiast ichnich kropel z krzewu manuka, którymi niedawno leczyłam jakieś pryszcze, postanowiłam tam po prostu pojechać! Sądząc po zdjęciach – bajka, jestem pewna, że po zobaczeniu tego na własne oczy wszelkie pryszcze ustępują same, a stąd mam znacznie bliżej niż ty – chichotała.

Nie miałam pryszczy, ale kilka kropel bardzo by mi się przydało. Nie jakiegoś egzotycznego olejku, a normalnego francuskiego koniaku, ostatecznie brandy, bo do porannej kawy nie miałam ani grama. Nieprzysmaczona smakowała jak zbożówka, z lavazzy bez alkoholu zrobił się najpodlejszy turek, gotowany przez matkę w garnku i sitkowany co rano przez całą moją młodość. Nowozelandzki szczebiot Marty z pseudotureckim smakiem dzieciństwa na języku były nie do zniesienia. Nie przerywając rozmowy, wpisałam w Google: *alkohol, dostawa do domu*. Jakie to proste, oto do czego naprawdę może się przydać komputer! *Dostawa alkoholu do domu pozwoli ci cieszyć się ulubionym drinkami o każdej porze…* Marta nie mogła tego widzieć, zatem przypadek, pryszcz na rzeczywistości, musiał sprawić, że akurat przeszła na temat swojej sąsiadki.

– …i tak już się rozpiła, że ledwo łazi, więc wódkę zamawia w internecie, wyobrażasz sobie? A zmarchy takie już ma, jakby dawno przekwitła, choć ledwie po trzydziestce…

Natychmiast wyłączyłam alkoholową stronę, a zaraz potem Skype'a, szybko pisząc maila, że coś mi się nagle popsuło i *do następnego razu kochanie, papa*. Bo też i coś mi się nagle popsuło, choć bynajmniej nie komunikator. Przyjemność mi się popsuła z chęci przysmaczenia kawy. To przysmaczenie, rozpoczynające ogólny całodzienny haj, oznaczało bowiem przyspieszenie procesu obliczonego na lata. Sąsiadka Marty ma zmarchy, jakby już dawno przekwitła! Doskonale o tym wiedziałam: nagle poorana niczym pole nadgorliwego rolnika byłam tylko w koszmarnym śnie, w rzeczywistości jeszcze nic się nie stało. Wiedziałam i… i czy musiałam to usłyszeć, rzucone mimochodem i nie o mnie, by zdać sobie sprawę, że sama wbiegam w objęcia starości, pędząc na szafot z buteleczką koniaku, puszką piwka i flaszką chilijskiego wina w rączce, a mogłabym powoli, niemal niezauważalnie, z godnością, zamaskowana dobrym makijażem… A i to za jakiś czas. Za jaki?

Jeszcze przed kwadransem zamierzałam wyjść do sklepu po wiadomo co. Teraz „wiadomo co" wykreśliłam – dość! Marta zawsze miała na mnie świetny wpływ, choć dziś akurat nie była tego świadoma. Wyjdę, a jakże, zrobię normalne zakupy, nic się przecież jeszcze nie stało, tylko nie mogę mieć dzieci, których i tak nie chciałabym więcej mieć; jak łatwo wpuścić się w kanał, przerazić i pielęgnować to przerażenie! Ubrałam się odruchowo, lecz był to jednak odruch tonącej. Zorientowałam się już w osiedlowej uliczce, że zamiast fioletowego dresiku, w jakim zwykle robiłam rundkę po okolicznych sklepach, wyszłam w seledynowej sukience, sylwestrowej jak sexy kreacja Największej Wiedźmy Anjeliki Huston, i nie po trampeczki sięgnęłam, a po szpile… Sylwester w czwartkowe przedpołudnie z ekologiczną torbą na zakupy? Nie tylko profesjonalny terapeuta doszedłby do wniosku, że albo idę na randkę w biały dzień, albo chcę ją sprowokować.

Człowiek to dziwna istota, a kobieta w kilka tygodni po menopauzie jest najdziwniejszym rodzajem człowieka. Dopiero idąc do Delikatesów w tych swoich opiętych seledynach zdałam sobie sprawę, jak bardzo pragnęłam, by ktoś, znaczy jakiś przystojny mężczyzna, spojrzał, obejrzał się, wejrzał we mnie wejrzeniem samca, który zapomniał o istnieniu czegoś takiego jak kultura i dobre obyczaje. Jeśli ktoś wejrzy, odwzajemnię wzrok i nie przystanę w sklepie przed półką z wiadomo czym. Jeśli nie, to nie mam nic do stracenia i na pociechę zostanie mi tylko koniaczek. I nie zarzucajcie mi, feministki, że oto jeszcze jedna nieszczęśnica, zamiast wejrzeć w siebie i zrozumieć, ile jest warta sama w sobie, szuka akceptacji w oczach mężczyzny, w dodatku obcego, napotkanego ot tak na ulicy, jeszcze jedna smętna ofiara patriarchatu godzi się na bycie m i ę s e m, choćby przez tę krótką chwilę... Tego właśnie potrzebowałam, tego, by ktoś spojrzał na mnie jak na suczą sucz, w najbardziej erotycznym z możliwych sensów, bo inne aspekty przerabiałam codziennie. Jako wicedyrektorka do spraw kadrowych wciąż obrzucana byłam spojrzeniami typu: „Co za sucz!", miotanymi we mnie przez cały męski personel firmy, jednocześnie kłaniający się w pas.

Wejrzy, nie wejrzy... Jakbym znów miała naście lat, jakbym szła do szkoły, gdy pierwsza była matma, której się dramatycznie bałam, a nastoletni rozumek podszeptywał: jeśli przejedzie biały samochód, pójdziesz na lekcję, a jeśli czarny, skręcisz na ciastko i w szkole wylądujesz za godzinę. Czyż nie podobnie było z osiedlowym spacerem? Mimo dość wczesnej pory i powszedniego dnia, ludzi kręciło się sporo, ale choć zdecydowanie zwolniłam kroku, nikt nie zaszczycił mnie upragnionym, oślinionym spojrzeniem. Chwyciłam z półki sklepowej butelkę courvoisiera, jakbym musiała jednak iść na tę cholerną matmę; przegrałam! A jednak, skoro wracałam w tych seledynach i szpilkach, wznowiłam grę. Jeśli... to upuszczę torbę na chodnik, tak by butelka się zbiła; cóż znaczy pięćdziesiąt osiem złotych wobec jedynego w swoim rodzaju poczucia, że jesteś pożądana, mimo że od środka więdniesz, że to wciąż możliwe, a skoro tak, powinnaś jak najdłużej utrzymać ów stan, wklepując w siebie jakieś cudowne krople z krzewu manuka, a nie wchłaniając procenty...

Niestety, dwaj eleganci idący z przeciwka byli zajęci sobą, a młody przystojniak wręcz jakby odwrócił głowę! Ostatecznie minęły mnie jeszcze trzy pary starszych ludzi, przedpołudnie to pora ich spacerów. I rzuciło mi się w oczy coś, czego wcześniej jakoś nie dostrzegałam, a mianowicie... Ale nagle rozdzwoniła się moja komórka. Andrzej? Nigdy nie dzwonił w ciągu dnia!

– Jesteś w domu? Nie pracujesz dziś...

– Prawie, wracam z zakupów.

– Aha, to świetnie, bo zaraz przywiozą biurko.

– Biurko?

– Tak, okazyjnie kupiłem, postawię sobie w gabinecie... Nie mogę teraz gadać, zapłać za dowóz i wniesienie, bo nie miałem gotówki, dobrze? Miłego dnia!

Miłego dnia... Jeszcze parę lat temu powiedziałby: „Kocham cię!". Z melancholii wyrwało mnie wreszcie trzech osiłków z biurkiem; do wyboru, do koloru: ładny, brzydki i średni. I wszyscy trzej jak jeden mąż, a właściwie dokładnie jak n i e m ą ż, rozbierali mnie wzrokiem tak długo, aż poczułam się doskonale naga. Nie gustuję w osiłkach targających meble, za przeproszeniem – nie ta liga, a jednak bombardowana ich spojrzeniami mogłam tak stać i stać, dopóki ten brzydki, zaglądając mi w dekolt, nie rzucił: „Dwie stówki i spadamy!". I jak na komendę wszyscy głupawo się uśmiechnęli... wszyscy głupawo się uśmiechnęliśmy. Dopiero gdy wyszli, przyjrzałam się biurku.

Cholernie staremu, cholernie drogiemu i cholernie drewnianemu biurku, przy którym mój ginekolog, doktor Górski, wpisywał te swoje łacińskie dyrdymały w moją kartę pacjentki!

Wcisnęłam numer do Andrzeja.

– Przywieźli? – spytał, wyraźnie zaabsorbowany czymś innym.

– To jest biurko z gabinetu Górskiego? – Jakbym nie rozpoznała i nie pamiętała, że mój mąż i ginekolog znali się z dawnych czasów.

– Tak, jego siostra wyprzedaje teraz te antyki za bezcen, ale nic więcej fajnego nie było... Piękne, co? Wybacz, teraz nie mogę...

Jeszcze parę lat temu Andrzej powiedziałby: „Wybacz, k o c h a n i e...".

Otworzyłam butelkę, przyniosłam szklaneczkę – starą, poręczną oranżadówkę, nie do koniaku w towarzystwie, no chyba że w jego towarzystwie; czyż nie popijaliśmy razem z przezroczystych plastikowych kubków? Gdy dosunęłam krzesło, siadłam i wychyliłam, tak na oko, pięćdziesiątkę, doktor tkwił już za swoim biurkiem.

– *Zmarszczki... Zmarszczki ma, proszę pani, nawet wszechświat. Fale grawitacyjne marszczą wszechświat tak samo, jak spadająca z nieba kropla deszczu marszczy kałużę lub jezioro* – usłyszałam znów jak refren. – Tylko że to jest bardzo trudno zarejestrować. Te fale grawitacyjne. Ale one tam są, z pewnością. To przewidział i obliczył Einstein...

– Czyżby, doktorze? Że niby wszystko w zmarszczki? Że niby równo i sprawiedliwie? Nie wiem, czy to jakieś pocieszenie, ale z pewnością nieprawda. Ja zarejestrowałam dziś zupełnie co innego. Coś, co do tej pory umykało mojej uwadze. I to jest nierówne i niesprawiedliwe! Trzy starsze pary szły przede mną w słońcu, mniej więcej równolatki, ale to widać tylko po szurających, spowolnionych nogach, bo wie pan co? Nie po twarzach! One, owszem, miały swą siedemdziesiątkę, mimo farby na włosach, henny, pudru, szminki...

Ale oni? Buźki gładkie jak dupka niemowlęcia, a przecież bez tych wszystkich naszych babskich upiększeń! – Musiałam dolać sobie courvoisiera. – Jeden wyglądał niemal jak syn swojej żony!

– Może to był syn? – Nie wiadomo skąd wyciągnął papierowy kubek, jeden z tych, które miał u siebie w gabinecie, i też wlał sobie troszkę.

– Nie, profesorku, patrzyła na niego jak żona, to jest spojrzenie nie do pomylenia! I nawet jeśli był od niej młodszy, to ledwie parę lat, a nie o całe pokolenie. A tak właśnie wyglądał.

– No, wie pani, geny też…

– Geny genami – jednym haustem wychyliłam oranżadówkę – ale wy się po prostu, kurwa, nie marszczycie! Wszechświat się marszczy, a wy, panowie wszechświata, nie! Moja matka wyglądała pod koniec życia jak małpeczka, a ojciec jakby wciąż był koło sześćdziesiątki! No dobrze, nie chodził, ręce mu się trzęsły i miał zaburzenia pamięci, ale twarzyczka gładziutka! A szyjka? Jak u łabędzia! A zobaczyłby pan szyję mamy…

Doktor Górski wzruszył ramionami.

– Przecież od dawna wiadomo, że starzejemy się inaczej. Inna przemiana materii, inne rozmieszczenie tkanki tłuszczowej… Osobne kremy dla kobiet i dla mężczyzn to nie jest wymysł przemysłu kosmetycznego!

– Niepotrzebne wam żadne kremy… Nie macie zmarszczek, bo się wam po prostu nie robią, i już! Oto sprawiedliwość!

– Andropauzę mamy!

– A jakże, i macie na to lek: kobiety sobie zmieniacie na młodsze, bo po co wam pomarszczone? Nieważne, że poświęciły… poświęciłyśmy wam…

Doktor wlał sobie pół kubka koniaku i szarmancko uzupełnił moją pustą szklankę.

– Czy to moja wina, że wy jesteście z Wenus, a my z Marsa? – spytał pojednawczo.

Lecz ja nie byłam w pojednawczym nastroju, przeciwnie, ze szklaneczki na szklaneczkę byłam w coraz bardziej niepojednawczym...

– Dajmy sobie spokój z ta bzdurną kosmologią, na której autor zarobił miliony! – zakrzyknęłam. – Prawda jest taka, że świat byłby znacznie wspanialszy, gdyby było odwrotnie, gdybyśmy to my starzały się jak wy, jeśli już musimy, a wy jak my! Po co wam te dupciotwarze, co? – Twarz doktora była wręcz podejrzanie gładka, niemal przezroczysta. – Facet ze zmarszczkami wygląda ponętnie, a babka? Wygląda jak... babka! – zachichotałam z bon motu, bo akurat mi się zebrało. – Albo żeby przynajmniej robiły się nam wasze zmarszczki, pojedyncze cięcia, dwa wzdłuż, dwa wszerz i koniec, a nie siatka, z której nie można się już wyplątać...

– Ale kto powiedział, że nie można?!

To... nie był głos doktora, na którego zresztą akurat nie patrzyłam, usiłując trafić butelką do oranżadówki. Podniosłam głowę. Za biurkiem, seksownie opierając się o plecy mojego ginekologa, stała Wielka Czarownica Anjelica Huston, w czarnej kiecce z *Wiedźm*, popękanej na dwa razy szerszej talii. A może to jej ukrywana przez całe życie siostra? Bo to była Anjelica i nie była, twarz miała swoją i nie swoją, oczy jakby węższe, a policzki... wiecie, o czym mówię... jakby ktoś wepchnął w nie od spodu piłeczki pingpongowe.

– No? Kto powiedział, że nie można się wyplątać z siatki zmarszczek? – powtórzyła triumfalnie, patrząc na mnie jak na idiotkę. – *Wiedźma, której mózgu brak, niech zamieni się we wrak!*

Ha, mogłam powiedzieć jej to samo! Poniżej piłeczek wiły się strumienie nadprogramowej skóry, opadając na szyję niczym za ciężka, kiepsko skrojona woalka... Czytałam gdzieś, że zachwalała kolagen, botoks i umiejętności chirurgów plastycznych, i co? Natura jest jednak bezlitosna! Nie chciałam być jak ona, Wielka Czarownica, ani jak jej koleżanki z Meg Ryan na czele, byłam zresztą młodsza i nie musiałabym jeszcze... Chciałam... chciałam... t y l k o się nie starzeć! Teraz, gdy już nie musiałam walczyć z biedą, utwierdzać się w przekonaniu o własnej wartości, pracować na pozycję, teraz, gdy wychowałam Maćka, który był wreszcie dorosły, gdy Andrzej, niech mu już będzie, określił nasze życie jako „spełnione", teraz chciałam się tym wszystkim p o n a p a w a ć, o d s a p n ą ć, poodcinać kupony, z a s t y g n ą ć w niestarości z komfortem poczucia wszystkich, załatwionych ważnych spraw, a nie przechodzić menopauzę, a następnie samą siebie, by nie zjeżdżać po równi pochyłej! Bo co mnie teraz czekało? Piękne wspomnienia i trening mięśni dna miednicy? Stare zdjęcia i walka z suchością pochwy, by nie stracić przyjemności z seksu, jeśli Andrzej nagle nie poszuka sobie młodszej? Chciałam tkwić w błogostanie, a nie walczyć z nowymi przeciwnościami, które i tak mnie wreszcie przewalczą!

– Naprawdę sądzisz, że w życiu kiedykolwiek można odsapnąć? – spytał doktor Górski, który odsapnąć nie zdążył. – Constans to przywilej matematyki i fizyki, nie człowieka.

– Myślisz, że można cokolwiek zatrzymać? – weszła mu w słowo Anjelica o twarzy niezatrzymanej przez pingpongowe piłeczki.

W butelce courvoisiera na żółto świeciło się już tylko denko, nie było co rozlewać. Podałam jej butelkę, upiła łyczek i wręczyła ją doktorowi. Ten umoczył język i oddał mnie, a ja przechyliłam flaszkę tak, by pozyskać jeszcze kilka kropel i… i…

Gdy otworzyłam oczy, zobaczyłam sufit, krawędź cholernego biurka i pochylającego się nade mną Andrzeja, który wreszcie przestał mnie szarpać.

– Chryste, co się tu wydarzyło? Wytrąbiłaś sama butelkę koniaku, w dodatku w biały dzień?!

– Od dziesięciu lat wyglądasz tak samo – wychrypiałam. – I przez następne dziesięć też będziesz tak wyglądał.

Andrzej spojrzał na mnie, jakbym właśnie spadła z księżyca, a nie ileś godzin temu z krzesła.

– To… źle?

– Źle – warknęłam, z powrotem zamykając oczy.

***

Nie stoczyłam się, bo nieszczęsną flaszką koniaku strułam się tak, że od kilku miesięcy nie mogę patrzeć nawet na niewinne nalewki ułatwiające trawienie. Cud, że nie skończyło się na szpitalu! Andrzej uwierzył, że tamtego dnia przerosła mnie konieczność zwolnienia w firmie siedmiu osób, że siedem rozmów z doskonałymi fachowcami i sympatycznymi ludźmi, jakie miałam nazajutrz przeprowadzić, siedem rozmów z siedmiorgiem dzieciatych kredytobiorców, to było za wiele nawet na taką sukę… Znów ta siódemka. Zmyśliłam, ale i nie zmyśliłam, zanosi się na podobną sytuację. W każdym razie nie przyznałam się Andrzejowi do ginekologiczno-egzystencjalnych demonów. Jest moim mężem, biznesmenem, a nie lekarzem i filozofem.

Babskie demony obłaskawiam z panią doktor Błaszczyk. Nigdy w życiu nie poszłabym wcześniej do kobiety ginekologa. Teraz nie poszłabym do mężczyzny, bo żadnego z was nie czeka to, co nas, nawet zmarszczki! W jej ustach „kłopoty z lubrykacją" brzmią jak jej kłopoty, a nie opinia profesjonalnego przemądrzałka. Co do upiorów istnienia, to nie ma na nie prostych sposobów, jak na nawilżanie pochwy, ale mój Andrzej niefilozof od miesięcy namawiał mnie na jakiś krótki bezinteresowny wyjazd, oczywiście z kimkolwiek, byle nie z nim, bo biznes się zawali... I nadarzyła się doskonała okazja: Marta przylatywała do Europy na jakiś kongres neurobiologów, urządzany nad jeziorem Como.

Spotkałyśmy się więc w bajecznej scenerii, między palmami i Alpami, niczym na planie komedii romantycznej z George'em Clooneyem, który ma tam przecież dom. Jechałam nad Como pewna, że komu jak komu, ale Marcie wszystko opowiem i spytam wreszcie, czy już jest po, czy przed i jak sobie z tym radzi. Terapeutyczny plan się nie powiódł, bo przestał mieć sens, gdy tylko ją ujrzałam. Uśmiechnęła się szeroko, ale... nie od ucha do ucha w charakterystycznym grymasie, tylko jakoś węziej, mniej promiennie, a na jej policzkach we włoskim słońcu zalśniły pingpongowe piłeczki, spod których wcale jeszcze nie wyłaziła woalka skóry jak u Wielkiej Czarownicy... Przez cztery dni nie poruszyłyśmy żadnego z ważnych tematów – a może przeciwnie, same ważne? Czyż nie rozmawiałyśmy po prostu o życiu i o tym, jak zatacza koło? Marta przyleciała prosto z Rzymu, gdzie mieszka jej syn, któremu właśnie urodziła się córeczka.

– Nie masz pojęcia, jaka ta malutka była pomarszczona. – Świeżo upieczona babcia roześmiała się, uwydatniając piłeczki, a jej czoła nie przełamała żadna bruzda.

Na ostatni obiad przyszła z sympatyczną japońską uczoną, enigmatyczną jak ichnie rysunki na jedwabiu. Pani Fusako nie miała wieku, wyglądała jak figurka z alabastru, antyczna i niezniszczona, stara i jednocześnie niezniszczalna w całej swej naturalności. Gdybym znała japoński, spytałabym ją o słynne tamtejsze „wewnętrzne piękno kobiety"; w naszej angielszczyźnie sekret musiał pozostać tajemnicą.

Spojrzałam na Como. Pierwsze krople deszczu wpadały do wody, błękitnej i granatowej, lazurowej i marengo, szafirowej i szmaragdowej, w zależności od kąta patrzenia i tego, co się w niej odbijało. *Zmarszczki ma, proszę pani, nawet wszechświat. Fale grawitacyjne marszczą wszechświat tak samo, jak spadająca z nieba kropla deszczu marszczy kałużę lub jezioro...* Ale z oddali tafla wody zdawała się gładka jak niedoczytana teoria Einsteina.

– Zejdziemy nad brzeg, pożegnać się z tą bajką? – Marta radośnie poderwała się od stołu, a wraz z nią najuprzejmiej wstała Japoneczka.

– Idźcie – odpowiedziałam. – Ja zostanę tutaj...

Spis treści